A Anna-Marie

Le souvenir est
comme une racine qui
prend sa source hier
et nous mène à demain.

C. Laforge
4/12/87

A Anna-Marie,
Ces feuillets sont faits avec
beaucoup d'amour dans
notre fosse,

[signature illisible]

NOTRE HISTOIRE
À PETITS PAS

Christiane Laforge

Mona Gauthier Cano

NOTRE HISTOIRE
À PETITS PAS

Almanach historique du Saguenay–Lac-Saint-Jean

Les Éditions du Gaymont
3 rang Saint-Joseph, Saint-Fulgence
(Québec) G0V 1S0
(418) 674-9181

Couverture

Conception graphique : Christiane Laforge
Illustration : *Les pas*, huile-relief de Jean Laforge
Révision du texte : René Laberge

© 1987 Éditions du Gaymont

Dépôt légal 4e trimestre 1987
Bibliothèque nationale du Québec
Bibliothèque nationale, Ottawa

ISBN 2-9801129-0-9

À
Marguerite Belley

Remerciements

Au cours de ce voyage dans le temps, nous avons eu la joie de partager notre enthousiasme avec plusieurs personnes qui n'ont pas hésité à nous prêter main forte pour qu'aboutisse ce projet. Nous tenons à remercier tout spécialement le Centre national des archives du Québec, la Société historique du Saguenay, la Maison de la presse qui nous ont facilité l'accès à leurs archives. Nos remerciements aussi à René Laberge qui a bien voulu relire et corriger le manuscrit. À la Corporation des fêtes du 150e anniversaire du Saguenay–Lac-Saint-Jean, à la Ville de Chicoutimi, à Bertrand Genest et à Gaston Vachon pour leur contribution et participation active. Un merci tout particulier à mon compagnon, Joseph d'Anjou, sans qui ce livre n'aurait pas pu être. À Linda Girard qui a participé au départ du projet.

En guise d'introduction

Rejoindre le passé au fil des jours, faire le casse-tête du temps, tout en nous souvenant que « il y a souvent plus de saveur vitale dans un moment que dans une époque », tels étaient nos objectifs.

La formule même d'un almanach impose ses limites : une date, un événement, malgré la malice de l'histoire qui semble trop souvent réserver son humour pour les mêmes jours.

Mais cette formule sans prétention n'exigea pas moins de sérieuses recherches. Il fallut fouiller dans un passé à la fois proche et lointain, pendant de longs jours et de longs mois. Pour ce faire, les locaux de nos archives régionales nous furent largement ouverts et les directives des responsables, très précieuses. La Société historique du Saguenay, avec ses nombreuses éditions sur notre histoire et sa collection de journaux anciens nous apporta un meilleur éclairage.

Des archives privées, dont celle du journal Le Quotidien, ainsi que celles de quelques familles nous permirent de mieux raccrocher le passé au présent.

Partout, nous nous sommes enrichies de l'histoire du Saguenay–Lac-Saint-Jean et nous avons essayé d'y puiser des faits qui nous paraissaient avoir marqué la vie quotidienne de nos ancêtres et en être le miroir.

Nous tenons pour vrai ce que nous y avons découvert, sans prétendre posséder la vérité ou l'imposer comme telle, mais en empruntant plutôt la modestie de monsieur Jean-Paul Simard, éminent professeur d'histoire de l'Université du Québec à Chicoutimi qui affirme que « il n'y a rien de moins sûr que l'histoire ».

Plusieurs personnages y sont présents, mais nous sommes convaincues que d'autres auraient mérité d'y être : nous ne pouvons que constater leur absence dans les masses de documents consultés. Parmi ces absents, la femme est la grande championne. Exception faite de quelques communautés religieuses, l'histoire semble oublier que si les Vingt-et-un n'avaient pas été quarante-deux, nous nous serions pas près de trois cent mille aujourd'hui.

La femme forte, porteuse d'un peuple, qui a boulangé le pain et filé la laine, est restée dans l'ombre de ses mains. Quelques exceptions toutefois dont Marguerite Belley, une femme qui a fait oeuvre d'homme en fondant avec ses fils la ville de Jonquière. Cette femme est présente et, bien que modestement, l'histoire la reconnaît.

Aussi, sommes-nous très fières de lui dédicacer ce livre, reflet d'une vie simple et courageuse. À travers elle, nous souhaitons ainsi rejoindre toutes les femmes qui, depuis plusieurs siècles, contribuent à bâtir ce pays.

Mona Gauthier Cano

Marguerite Belley, fondatrice de Jonquière.

Préface

Volonté, colonisation, chantiers, colons, religieuses, bateaux, incendies, rivières, épouses, curés, écoles, maladies, cantiques, chemin de fer, hôpital, bois, terre, scieries, électricité, institutrices, aluminium, pêche, cathédrales, journal, alcool, Amérindiens, sentiers, couvents, syndicats, navigateurs, patrons, séminaires, pitons, champs, gouvernement, économie, agriculture, clochers... des mots, ces mots qui marquent régulièrement le profil des anecdotes présentées par Christiane Laforge et Mona Gauthier Cano.

Les faits se suivent comme le rythme des jours mais ne sont pas de la même année. Ils provoquent une sorte de tourbillon dans notre esprit. Un sentiment de mouvement s'empare de vous dans des temps passés si soudainement présents.

Les hommes, les femmes, architectes de cette région, des plus humbles aux plus grands occupent toute la scène de notre histoire. Les faits divers, les cocasseries, les actions grandioses, les catastrophes, les malheurs, les découvertes, les bonheurs se transposent comme l'actualité. À travers ces lignes, le dynamisme humain transparaît et affiche cette volonté de vivre ici, et ce, peu importe l'époque.

Cette oeuvre, issue d'une patiente recherche, pique au vif la curiosité du lecteur de cet original almanach. D'une page à l'autre, il effectue un voyage rapide dans un temps passé où 1535, 1838 deviennent aussi actuels que 1934 et 1960, le tout à travers l'événement marquant comme le vécu ordinaire lié au quotidien. Des réalités historiques aussi différentes dans leur dimension et leur proportion se côtoient en toute intimité.

Mil neuf cent quatre-vingt-huit propose une halte pour méditer ce passé dont l'addition égale notre présent. Ces écrits de Christiane Laforge et Mona Gauthier Cano offrent un recueil des plus utile à cette réflexion.

Merci de nous aider à mieux nous découvrir.

Réjean Simard
Président
Corporation du 150e
anniversaire du Saguenay–
Lac-Saint-Jean inc.

Partie du village de Sainte-Rose-du-Nord.

(Photo: Le Quotidien)

« ... Jamais l'on ne vit d'oiseau-mouche se promenant par les neiges. »

Jamais avant la publication d'un petit journal, L'Oiseau-mouche, fondé le *1er janvier 1893* par l'abbé V.-A. Huard et publié deux fois par mois par les élèves du Séminaire de Chicoutimi. Les objectifs de ce journal étaient de raconter l'histoire régionale et de parler des pays étrangers, soit à partir d'autres publications ou de textes obtenus d'un correspondant à Rome, soit en puisant dans les notes de voyage d'un citoyen ayant visité l'Europe et l'Orient.

L'Oiseau-mouche ne manquait ni d'ambition ni de confiance, écrivit un de ses collaborateurs :

« Qu'on sache bien que dans un siècle seulement, la collection de L'Oiseau-mouche sera devenue rare ; l'un quelconque de ces volumes se vendra au moins une vingtaine de piastres. Voici donc le chemin de la fortune qui s'ouvre devant vous ; si vous n'y entrez pas, quels regrets vous vous amasserez pour vos vieux jours. »

L'Oiseau-mouche bénéficia d'un très bon accueil dans la presse régionale. Il ne vécut que quelques années, le temps de faire parler de lui dans certains journaux de France et d'être, en 1900, mis à l'honneur lors de l'Exposition internationale de Paris.

Parmi les collaborateurs de cette publication, il y eut les abbés Delamarre (Livius), Desgagné (Abner), Alfred Tremblay (Derfla), H. Cimon (Laurentides), le juge A. Rivard, l'abbé Eugène Lapointe et les écoliers : Salmon Rossignol, Lionel Lemieux, Ulric Tremblay, Onésime Tremblay, Jean Bergeron et Simon Bluteau.

L'Oiseau-mouche s'attaqua à tous les problèmes menaçant l'ordre établi : la neutralité, la franc-maçonnerie, les opposants à l'éducation classique, désignant ceux-ci en disant :

« Tous les esprits forts, heureusement logés hors de la terre saguenéenne. »

---

2 janvier 1973

Une année froide

Il y a des jours de soleil qui nous transforment en lézards savourant la chaleur comme une denrée rare. Il y a les jours de pluie mélancoliques qui donnent le goût de se rapprocher de l'autre pour y puiser sa propre chaleur. Il y a quatre saisons et de chacune on attend le meilleur. Ce n'est pas toujours ce qui arrive. Mais qui se souvient encore de l'année 1972, année de records que résumait pour nous Andrew O'Doherty le *2 janvier 1973*.

Météorologiste à la Base de Bagotville, il affirmait que l'année 1972 avait été la plus froide depuis trente ans. Même l'été avait pris des airs d'automne.

Ainsi, en juillet, habiuellement le plus beau mois de l'année, la moyenne avait été de 64 degrés Fahrenheit. Au cours des trois mois d'été, on avait relevé dix-sept pouces et quart de pluie à Bagotville et treize et demi à Roberval. Le 3 juillet seulement, on enregistrait trois pouces et un tiers de pluie.

L'été ne fut pas la seule période à battre des records. Le 4 décembre, le thermomètre atteignait vingt-cinq degrés sous zéro. Quant à la neige, elle sut être abondante, totalisant près de soixante-six pouces au début de janvier.

En décembre seulement, il était tombé plus de soixante-cinq pouces de neige. La moyenne des trente dernières années était de cinquante-trois pouces et demi pour les mois d'octobre, de novembre et de décembre.

---

3 janvier 1938   # La guerre des langues

Plainte fut déposée auprès des autorités du Canadien National contre un certain Monsieur Ralston par certains voyageurs du *3 janvier 1938,* qui eurent la désagréable surprise de constater que ce monsieur ne parlait pas français. La loi obligeait les employés de services publics à parler français sur un train d'une région où pas plus de dix pour cent des voyageurs étaient de langue anglaise. Les plaignants demandèrent que le personnage ne soit plus envoyé dans la région.

Le conflit avait pris naissance un lundi matin, alors que le train, en provenance de Québec, était bondé. Les voyageurs de Chambord, Dolbeau et des environs s'entassaient dans les allées, debout plus souvent qu'assis. Au départ de Chambord, dans une voiture de première classe, un passager avait demandé au conducteur s'il y avait des sièges disponibles à l'arrière. Pas de réponse. Reprise de la question. Réponse inaudible à cause du bruit. Question répétée une fois de plus à laquelle le conducteur rétorqua en anglais: « Laissez-moi tranquille », dans des termes synonymes mais, paraît-il, beaucoup moins polis.

Le voyageur tenace demanda : « Veuillez me parler en français, s'il-vous-plaît, la loi vous y oblige. Si vous persistez dans votre obstination à ne pas parler français, je vais vous dénoncer aux autorités du Canadien National. » Pour toute réponse, l'homme qui ne parlait pas du tout français dit : « I'm sleeping car conducteur ».

Le conducteur ne devait jamais plus revenir dans les trains desservant la région.

Croix sur la lune

Pour que ne se perde pas la petite histoire, rien de tel que de laisser parler ceux qui ont des souvenirs. À la Société historique du Saguenay on ne s'en est pas privé, permettant aux curieux de retrouver des anecdotes savoureuses, comme celle racontée par Onésime Tremblay de Saint-Jérôme, le *4 janvier 1945*.

Mais écoutons plutôt ce qu'il dit d'un phénomène extraordinaire : «Dans l'année 1870, une nuit, vers quatre heures du matin mon père se lève, regarde dehors. Le temps était très clair. Mon père remarque une croix lumineuse bien dessinée, placée sur la lune qui se trouvait juste à la croisée. Il nous fait tous lever pour voir cela. On se demandait ce que cela pouvait signifier. Plusieurs autres à Chicoutimi avaient remarqué le même phénomène. On apprit peu après que le pape avait été fait prisonnier, ce qui fit remarquer le souvenir du fait.»

Quelques années après, je me trouvais chez mon oncle Abraham tremblay, dans le rang Saint-Joseph, du côté de Saint-Alphonse. Je me lève au cours de la nuit et, sortant dehors, je vois exactement le même phénomène. J'en parle le lendemain à la famille. On me demande si la première fois cela avait marqué un événement. Je dis, il s'est passé des choses en 1870, la croix dans le ciel a correspondu avec l'emprisonnement du pape Pie IX. Le lendemain, un télégramme annonçait la mort de Pie IX.»

Je me rapelle la chose comme si c'était aujourd'hui. La croix était lumineuse, très lumineuse et très nette.»

La croix de Lozeau

Après avoir décoré la chapelle, construite par le père Laure en 1726 pour les Montagnais, après avoir suivi les fidèles dans le nouveau temple et finalement été dressée sur la fosse commune des Montagnais au cimetière de Chicoutimi et dans celui de la cathédrale, une croix de fer forgé, oeuvre de l'artiste canadien Lozeau, fut donnée au Musée du Saguenay à la demande du chanoine Victor Tremblay. Le Soleil du *5 janvier 1955* annonça cette nouvelle et le journaliste Lucien Emond en profita pour conter la petite histoire de cet objet pieux.

« L'histoire débute en 1726 : le père Laure venait tout juste de terminer la construction de sa chapelle pour les Montagnais et fit fabriquer par un artisan du temps une grande croix de fer que l'on installa dans le haut du clocher de la chapelle. Pour manifester de façon tangible leur reconnaissance, les Chicoutimiens de cette époque firent cadeau à la Vierge de trente-trois peaux de martres. Pendant de longue années, cette croix demeura un symbole vivant de la foi des Montagnais en la religion du Christ. Les années s'écoulèrent jusqu'au moment où la chapelle ne fut plus en mesure de répondre aux besoins des fidèles. En 1846, on décida de construire un temple pour la population de race blanche.(...) Dès que la construction fut terminée l'on abandona pour ainsi dire la vieille chapelle des Montagnais. Un beau jour, quelques paroissiens de Chicoutimi vinrent abattre le clocher de cette antique église et la grande croix trouva refuge dans la sacristie du nouveau temple. »

Après la construction de la cathédrale, la croix fut installée sur la fosse commune du cimetière des Montagnais jusqu'à ce qu'elle échoue au Musée.

Couvent incendié

L'aube se lève sur Roberval. Au couvent des Ursulines, fondé en 1882, les religieuses vaquent à leurs occupations habituelles. Dans la petite chapelle, les cierges allumés éclairent la crèche de Noël décorée de dentelles.

Il est six heures du matin, ce *6 janvier 1897*. La flamme d'une chandelle lèche dangeureusement la fine broderie de la crèche. En quelques secondes le feu se déclare, se communique aux bouquets puis, finalement à tout l'autel.

Le chapelain, les religieuses et une dizaine d'élèves sont au couvent. Devant la violence du feu, tous s'enfuient avant même l'arrivée des secours.

Après le drame, sept religieuses manquent à l'appel. Voulant sauver les archives, elles ont été ensevelies sous les décombres.

Parmi les victimes, il y avait une des fondatrices du couvent, Mère Saint-François de Paul, née Elie Gosselin. Les six autres religieuses étaient, Mère de la Providence, née Emma Létourneau, Mère Sainte-Ursule, née Corinthe Barbeau, Mère Sainte-Anne, née Laure Hudon, Mère Saint-Antoine de Padoue, née Catherine Bouillé, Mère Saint-Dominique, née Marie-Louise Girard et Mère Saint-Louis, née Rose Gosselin.

Après l'incendie qui avait rasé l'édifice, la communauté fut logée temporairement à l'hôtel Du Tremblay jusqu'en juillet 1897. Quant au couvent de quatre étages auquel avait été annexée l'école ménagère, il était évalué à 50,000 $ mais assuré pour seulement 13,000 $.

---

7 janvier 1907   # Les porteuses d'eau

La construction de l'aqueduc de Saint-Félicien ne semble pas avoir été une décision facile à prendre. De nombreuses discussions eurent lieu, en vain, jusqu'à ce que des citoyens impatients décident de ne compter que sur eux-mêmes. Et pendant que les messieurs discutaient, bien propres et lavés, les dames de la paroisse s'offraient des promenades avec les seaux d'eau et se faisaient des muscles.

Le 7 janvier 1907, J.-E. Gobeil, représentant de la compagnie Good Shapply and Muir de Brandford, était reçu par le Conseil municipal de Saint-Félicien. Il venait leur expliquer les principes d'un moulin à vent et d'un réservoir, pour fournir l'eau nécessaire aux familles du village. I l sut être convainquant puisque les conseillers votèrent une résolution pour annuler tous les autres projets d'aqueduc, donnant priorité à une étude du moulin à vent.

Un comité formé d'Adjutor Rousseau, Domicile Têtu, Célestin Boulay, fut chargé d'analyser le coût du projet d'aqueduc, lequel ne devait pas dépasser la somme de 12,000 $, limite du pouvoir d'emprunt de la municipalité.

Le secrétaire écrivit au curé de Saint-Jérôme du comté de Terrebonne, pour avoir des informations sur l'installation du moulin à vent et à moteur, alimentant le village de Terrebonne. Les renseignements ne durent pas être bons car le Conseil de Saint-Félicien abandonna le projet. Il étudia alors une autre proposition, faite par Albert Naud et Placide Jalbert qui, après plusieurs séances, fut refusée. Le Conseil décida même de dire non à tout nouveau projet d'aqueduc. M. Naud revint à la charge, forma une société en compagnie de Placide Jalbert et Pierre Potvin. Société qui, finalement, commença la construction de l'aqueduc à ses frais, en juin 1907.

---

8 janvier 1964   # Les Tremblay d'Amérique

Président fondateur de l'Association des avocats d'Alma, conseiller de la Reine depuis plusieurs années, ex-bâtonnier du barreau du Saguenay, procureur de la ville d'Alma, Me J.-V. Tremblay mourut le *8 janvier 1964*. Il était originaire de Saint-Bruno, descendant du même ancêtre que tous les Tremblay d'Amérique.

En 1969, lors des Fêtes du Saguenay, les Tremblay furent spécialement honorés. On en comptait alors 83,000 en Amérique, soit autant que tout le peuple canadien lors de la conquête par l'Angleterre. Aujourd'hui, ils sont 200,000. Un Québécois sur cinquante est un Tremblay, selon le président de l'Association des Tremblay d'Amérique, Noël Tremblay.

Les origines de la famille Tremblay remontent en France jusqu'en 1060. Ceux d'Amérique sont les descendants de Pierre Tremblay qui quitta la France pour le Canada, à l'âge de 21 ans, il y a trois cent trente ans. Anniversaire commémoré à Charlevoix, le 17 octobre 1987, par les membres de l'Association. Fondée en 1978, cette association compte aujourd'hui 1,100 membres répartis surtout au Québec et en Ontario, ainsi qu'au Nouveau-Brunswick, au Manitoba, en Colombie-Britannique, aux États-Unis et en Europe.

Un premier ralliement des Tremblay avait été organisé par Mgr Victor Tremblay pour célébrer le 300ᵉ anniversaire de l'arrivée de Pierre Tremblay. Un hymne avait été composé, disant : « Pierre et sa race prolifique, couvre le continent d'emblée, de l'Atlantique au Pacifique, on trouve partout des Tremblay. Ce phénomène magnifique nous impose un devoir triple, de faire honneur en Amérique au nom Tremblay, Tremblay. »

---

9 janvier 1883   **À Québec en trois jours**

« Ah ! ce voyage de misère ! » disaient les journaux de l'époque alors que le seul lien de communication avec la capitale était le postillon, aidant voyageurs et bagages à franchir les quarante-sept lieues entre Québec et Saint-Jérôme. Distance raisonnable affirmait Le Saguenay, dans son édition du *9 janvier 1883* qui décrivait l'efficacité du service et la bonne organisation du parcours.

Le contrat de transport, accordé à Narcisse Brindamour de Québec, avait pourtant provoqué de nombreuses protestations :

« Jalousie qui a suscité bien des embarras. On a inventé les contes les plus absurdes... Et pourquoi cette guerre à un compatriote ? Parce qu'il n'appartient pas au Lac-Saint-Jean. La raison est bien mesquine. »

Le voyage vers la capitale durait trois jours. Onze étapes étaient prévues : Saint-Jérôme, Belle-Rivière, Camp aux Écorces, Camp Pika, Camp Upika, Camp Bédard, Camp Pique-au-bois, Camp Cartier, Camp des Roches, Camp Noël et Camp Lachance. Dans ses camps, Narcisse Brindamour avait placé des gardiens issus du Lac-Saint-Jean, « polis, attentifs et sobres », vivant là avec leur famille.

Le voyage coûtait 6 $ par personne et 2,20 $ pour chaque cent livres de bagages. Témoignant de la qualité du service, cinq citoyens écrivirent : « Nous certifions que le chemin de colonisation allant au Lac-Saint-Jean était bien beau, que nous avons été bien reçus dans tous les camps et que nous avons fait le trajet du Lac-Saint-Jean à Québec en trois jours et demi. »

Les pompiers

Le *10 janvier 1896,* le Conseil de ville de Chicoutimi adopta une résolution sur la formation d'un service organisé pour combattre les incendies. Un comité fut chargé d'étudier et de préparer le projet.

Deux mois plus tard, une compagnie de sapeurs-pompiers était formée, sous la présidence du maire. Vingt-huit jeunes signèrent leur engagement.

Pour évaluer les possibilités de la nouvelle équipe, des exercices furent organisés, avec P.-A. Guay pour diriger les manoeuvres. Il fixa la première sortie au dimanche après-midi, après avoir préalablement obtenu la permission du vicaire Belley qui tint compte de l'impossibilité de faire ces exercices en semaine.

Le jour venu, une tempête faisait rage. Malgré le froid, tous les sapeurs furent au rendez-vous à deux heures de l'après-midi. Tout se passa bien, si ce n'est un léger incident. Les pompiers descendaient la Côte Bossé avec les deux voitures chargées de boyaux. En raison de cette charge excessive, ils devaient occuper les deux voies. Surgit alors une voiture, venant en sens inverse sans se soucier des pompiers. Une des voitures pompiers réussit à s'écarter mais celle qui la précédait s'effondra, entraînant sapeurs et boyaux sous les roues de la seconde voiture. Heureusement, les sapeurs s'en sortirent sans trop de dommage. Personne ne fut blessé.

Ce mauvais début ne retarda pas le projet et, dès le mois de mai, le service était complet. C'était le premier du genre dans la région.

Malheur à Shipshaw

Les quatre-vingt-douze hommes engagés par la Fondation Company reposent dans « la hutte » qui leur sert de chambre. Certains fument leur dernière cigarette, d'autres dorment déjà. Ils ont à travailler fort pour remplir le contrat de construction pour la compagnie d'aluminium du Canada à Shipshaw. C'est le *11 janvier 1944*. Minuit et demi va bientôt sonner. « La plus effroyable hécatombe humaine de l'histoire du Saguenay » va débuter. (Il y a eu depuis, le glissement de terrain de Saint-Jean-Vianney, en 1971, avec trente et un mort).

Une malencontreuse cigarette aurait été la cause de l'incendie qui se déclara au coeur de la nuit, là où dormaient les travailleurs. Bilan : quinze hommes brûlés à mort, treize brûlés gravement et hospitalisés ; une dizaine de blessés légers. Parmi eux, Eugène Gauthier de Saint-Joseph d'Alma, mort brûlé et Aurèle Lévesque de Bagotville, hospitalisé et gravement brûlé. Il fallut à peine cinq minutes pour que le bâtiment soit totalement la proie des flammes.

« Pendant que la hutte se consumait on pouvait entendre, aux premières minutes, les lamentations désespérées et les appels impuissants de ces hommes aux prises avec la fumée et les flammes. Les uns parvenaient à sortir par les portes et entraînaient dans leur fuite des compagnons déjà inconscients. Un bon nombre se précipitaient par les fenêtres. D'autres asphyxiés et horriblement brûlés déjà, s'affaissaient lourdement dans les corridors pour devenir la proie du feu. Quelques-uns sont brûlés vifs dans leur lit torturés par les flammes. Les heureux qui ont pu s'enfuir ont tout abandonné. Ils ne réalisaient même pas que leurs vêtements de nuit étaient en feu et leurs cheveux grillés ». Cette nuit-là, il faisait trente degrés sous zéro.

---

12 janvier 1924   **Alexis le trotteur**

Lorsqu'il arriva au quai de Chicoutimi, le père Lapointe, héberlué, lança les amarres à son fils. Le fait n'était pas banal et pour cause ; il s'agissait d'Alexis, huitième enfant d'une famille de quatorze qui venait de parcourir à la course la distance de Charlevoix à Chicoutimi. Précédant ainsi son père qui, la veille, avait refusé de l'emmener avec lui sur le bateau. Le jeune homme, après s'être fouetté comme un cheval, avait résolu le problème à sa façon.

Il ne manque pas d'histoires sur ce phénomène au Saguenay-Lac-Saint-Jean. Ce garçon d'intelligence médiocre, dit-on, était doué d'une telle rapidité à la course qu'il fut surnommé « Le Trotteur », comparant ses exploits à ceux d'un coursier rapide. Alexis se mesurait au train, aux chevaux, aux automobiles et n'hésitait pas à s'atteler lui-même pour transporter sa mère plus rapidement qu'un cheval.

Né à Charlevoix le 4 juin 1860, Alexis Le Trotteur fut tragiquement tué par un train le *12 janvier 1924*. Ayant quitté son travail vers midi, il fit un bout de chemin en compagnie de son patron, Elzéar Simard. Puis les deux hommes se séparèrent, allant chacun de leur côté. Alexis monta vers la voie ferrée sans remarquer une petite locomotive qui poussait quatre wagons et avançait vers l'entrée du « tracel » de la voie de droite. Tuque de laine sur la tête, col relevé, vent face à lui, Alexis marchait allègrement quand il entendit crier. Sa première réaction fut de sauter au centre des voies pour atteindre l'autre voie. Ce geste lui eût sauvé la vie si, tout à coup, entendant la locomotive approcher, il n'eût pas cru l'entendre derrière lui. Pour l'éviter, il sauta à nouveau vers la voie d'où il venait et fut happé par le train.

Objets de luxe

Face à la crise économique, le « Parlement modèle » de Roberval nomma un comité chargé d'étudier les causes du malaise dont souffrait la localité. Publié le *13 janvier 1910* le rapport relevait un premier constat :

« Le mal qui afflige le Lac-Saint-Jean fait les mêmes ravages dans tout le Saguenay. »

Une des principales causes du malaise identifiée par le Comité était la consommation excessive d'objets de luxe, de toilettes, de promenades, de boisson enivrante et la perte du temps.

Considérant que la crise n'était que passagère, le Comité n'en accusa pas moins la population de négliger l'agriculture au profit de l'industrie. Il dénonça l'obtention trop facile de l'argent dans les banques et chez les prêteurs.

« L'abus sans limite du crédit a favorisé toutes les extravagances, concluait le Comité dans son rapport. Notre région pousse le cri - il n'y a pas d'argent - , cri faux, car jamais la production de l'argent n'a été aussi grande que cette année. Le problème c'est que la population s'est permis de dépenser sans compter, s'endettant de plus en plus.

Le Comité proposa de remédier à la situation en disant : « La persévérance au travail, ne pas faire de travaux étrangers à son état, rester chez soi, travailler à son champ, à son métier, à sa profession. Que le cultivateur varie la culture, qu'il fuie l'auberge et qu'il visite son champ. Que les femmes s'occupent de l'industrie domestique, gardent bien leur maison et qu'elles ignorent le chemin qui conduit au magasin d'articles de luxe. Que les jeunes soient sages, gardent leurs gages, achètent un domaine et se marient le plus tôt possible. »

Premier journal à Roberval

Fondateurs de la Compagnie typographique de Roberval, l'abbé J.-E. Lizotte et le marchand L.-P. Bilodeau avaient pour but la publication d'un journal, le premier à Roberval, qui parut pour la première fois le *14 janvier 1898* sous le nom de Le Lac Saint-Jean.

Les trois grands thèmes de ce journal étaient la colonisation, l'agriculture et le rapatriement. Son rédacteur, Henri Tielmans, belge francophone bien connu dans le journalisme, était à la fois l'imprimeur, faisant pratiquement tout dans cette publication.

Publié en format tabloïd, le Lac-Saint-Jean comptait quatre pages. Sa carrière fut de courte durée et il cessa d'être publié à partir du 3 septembre 1898, après vingt-cinq numéros.

Il y avait déjà eu une tentative de publication au Lac-Saint-Jean, en 1879. Une petite feuille, dont l'en-tête était de Pointe-Bleue, fut publiée sous le nom de « Le Murmure du Lac-Saint-Jean », et voulait être le journal des colons.

Le Murmure était l'oeuvre d'une société dont les principaux membres étaient Alexandre Béchard, Arthur Buies et Paul-Horace Dumais. Cette publication fut imprimée à Québec le 15 novembre 1879. Ses rédacteurs confièrent leur intention de « murmurer » contre ceux qui négligeaient trop la colonisation et les colons. Il n'y eut que deux numéros.

---

15 janvier 1872   **Jean Allard**

Chaque pionnier de la région, même le plus obscur, pourrait être le sujet d'une page d'histoire. Il leur fallut tous le même courage, la même détermination. À défaut de les rejoindre tous, parfois, la société choisit un nom et, à travers lui, tente de rejoindre ceux dont le nom a été oublié. Le Carnaval-Souvenir de Chicoutimi, fait vivre chaque année un personnage d'autrefois. En 1970, il avait désigné un pionnier de Jonquière : Jean Allard.

Né à Charlesbourg, le 21 avril, 1836, Jean Allard arriva à Jonquière aux environs de 1855. Sur les lots qu'il avait choisis, il venait travailler chaque été, défrichant petit à petit pour se faire une terre. L'automne venu, il rentrait au foyer paternel.

Il se partagea ainsi pendant trois ans, vivant dans une cabane en écorce de bouleau qu'il échangea pour une cabane de bois rond vers 1858 et dans laquelle il habita jusqu'à son mariage avec Olympe Lauzé de Lotbinière. Elle était la fille de Jérémie Lauzé et de Marguerite Déry. À ce moment, Jean Allard était propriétaire d'un lot de terre dans le cinquième rang ou rang Saint-Pierre, canton Jonquière. Il avait une maison et ses dépendances.

On lui reconnaissait des dons d'administrateur. Aussi, quand Jonquière fur érigé en municipalité, Jean Allard fut élu maire en automne 1865. Remplacé en 1868, il était de nouveau élu le *15 janvier 1872* par les habitants de Jonquière.

Décédé le 26 août 1895, à l'âge de cinquante-neuf ans, il devait recevoir, quelques jours plus tard, le diplôme du Mérite agricole provincial.

Célibataire endurci, personnage discret et original, premier artisan de la région, Charles Belleau pratiqua le métier de potier jusqu'à sa mort.

Il avait quitté le Cap-Santé, sa terre natale, pour venir à La Malbaie et, finalement, aboutir au Saguenay. Là, le *16 janvier 1855,* devant le notaire Rousseau de Bagotville, Charles Belleau acheta pour vingt-cinq livres (120 $) une propriété située aux chutes de la rivière à Mars, entre Bagotville et Laterrière. Il y avait une maison de dix-huit pieds par douze pieds, de pauvre apparence, qui lui servait à la fois de résidence et d'atelier. Personne n'y avait accès. Seul un enfant, profitant de ce que le potier donnait des fruits à ses soeurs, put voir l'intérieur dont il décrivit l'aspect rudimentaire, décrivant un large plateau tournant bordé de lames de fer qui dépassaient la partie intérieure.

Belleau avait la réputation d'être habile à fabriquer de bons et beaux plats et des théières d'aspect agréable. Sa spécialité était les terrines évasées utilisées surtout pour le lait. Pour vendre sa production, il allait d'une Maison à l'autre, à pied ou en voiture selon la distance. Poli et discret, il se présentait en disant : « J'ai des terrines à vendre, Madame ». Pas un mot de plus.

Il vécut seul jusqu'à la fin. Jusqu'à ce qu'un voisin charitable, constatant l'absence de trace autour de sa maison, ne le découvre malade. Il l'amena chez lui et l'hébergea jusqu'à sa mort, en mars 1889.

Le lieu où vécut le potier a gardé le nom de « Côte à Belleau ».

---

17 janvier 1674   **Père Albanel**

Apprenant que le père Albanel, en route vers la Baie d'Hudson, était gravement malade, le père de Crépieul et ses deux compagnons, Jacques Prévost et Charles Cadieu de Courville, décidèrent d'aller lui porter secours. C'était l'hiver, le froid et la neige rendaient leur marche difficile. Ils parcoururent une douzaine de milles avant d'atteindre le lac Pomascajou, long d'une quinzaine de milles, qu'ils entreprirent de traverser. Ils avaient à peine parcouru quatre ou cinq milles qu'une violente tempête se leva. À bout de force, ils regagnèrent les bords du lac et se préparèrent une cabane de branches de sapin pour y passer la nuit. Une nuit où le père de Crépieul crût bien qu'il allait mourir.

C'était le 17 janvier 1674. Ne réussissant pas à faire du feu, épuisés, ils sentaient le froid les envahir. La nuit était profonde, le vent soufflait horriblement. Pour ne pas se laisser engourdir, ils décidèrent de marcher malgré l'obscurité avançant sur le lac jusqu'à ce qu'ils n'en puissent plus. Le père de Crépieul se souvint du père de Nouë, trouvé mort, à genoux dans la neige, les mains jointes. Il se résigna à mourir. Pendant ce temps, les Français assemblèrent des branches de sapin sur lesquelles chacun s'étendit après avoir avalé quelques raisins secs. Le froid les empêcha de dormir.

Le lendemain, deux compagnons du père Albanel les trouvèrent, allumèrent un grand feu et leur donnèrent à boire. Ils purent reprendre la route et rejoindre le père Albanel. Celui-ci, gravement malade, se chagrinait de ne pouvoir poursuivre sa route vers les Mistassins auxquels il avait promis de revenir. Le père de Crépieul accepta de le remplacer et, le 6 février 1674, il partit en direction de la rivière Manouan et Péribonka.

---

18 janvier 1864   ## Saint-Jérôme

La paroisse de Saint-Jérôme existait depuis cinq ans lorsque le tout premier mariage du Poste eut lieu. Josephte Dufour, fille de Charles Dufour, épousa un employé de la compagnie Price, le *18 janvier 1864*.

Denis Boivin, premier colon à s'établir à Saint-Jérôme, arriva avec ses deux frères en mars 1855. Vivant surtout de chasse et de pêche, il avait défriché une parcelle de terre et cultivait un peu. Son frère Crysostôme alla finalement s'établir à Roberval. Jean hésita d'abord, et repartit, après réflexion, pour revenir s'installer près de son aîné.

D'autres familles de colons arrivèrent en 1861. Elles s'établirent dans la partie nord-est du canton Métabetchouan, suivies peu après d'une cinquième famille qui se fixa également dans ce coin. Il s'agissait des pionniers Maurice Saintonge, Jean-Marie Saintonge, Jules Boivin, Germain Marin et Joseph Morel.

La compagnie Price avait un établissement sur la rive gauche de l'embouchure de la rivière Métabetchouan depuis 1856. Quelques employés avaient installé leur famille tout près de leur lieu de travail. Parmi eux, il y avait Joseph Pruneau et Désiré Ouellet.

L'été 1862, un mouvement de colonisation amena d'autres pionniers qui s'ajoutèrent aux premiers arrivés, jusqu'à former une nouvelle paroisse du nom de Saint-Jérôme.

Le roi des monts

Longtemps méconnu, pourtant surnommé le roi des monts, le mont Valin a suscité bien des projets touristiques et récréatifs. En 1963, un citoyen de la région, Jean Laforge, déposait un projet de dveloppement privé sous le nom de « Parc Royal ». À défaut de se réaliser, faute des autorisations nécessaires, ce premier mouvement éveilla l'intérêt, suscitant, en 1970, la création d'une Société d'aménagement du mont Valin. Son but était de faire connaître le mont et de prévoir un plan de développement d'un parc récréatif et touristique qui pourrait être de grande envergure.

En 1977, la Jeune chambre de Saint-Fulgence adoptait une résolution, donnant son appui au projet d'aménagement du mont Valin. Annonçant leur position, le Quotidien du *19 janvier 1977* précisait que la Jeune chambre demandait au gouvernement les sommes nécessaires à la construction d'une route pour aller jusqu'au site en question.

« D'allure bi-dimensionnelle et n'apparaissant que très ponctuel à distance, le mont Valin vous révèle, à mesure qu'on s'en rapproche, ses mystères de vieux châteaux à tourelles. Cette vieille forteresse, dominant un territoire immense aux décors grandioses, ouvrira ses portes et rideaux pour devenir la scène touristique d'une foule d'acteurs et de spectateurs qui devront tous jouer à la perfection dans un synchronisme bien planifié.

La Société du mont Valin considérait que ce site devait être la grande priorité touristique régionale. En 1983, le Valinouët ouvrait officiellement. En 1985 il comptait déjà huit pistes de ski. En 1987, il accueillait 137,000 personnes. Un projet de village alpin (engageant des centaines de milliers de dollars) n'attend plus que la participation du gouvernement.

Triolet de triplettes

Si les naissances multiples sont fréquentes aujourd'hui, elles étaient autrefois considérées comme un événement exceptionnel et faisaient la manchette des journaux. Le Saguenay-Lac-Saint-Jean semblait multiplier les exploits de ce genre.

Le Droit d'Ottawa annonçait dans son édition du *20 janvier 1937* : « Triolet de triplettes dans un village du Saguenay ».

Pour la troisième fois en deux ans seulement le même village assistait à la naissance des triplettes. Ce qui valut à cette famille d'Hébertville d'être citée dans le livre des records.

Filles d'Adhémar Tremblay et d'une maman de trente-deux ans dont les journaux ne donnaient pas le nom, les triplettes, nées le 19 janvier 1937, avec l'aide du docteur Camil Lavoie, étaient en excellente santé.

L'accueil des parents fut sage, dit-on, le père ayant déclaré, avec philosophie : « Quand il y a de la place pour une, il y en a pour trois. » En fait, Jeanne, Jeannine et Jeannette s'ajoutaient à sept frères et soeurs que comptait déjà la famille.

---

21 janvier 1917   # Place au Sacré-Coeur

On se rappelle ce Sacré-Coeur éclairé par une veilleuse qui occupait la place d'honneur dans presque toutes les familles de la région. Nous devons cette coutume à Mgr Labrecque. En effet, par un mandement daté du *21 janvier 1917,* il décréta la consécration solennelle au Sacré-Coeur de toutes les familles de son diocèse.

Cette dévotion avait pour objet de reconnaître le droit souverain du Christ sur toute la famille et chacun de ses membres. « Cette pratique, disait l'évêque de Chicoutimi, s'applique à réparer les deux péchés particuliers de notre époque, à savoir la laïcisation et la dissolution de la famille, ainsi que l'attentat social contre la Majesté divine de Jésus-Christ. » Cette dévotion devait revêtir en plus un esprit d'apostolat puisque tous les membres d'une famille consacrée au Coeur de Jésus devaient propager l'intronisation dans les familles des parents et amis.

« Ainsi, disait un zélé pasteur, quand la douleur, la maladie, la mort viendront frapper à notre porte et endeuiller nos maisons, l'image d'un Dieu agonisant accueillera nos regards angoissés et mouillés de larmes. Il nous semblera Vous voir, Ô Jésus, descendre de la muraille familiale et venir vers nous, mettre en notre pauvre coeur et sur nos lèvres les surnaturelles espérances et les paroles de la résignation consolée. »

Beaucoup de familles ont conservé cette coutume et gardé, dans leur foyer, le coin d'une pièce où le Sacré-Coeur continue d'être le témoin de leur évolution.

---

22 janvier 1942   # Sainte-Rose-du-Nord

Le *22 janvier 1942,* Sainte-Rose-du-Nord, mieux connue sous le nom de La Descente-des-femmes, devint officiellement une municipalité. Les premiers colons, Jules Tremblay et Adolphe Gagnon, y étaient arrivés le 8 octobre 1938.

Blotti entre les montagnes en bordure du Saguenay, le village bénéficie d'un site naturel particulièrement beau. Il se divise en trois parties dénommées l'Anse-du-milieu (le coeur du village), l'Anse-d'en-bas (ou Descente-des-femmes) et l'Anse-d'en-haut.

À la double vocation agricole et forestière qui a assuré la survie des habitants de Sainte-Rose-du-Nord, s'est ajoutée une vocation touristique et artistique. Elle s'est exprimée particulièrement à l'occasion d'un festival artistique, tenu avec succès pendant plusieurs années. Artistes et artisans envahissaient alors le village, travaillant et exposant sur place. Une tente géante accueillait les amateurs de chant, de poésie, de théâtre et de musique. Félix Leclerc y a chanté. Plusieurs personnes, dont des membres de la famille Grenon, se sont découvert des talents en peinture, d'autres ont orienté leurs efforts vers l'artisanat. Des peintres, amateurs ou professionnels, en ont fait une halte temporaire ou permanente privilégiée. Il y a eu René Bergeron (fondateur de la galerie l'Art canadien à Chicoutimi), Gatien Moisan qui a vécu et travaillé plusieurs années à l'Anse-d'en-bas et Jean Laforge qui s'est installé à l'Anse-d'en-haut.

S'ajoute un petit musée de la nature comprenant des pièces naturelles ramassées au cours des promenades en forêt par les propriétaires, dont Agnès Grenon qui est aussi présidente de la Corporation de développement touristique.

Autre attrait du village, la petite église, décorée de meubles réalisés à partir de pièces de bois dont on a préservé les formes bizarres et fantaisistes pour en faire prie-Dieu, lutrin, bénitier, autel. L'église, brûlée le 22 mai 1982, a été reconstruite grâce à une imposante campagne de souscription qui rapporta 85,000 $. Somme qui, ajoutée aux compensations financières des assurances, permit la reconstruction de l'église actuelle qui fut consacrée le 9 juin 1984.

Sainte-Rose-du-Nord a été le site choisi par le réalisateur, Jean-Claude Lord, pour le tournage de son film « Toby » en 1985.

---

23 janvier 1913   # Cours du soir

Pendant que, trop souvent, nos écoliers s'impatientent sur les bancs de l'école, leurs grands-parents gardent le regret des difficultés qui les ont privés de l'instruction.

Main-d'oeuvre précieuse les enfants d'autrefois plaçaient l'école au second rang, non par dédain, mais parce qu'il fallait assurer avant tout la survie de toute la famille.

L'instruction était, cependant, perçue comme une porte ouverte sur un monde supérieur, le chemin le plus sûr pour améliorer sa condition. Aujourd'hui, bon nombre d'adultes n'en pensent pas moins et n'hésitent pas à retourner aux études, notamment par les cours du soir.

Ces cours du soir n'ont rien de nouveau. En effet, le *23 janvier 1913,* le Progrès du Saguenay annonçait une bonne nouvelle : « Le gouvernement local a bien voulu se rendre aux désirs de la population et de nos pasteurs et a donné un généreux octroi pour ces écoles. »

Il s'agissait de classes du soir donnant l'enseignement des langues française et anglaise, sous la direction des frères Maristes, sur la rue Jacques-Cartier. Il y avait une heure de cours chaque soir.

Inutile d'ajouter qu'il faut s'y mettre dès le commencement. Voici une magnifique aubaine pour nos ouvriers de suppléer un tant soi peu aux difficultés qu'ils ont eues à s'instruire dans leur enfance. Que de magnifiques positions qui pourraient être occupées par les nôtres si par ailleurs ils avaient l'instruction suffisante !

---

24 janvier 1962   La Voix contre la pluie

Fondé le *24 janvier 1962,* le journal La Voix du Lac-Saint-Jean entreprit sa carrière en exprimant sa colère contre la pluie. À cette époque, la région était particulièrement inondée de pluie artificielle, ce que niait farouchement René Lévesque, alors ministre des Richesses naturelles dans le cabinet de Jean Lesage.

Plusieurs centaines de personnes avaient assisté au lancement de La Voix du Lac-Saint-Jean à la salle du couvent à Saint-Félicien, dont une vingtaine de maires de la région. Fondé conjointement par Louis-Marie Tremblay et Benoît Harvey, ce journal répondait à un besoin de la population jeannoise.

Benoît Harvey assuma la direction du nouvel hebdomadaire, jusqu'à ce que cet ancien journaliste du Soleil, remettant les rênes entre les mains de Louis-Marie Tremblay, retourne à son précédent emploi.

La Voix du Lac-Saint-Jean se distingua particulièrement lors de sa campagne contre les machines à pluie, faisant pression pour qu'une enquête soit tenue. Il fut effectivement démontré qu'il y avait bien fabrication de pluie artificielle dans la région. Il fallut un vaste mouvement de protestation de la population, « L'Opération parapluie », pour que cesse (on l'espère) cette pratique dans un pays que les longs hivers assoiffent de soleil.

L'hebdomadaire s'implique aussi dans le dossier de la formation d'une Commission scolaire régionale dans le comté de Roberval et se fit présent dans l'actualité des villes et villages du Lac-Saint-Jean.

Carnet de notes

Félix Leclerc nous a donné le calepin d'un flâneur. Le notaire, Édouard Tremblay, nous aura légué le sien. S'il ne s'agit pas de réflexions philosophiques, les notes que ce document contient, concernent divers événements curieux des années 1844 à 1867. Il faut dire que l'intérêt premier de ce calepin vient du fait que le notaire Tremblay fut, avec Me Chs-H. Gauvreau, celui devant qui les Vingt-et-Un signèrent l'acte d'accord qui leur ouvrait les portes du Domaine du Roi, le 9 octobre 1837, à La Malbaie.

Parmi les événements que le notaire Édouard Tremblay nota, il y a quelques catastrophes : la débâcle de la rivière Malbaie en 1844, le tremblement de terre du 17 octobre 1860.

Il y a aussi des phénomènes curieux : l'apparition d'une comète le 22 août 1853 ; l'absence de pleine lune en février 1866, fait qui n'aurait jamais eu lieu depuis la création du monde et qui ne pourrait se répéter que dans deux millions d'années.

Il raconta également la formation d'un pont de glace sur la rivière Saguenay en 1867, chose rare à l'embouchure de la rivière. « Un pont de glace sur la rivière Saguenay, écrit-t-il. Le vendredi, le *25 janvier,* les premiers qui ont passé dessus sont Pierre Leclerc, fils porteur de malle entre Murray Bay et Tadoussac, avec les nommés Léandre Terrien et Augustin Gaudreau ; ils ont embarqué au Portage et débarqué à l'Anse-à-l'eau, et en revenant ont embarqué à l'Anse-à-l'eau et débarqué à l'Anse-à-la-Catherine.(...) mardi 29 il y a passé six voitures-carioles ; il est resté arrêté pendant vingt jours et est cassé et parti le 14 février au soir. »

Alcool et taxis

« Pour le moment ce qui est le plus urgent à Chicoutimi, c'est la formation immédiate d'une ligue permanente de moralité publique dont les membres donneraient toutes les garanties nécessaires de courage, d'audace et de ténacité ; des membres ayant la notion des valeurs et ne se laissant pas berner de vains mots et d'apparences trompeuses », déclarait au Soleil le *26 janvier 1955,* Augustin Tremblay, secrétaire de l'Association des taxis de Chicoutimi.

Il ajoutait : «... et nous aurions tôt fait de découvrir que la métropole du Saguenay est une jolie miniature de Montréal et que la Reine du nord devra se hâter à redorer son blason pour ne pas perdre sa royauté».

Augustin Tremblay en avait long à dire contre le Conseil municipal de Chicoutimi qu'il qualifiait de «petit caucus, favoritisme, vengeance, pharisaïsme au service d'une politicaillerie qui nous désert et nous déprécie. Il ajoutait : «S'il est vrai que la population a les dirigeants qu'elle mérite, certes il y a de quoi réfléchir.»

À titre d'exemple, Augustin Tremblay raconta que le kiosque des taxis de la rue Racine et Sainte-Anne disposait d'une armoire avec tiroir secret contenant de la boisson enivrante destinée à être vendue aux taxis et à leur clientèle. Il fallut bien des efforts pour mettre fin à ce trafic.

Le secrétaire de l'Association dénonça les conseillers qui protégeaient les chauffeurs de taxis indépendants de préférence aux membres de l'Association, précisant que ces protégés participaient à un commerce de bière dont l'approvisionnement se faisait au cimetière.

---

27 janvier 1942　　　　　　**S'instruit seulement qui veut**

Grande préoccupation à la Chambre de commerce de Roberval lors de l'assemblée du 27 janvier 1942. Le sujet à l'étude : l'enseignement rural et l'instruction obligatoire.

À cette réunion, Edmond Pilote de Saint-Félicien et Raoul Tremblay de Saint-Jérôme parlèrent de l'opportunité de mieux orienter l'enseignement rural agricole. Ils faisaient choeur avec l'inspecteur Charles-Édouard Boily de Saint-Félicien qui donna d'intéressantes statistiques sur l'enseignement rural et ses déficiences, sur l'enseignement scolaire et les devoirs des commissaires d'écoles. La principale question fut cependant de décider s'il fallait ou non recourir à la correction ou forcer les enfants à fréquenter l'école.

Relatant cette assemblée, le Progrès du Saguenay du 12 février 1942 commenta en disant : «En résumé, donnons à la jeunesse les écoles qu'il lui faut selon son âge, les instituteurs capables de l'instruire, les moyens matériels d'en profiter. Puis, par une campagne d'éducation populaire, faisons comprendre aux parents et aux enfants les bienfaits de l'instruction. C'est par là qu'il faut commercer. Et sans cela, ne comptons sur aucun résultat, même avec la fréquentation scolaire obligatoire. Car s'instruit seulement qui le veut et non pas qui l'on veut».

Pygmées et mine d'or

Le Saguenay a-t-il été habité par des Pygmées ? Serait-ce une région pleine d'or et de cuivre ? Était-elle, en 1362, une riche cité où vivaient des gens vêtus de draps de laine ?

Légendes, déclarait la Société historique du Saguenay, le *28 janvier 1937*. Légendes, fruits de l'imagination des gens d'outre-mer, fascinés par ce pays.

Qu'une riche cité ait existé ne surprenait pas outre mesure. Les Espagnols, en 1518, n'en avaient-ils pas trouvé au Mexique. D'autant plus que Donnacona, chef de Stadoconé, affirmait avoir été à la terre du Saguenay. Plutôt que de tout réfuter, les historiens supposèrent que Donnacona rapportait des échos lointains de la présence des Nothem en Amérique et dont les établissements auraient disparu deux siècles avant la venue de Jacques Cartier. Selon certaines inscriptions découvertes à Kensington (Minnesota), il y aurait eu des hommes vêtus de draps de laine à l'ouest du lac Supérieur.

On prête également à Donnacona la description d'un peuple de « Picquenians » ou Pygmées. Certaines cartes situèrent ces Pygméons au Saguenay. Cependant aucune trace dans tout le Canada n'a été trouvée permettant de croire à la présence, ici, de ces êtres fabuleux.

L'histoire que la population voulut croire absolument a été celle des mines d'or et de cuivre. Les Espagnols n'avaient-ils pas trouvé des mines d'or plus au sud ? On s'en moqua bien un peu, jusqu'à la découverte d'une zone minière s'étendant du lac Supérieur jusqu'au lac Chibougamau, territoire que les Indiens nommaient le Royaume du Saguenay.

Dr Talbot

Lorsque certaines pages d'histoire racontent le dévouement des médecins d'autrefois et, plus encore, leur désintéressement, on retrouve dans les propos : reconnaissance et admiration. Ainsi en est-il au sujet du Dr Théodore-Alexandre Talbot. Né à Québec le 4 juillet 1848, il fit ses études à l'université Laval. Installé à Saint-Judes, la lecture d'un article de journal attira son attention sur le Lac Saint-Jean, surnommé « le grenier de la province ». Il décida de venir s'établir à Hébertville au début de l'été 1875.

« Le grenier de la province » lui parut bien décevant. Alors qu'à Saint-Hyacinthe le grain commençait à pousser, il y avait encore de la neige dans les coulées du lac et les semailles étaient à peine commencées. N'ayant pas d'argent pour repartir, il resta. Le *29 janvier 1878,* il épousa à Hébertville Marie-Catherine Dumais, de Kamouraska.

Les enfants se succédèrent : Marie-Anna, Alléluia, Flore (née au cours d'une brève tentative de pratique à Saint-Éphrem), Joseph, Henri, Pascal (lors du retour à Hébertville), Théodora, Sospeh, Alphonse, Alexandre.

Se tenant au courant des progrès de la médecine par la lecture des meilleures ouvrages du temps, il avait du succès contre l'épilepsie et certaines maladies nerveuses. Il recevait de maigres honoraires et, parfois, à ceux qui ne pouvaient payer, il ne demandait que des prières. Il séjourna à Péribonka puis finit sa carrière à Saint-Félicien. Il dut cesser de pratiquer en raison d'une cécité croissante, conséquence d'un choc à la tête en se heurtant à un cadre de porte trop bas. Il mourut à l'âge de 92 ans, le 9 février 1941.

---

30 janvier 1934   **S'immoler dans l'ombre**

Afin de se consacrer au service des prêtres, treize femmes fondèrent une nouvelle communauté au Séminaire de Chicoutimi. Leur devise « s'immoler dans l'ombre » signifiait un choix austère par lequel elles voulaient être auxiliaires des prêtres en tenant leurs maisons, en éduquant les jeunes susceptibles d'être appelés au sacerdoce, par la prière et les sacrifices, totalement orientées vers la personne et le ministère des prêtres.

Le 2 juillet 1904, « dans l'ombre » de la chapelle de l'ancien séminaire, les treize fondatrices formèrent le premier noyau de ce qui allait être la communauté des Soeurs de Saint-Antoine de Padoue. Nom qui fut changé plus tard par Mgr Lamarche en celui des Soeurs Antoniennes de Marie.

Leur première maison fut rasée par l'incendie du 24 juin 1912 qui ravagea aussi le Séminaire. Deux ans plus tard, elle était reconstruite.

En 1917, un groupe de soeurs alla prendre en charge l'orphelinat apostolique de La Malbaie. Et, en 1918, la communauté aménageait dans son couvent, l'École apostolique, pour se consacrer à la formation des jeunes candidats au sacerdoce. En 1931, elles assistaient à l'ordination de leur premier protégé.

Le *30 janvier 1934,* les soeurs Antoniennes de Marie fixèrent les termes de leur complète autonomie envisageant l'établissement d'une maison générale. Le 2 août suivant, elles faisaient l'acquisition de leur future maison-mère et du noviciat, berceau de leur juvénat Notre-Dame. En 1960, elles comptaient vingt maisons au Canada et aux États-Unis et dix années d'apostolat missionnaire en Chine.

« Le mot tuk appartient à la langue montagnaise et signifie caribou. À la réserve indienne de Pointe-Bleue, ce mot, par delà sa signification, est synonyme d'industrie et caractérise le courage et la persévérance indienne dans ce qu'ils ont de plus authentique. Il (ce mot tuk) symbolise la réussite d'une entreprise typiquement montagnaise et où l'on fabrique entre deux cents et trois cents paires de raquettes par semaine. » Signant un reportage sur la fabrique de raquettes de Pointe-Bleue, Guy Fournier, journaliste au Quotidien percevait cette petite industrie comme la gage du sens des affaires des Indiens, méconnu en raison des préjugés raciaux.

Dans son article, publié le *31 janvier 1974,* il ajoutait que le propriétaire M. Eugène Paul, déclarait un chiffre d'affaire annuel de plus de cent cinquante mille dollars.

La fabrique de raquettes avait été fondée en 1969 par six résidents de Pointe-Bleue. Le départ fut difficile et, Eugène Paul, ayant acheté les parts de ses associés, tenta de faire fonctionner seul la fabrique. Il investit sept mille dollars, reçut une subvention de cinq mille dollars du ministère des Affaires indiennes. L'entreprise se révéla vite rentable et, pour atteindre la production de trois cents paires de raquettes par semaine, il fallut agrandir l'atelier.

« On peut donc conclure que la nation indienne, si on voulait seulement lui donner la chance de valoriser ses talents et son ingéniosité, deux aspects étroitement reliés à une civilisation méconnue, à une culture méconnue aussi, serait certes en mesure de se créer une économie de base qui l'aiderait énormément à conserver ses traditions tout en lui donnant la chance de vivre l'industrialisation du monde contemporain... »

Damase Jalbert, marchand de Saint-Jérôme dont le nom est perpétué par le village fantôme Val-Jalbert.(Photo: Archives nationales du Québec)

Tonnerre en hiver

Il y a des mois de janvier pleins de neige. Le ciel s'emplit de la valse des flocons, poésie qui s'échappe en silence de l'infini.

Il y a des mois d'été qui font peur aux enfants quand l'orage gronde après chaque éclair qui déchire l'espace. Chaque saison a ses habitudes !

Mais l'insolite réussit à surprendre, trompant le rite du moment pour laisser naître l'impromptu. Et les journaux, qui se taisent sur la poésie de la neige ou sur la déchirure du ciel d'été, font part de leur étonnement quand la nature improvise.

C'est sans doute ce qui arriva le *1er février 1932* alors que, la veille, janvier avait tonné. « Du tonnerre au mois de janvier, c'est un événement qui mérite d'être noté. Samedi après-midi la neige commença à tomber abondamment. Un éclair sillonna les airs et un coup formidable de tonnerre fut entendu au grand étonnement de tous. Nombre de personnes ont été saisies par le bruit puissant et imprévu qui ne ressemblait nullement aux explosions auxquelles elles sont habituées. La neige ne dura que quelques temps. Un vent puissant souffla et souleva une tempête qui fut suivie d'un froid mordant. Janvier a fini ses jours comme un capricieux et il a compensé longuement les faveurs qu'il avait accordées. »

Il était cinq heures et demie de l'après-midi quand ce coup de tonnerre formidable fut entendu.

Curé Racine contre feu

Page de vie, page de deuil que l'histoire. Les pionniers de ce pays ne meurent pas sans susciter la tristesse d'une population encore très proche de sa naissance. C'est pour cela que l'annonce de la mort de Mgr Dominique Racine, le *2 février 1888,* suscita bien des regrets.

Il avait été le premier pasteur et, pendant vingt-six ans, avait soutenu et aidé une population souventes fois victime de fléaux : incendies, perte de récolte. Nommé curé de Chicoutimi en 1862, troisième de cette ville, Dominique Racine devint Grand Vicaire et, le 28 mai 1878, évêque du diocèse. Il prit part à l'établissement d'un grand nombre de paroisses et de missions. Il fonda le Couvent du Bon-Pasteur en 1864 et le Séminaire en 1873. Il multiplia les démarches pour obtenir l'ouverture des chemins de colonisation dont il savait la grande importance.

Témoin du grand feu qui ravagea la région en 1870, il fut l'âme du Comité mis sur pied à Chicoutimi pour venir en aide aux victimes.

« Dans la soirée, entre sept et huit heures, l'incendie avait atteint les hauteurs qui entouraient Chicoutimi et le village était véritablement entouré d'un cercle de feu. C'est alors qu'on vit même un protestant, M. William Price, accourir vers le curé de Chicoutimi et demander protection. M. Racine se rendit aussitôt au Bassin de la rivière Chicoutimi, réunit la population de l'endroit au pied de la croix érigée sur le site de l'ancienne chapelle des Jésuites et demanda à Dieu la cessation du fléau. Le feu s'arrêta et le village fut préservé. Tout le monde est resté convaincu que la prière du curé de Chicoutimi obtint cette protection extraordinaire.

---

3 février 1863   # Louis de Gonzague Belley

Parmi les personnages qui ont laissé un puissant souvenir figure Louis de Gonzague Belley. Né à Saint-Alexis de Grande-Baie, le *3 février 1863,* il se révéla un jeune homme ingénieux et un politicien convaincu.

Après ses études au Séminaire, il fit le droit à l'Université Laval, devint clerc à l'étude de Me J. Gagné et collabora au journal Le Réveil au Saguenag. Reçu avocat en janvier 1887, il fut élu conseiller municipal à Chicoutimi en 1891. Tour à tour maire et député conservateur il eut, pour cheval de bataille, le problème des écoles du Manitoba.

Il aimait passionnément sa ville natale, mais demeurait sensible aux difficultés de l'ensemble de la région et même au-delà comme il le démontra lors des débats sur les écoles du Manitoba en 1895. Il s'opposa jusqu'au bout à la politique adoptée face à cette question : « Votre politique de conciliation, disait-il le 19 mars 1896, c'est la capitulation ; c'est le lâche abandon de la cause de la minorité, c'est la défaillance coupable du pouvoir central devant l'outrage, la révolte, c'est l'ignominieuse admission que le parlement de ce pays n'est plus en état de faire respecter la constitution dont il est le suprême gardien, c'est la peur, c'est la politique des lâches et des peureux. »

Le 10 avril suivant, l'assemblée siégea toute la nuit. Les absences étaient nombreuses, absences proches de l'indifférence et qui choqua Louis de Gonzague Belley qui déclara : « J'ai cru pendant longtemps que, sur cette question des écoles, tous les bons citoyens réuniraient leur voix et leurs efforts dans un moment d'expansion patriotique pour résister aux contempteurs de la loi, comme on résiste à un danger national... Vaine illusion que tout cela !

Aux élections suivantes, Louis de Gonzague Belley fut battu.

Située à l'embouchure du ruisseau des Gauthier, du côté est du Poste Saint-Martin, à environ quatre milles de la rivière du Moulin, « Pointe à Goni » devrait son nom à Chrysogone Gauthier, surnommé Igoni.

Fils de Pierre Gonthier (devenu Gauthier) et de Thérèse Tremblay, Chrysogone Gauthier serait né le *4 février 1789*. Surnommé Igoni, il utilisa ce surnom régulièrement.

Le 20 février 1810, il épousa aux Éboulements Marie Tremblay. Ils eurent quinze enfants qui portèrent le nom de Gauthier et dont plusieurs suivirent Chrysogone lorsqu'il vint s'établir au Saguenay où le surnom « Igoni » se transforma en « Goni ».

Vers 1844, il s'installa au poste Saint-Martin avec son fils Christophe et quelques autres enfants. Mort le 16 mars 1869, à l'âge de quatre-vingts-ans, il laissa son nom à son lieu d'établissement.

Sur les plans de creusage du chenal du Saguenay, datant de 1914 et 1915, Mgr Victor Tremblay, a relevé le nom de « Pointe Agonie ». Sur un plan du chemin de fer de Roberval-Saguenay de 1917, ainsi que sur une carte du comté de Chicoutimi, publiée par le département de la colonisation, en 1914, il est inscrit « Cap Agonie ». Le nom, transmis de bouche à oreille a adopté divers orthographes. Et, sur la carte publiée en 1937 par le département de la Défense nationale, le nom retrouvé est « Pointe à Gonie ».

---

5 février 1947 **La terre tremble**

L'hiver enlace le pays de son étreinte froide. Lorsque la neige tombe en douceur, que le temps se fait doux, les âmes romantiques y puisent bien des rêveries et les poètes font naître des jardins sur les fenêtres. Mais l'hiver peut devenir cruel, tourment des pauvres qui se défendent mal contre les morsures de froid, peste des automobilistes qui sont parfois à sa merci.

Vent, poudrerie font partie de ce jeu tour à tour séduisant et cruel. Jeu violent qui laisse quelques fois des traces de son passage. Ainsi en fut-il le *5 février 1947*.

La journée avait bizarrement commencé par la pluie qui rendit les chemins difficilement praticables malgré les efforts de la ville pour déblayer la neige fondante. Plusieurs cas d'enlisements furent signalés.

Puis, l'après-midi, la neige se mit à tomber abondamment, inlassablement. La tempête se leva, violente, véritable vandale saccageant tout sur son passage.

On constata que les vitrines de la ferronnerie générale avaient été brisées, ainsi qu'à d'autres magasins, situés à l'angle des rues Racine et Riverin. Des vitres volèrent en éclats un peu partout, notamment à l'hôpital Hôtel-Dieu Saint-Vallier. Des couvertures de puits de lumière furent aussi arrachées.

Plus tard, plusieurs personnes racontèrent avoir vu des éclairs pendant la nuit. D'autres parlèrent d'un tremblement de terre.

---

6 février 1934   Le dernier zouave

Auguste Gagné, un des rares survivants parmi les zouaves de Pie IX, chevalier de Saint-Grégoire-Le-Grand, décoré de la croix pontificale, est mort à Mistassini, à l'âge de quatre-vingt-trois ans, le *6 février 1934.*

Natif de l'Islet, fils de Calixte Gagné, cultivateur et patriote de 1837 à 1838, et d'Appoline Giasson, Auguste Gagné s'était engagé comme zouave en 1868 afin d'aller défendre les États pontificaux, attaqués par les troupes de Garibaldi. Il s'est battu contre l'armée piémontaise, fut fait prisonnier à la porte Pia après quatre heures de combat et, finalement, déporté. Après bien des difficultés, il put revenir au Canada auprès de sa famille.

En juillet 1871, il arriva à Saint-Jérôme et, le 16 janvier 1875, épousa Euphémie Régnier de Laprairie, fille d'un patriote qui fut prisonnier à Saint-Eustache.

Maire de Saint-Jérôme pendant vingt-trois ans, préfet de comté pendant sept ans, Auguste Gagné fit l'acquisition des terres de M. Normand, près de la rivière Péribonka. Il s'y installa avec sa famille et se consacra à l'exploitation agricole.

À l'âge de la retraite, il partit vivre auprès de son fils, à Mistassini, laissant le souvenir « d'un patriarche beau à voir, encore plus beau à entendre ».

---

7 février 1848   Doléances des Montagnais

« Si tu savais comme nous sommes misérables, notre bon père, et dans quelle pauvreté nous sommes, tu verserais des larmes de pitié et tu nous accorderais de suite ce que nous allons te demander ». Thomas Mesituapamuskan, Joseph Kakanukus, et Basile Thishenapen, s'adressaient ainsi à **Lord** Elgin, gouverneur du Canada, dans une requête datée de Chicoutimi le 7 février 1848. Écrite en langue montagnaise, cette requête fut traduite en français par Peter McLeod et John McLaren qui avaient accompagné les **trois** chefs dans leur démarche.

Depuis quatre ans, les Montagnais réclamaient protection contre le Indiens étrangers qui chassaient sur leurs terres ainsi que des secours directs pour affronter le froid et la faim. « Vois donc comme c'est triste, pour nous et nos enfants, de voir des étrangers s'emparer de nos terres, de voir les Blancs couper les bois dans le milieu de nos forêts, d'y mettre le feu et de détruire notre chasse qui était notre seul soutien ; et pour nous rendre encore plus misérables, on voit les traces de sauvages étrangers qui détruisent le peu de chasse qui reste, après l'incendie de nos bois ; tout nous semble réuni pour nous faire mourir de faim ».

« Qu'on nous donne un morceau de terre au Lac-Saint-Jean des deux bords de la rivière Péribonka et un autre morceau à l'entrée de la Grande-Décharge du lac, là où on s'assemble tous les printemps pour tendre nos filets, vivre au poisson et faire nos canots. Qu'on nous donne l'argent payé par le bourgeois de traites et l'argent de nos terres et nos bois. Quand les bourgeois traiteurs auront fini d'être maîtres des postes, qu'on en soit maîtres à notre tour, avec toutes les bâtisses et les chapelles qui sont à nous déjà ».

---

8 février 1883   # Alma

Chaque fois qu'un lieu était érigé en paroisse, des réjouissances sou-lignaient l'événement. Le clergé, très présent tout le temps de la colonisa-tion, n'était pas en reste pour se réjouir avec les colons.

La jeune paroisse d'Alma semblait tenir ses promesses et, le *8 février 1883,* on procéda à la bénédiction de la chapelle. À cette occasion, le curé d'Hébertville déclara : « Cette jeune paroisse de Saint-Joseph d'Alma promet pour l'avenir. Quand je suis venu ici, en 1875, j'étais aussi chargé de la des-serte de cette mission qui ne comprenait alors que deux cents et quelques âmes. Sept ans plus tard, il y en a huit cents. »

Lors de la bénédiction de la chapelle, par le père Leclerc, chaque famille était représentée. Une messe avec diacre et sous-diacre, un sermon de circonstance, tout était mis en oeuvre pour souligner l'importance de cette journée.

« Ce jour du 8 février 1873 fera époque dans les souvenirs de la géné-ration actuelle » dit-on alors. Le premier curé de cette paroisse fut le curé Cimon, auparavant vicaire à Hébertville.

Alma, formée par les deux décharges du lac Saint-Jean porte le nom d'une fameuse bataille livrée au commencement de la guerre de Crimée.

La première de « La vie parisienne », opérette du Carnaval-Souvenir fut présentée le *9 février 1980* à l'Auditorium Dufour. Elle précédait l'inauguration officielle de la vingtième édition du Carnaval-Souvenir qui devait avoir lieu le 14 février 1980.

Ce vingtième anniversaire fut l'occasion de rappeler l'origine du carnaval de Chicoutimi dont l'idée fut lancée, en 1960, par Robert Quenneville, animateur au poste CBJ.

Le but du Carnaval-Souvenir était d'allier le plaisir à l'histoire, profitant des réjouissances pour commémorer les événements marquants passés cent ans plus tôt. Par un thème choisi, l'accent était mis sur un événement précis, faisant l'objet de recherches historiques et d'hommages rendus aux personnages de l'époque. Pour la durée du Carnaval-Souvenir, la population était invitée à s'habiller à la mode d'autrefois. Carrioles et chevaux retrouvaient le pavé, et les restaurants mettaient au menu les plats typiques de nos grands-parents.

La Corporation du Carnaval-Souvenir de Chicoutimi, société sans but lucratif, s'auto-finance dans une proportion de près de quatre-vingt pour cent. Souscriptions populaires et subventions assurent un budget croissant de plusieurs centaines de milliers de dollars. Toujours dynamique, elle orchestre de nombreuses activités, animant les jours et les nuits pendant dix jours, attirant touristes et population régionale. Parmi les plus populaires on retrouve la criée devant la cathédrale, la course des pitons, le bain d'époque, le concours des barbus, le bal d'époque, l'opérette et le spectacle Can-Can, ainsi que, depuis 1985, « Les Grands Revenants » (production de la Ville de Chicoutimi). Le rire, copieusement arrosé de caribou, est l'invité principal.

---

10 février 1910 **Le scandale**

Grand scandale à Chicoutimi, Le Conseil municipal a voté en faveur des « licences » pour la vente des boissons alcoolisées. Le rédacteur du Progrès du Saguenay avoue sa déception dans l'édition du 10 février 1910 : « Sept de nos échevins sur neuf ont voté les licences et, ce qu'il y a de plus fort, deux d'entre eux ont poussé l'imprudence jusqu'à s'accorder à eux-mêmes, par leur vote empressé, la moitié des bénéfices de l'une d'elles, mise avec soin au nom d'une personne complaisante. N'est-ce pas que c'est édifiant ? Et comme le frétillant échevin a bien encore frétillé là dans l'intérêt public ! ».

Annonçant la décision du conseil, le rédacteur ajoute : « Nos lecteurs savent que Chicoutimi reste à la merci de la même inondation alcoolique que l'an dernier, grâce au maintien du même nombre de comptoirs puant le whisky et le gin, c'est-à-dire d'autant d'officines de propagande de l'intempérance et de l'immoralité. N'est-ce pas à l'alcool en vérité qu'il faut attribuer la plus grande part de responsabilité dans cette invasion de l'immoralité que l'on signale partout. Oui, c'est avec raison que *Le Temps* d'Ottawa écrivait tout récemment : « l'intempérance dans la boisson excite les penchants vicieux, endort la conscience, débilite la volonté, rend impudique et éhonté et pousse de toute manière à l'immoralité. C'est, ajoute-t-il, une raison de plus pour continuer avec zèle la campagne contre l'abus des spiritueux à la quelle tout homme qui se respecte est convié. On aurait pu supposer qu'à Chicoutimi, comme dans d'autres localités, il se trouverait enfin un nombre suffisant d'échevins pour favoriser la cause de la tempérance et, par conséquent, se dévouer au bien public en refusant de consentir au maintien de ces buvettes dont les abords offrent à longueur d'année un spectacle affligeant » ».

---

11 février 1910   # Trop court le ressort

Être la cible des journalistes n'est pas toujours réjouissant. Autant ils peuvent louanger au superlatif ce qu'ils jugent bon, autant la raillerie souligne parfois les maladresses. Qu'a dû penser le conseiller Vézina, le *11 février 1910*, à la lecture de son journal local, où étaient racontées les difficultés « techniques » qui avaient marqué son dernier discours ?

« Le conseiller dernièrement élu, M. Vézina s'était fait préparer un petit discours en faveur de l'achat de la chute à Murdock. »

« Notre échevin l'avait docilement appris, se l'était consciencieusement répété à lui-même et il est venu le répéter devant le public avec la candeur ingénue d'un débutant. »

« Tout allait bien. La leçon était sue et le rouleau se dévidait mécaniquement. Un phonographe très fidèle !... Mais tout à coup : crac, teroum, teroum, teroum... La machine s'était arrêtée soudain. Plus rien du tout, après ce grincement final et ce bruit de barbotage confus qui ne surprend guère dans un phonographe mais qui fait toujours pitié dans un orateur qui débute. »

« Allons M. Vézina, faites-vous mettre un ressort plus long pour la prochaine exhibition. Votre ressort lundi était trop court ?... Trop court le ressort ! Chez qui l'aviez-vous donc acheté ? »

Apprenant le départ de l'unique neuro-chirurgien de l'Hôpital Chicoutimi, les médecins entreprirent une grève spontanée pour sensibiliser la population et les autorités à la situation particulière de ce centre hospitalier.

Le départ du neuro-chirurgien était, disaient-ils, la conséquence d'un manque d'équipements jugés essentiels. Le conflit dura dix jours, paralysant l'établissement. Il prit fin avec la promesse, des autorités concernées, d'acheter les appareils réclamés. Le *12 février 1981*, les cliniques externes purent de nouveau accueillir les patients. Cela n'empêcha malheureusement pas le départ du neuro-chirurgien qui, finalement, quitta la région au cours de l'été 1981.

Les éditorialistes se montrèrent très compréhensifs à l'égard de la grève des médecins. Leur geste mettait en évidence le caractère spécifique de ce centre hospitalier, qui abrite les super-spécialités, les spécialités et les soins généraux, essentiels à une population coupée des grands centres par la distance. Distance parfois infranchissable certains jours de tempête. Un centre hospitalier complet était donc vital pour la population du Saguenay–Lac-Saint-Jean.

D'abord hôpital de la marine, cet établissement fut administré par les soeurs Augustines, dont Mère Marie-Joseph qui avait la réputation d'être une administratrice efficace. L'Hôtel-Dieu Saint-Vallier ne cessa de se développer et Mère Marie-Joseph sut convaincre le gouvernement de l'importance de doter la région d'un hôpital comprenant toutes les spécialités médicales. Quand l'Hôtel-Dieu devint propriété gouvernementale, on modifia son nom pour celui de l'Hôpital Chicoutimi, maintenant doté d'une Fondation dynamique destinée à trouver les fonds nécessaires à l'amélioration de ses équipements.

---

13 février 1977 Tempête à Saint-Bruno

Le 13 février 1977, le secteur de Saint-Bruno, près d'Alma, fut considéré comme zone sinistrée. La tempête avait contraint trois cents automobilistes à abandonner leurs véhicules pour aller se réfugier dans des abris désignés par la Sûreté du Québec.

La tempête avait pris naissance vers 16 h. De Jonquière à Saint-Bruno, les conducteurs ne pouvaient circuler qu'à vitesse très réduite. Dans le secteur de Saint-Bruno, une centaine de véhicules furent immobilisés par la neige. Plus de trois cents passagers furent logés au centre de loisir et à la salle

Camaro. La Sûreté du Québec ordonna le blocus de toutes les routes conduisant dans le rang 7 afin que plus aucune voiture ne s'aventure dans ce secteur.

La route devait demeurer fermée pour la nuit, le déneigement n'étant prévu que pour le lendemain matin. Des motoneiges, des véhicules avec traction sur les quatre roues et même une ancienne auto-chenille furent utilisés pour transporter les voyageurs à leur refuge où ils allaient devoir passer la nuit. L'équipe de hockey du National de Port-Alfred ne peut se rendre à Alma et fut également obligée de loger dans une école.

Sept agents de la Sûreté du Québec étaient sur les lieux, faisant le tour de chaque automobile abandonnée pour s'assurer qu'il n'y avait plus personne à l'intérieur. Une équipe de médecins bénévoles se tenait prête pour répondre aux appels d'urgence.

---

14 février 1895   # Croup et diphtérie

Lorsque certaines maladies sévissaient dans la région, des mesures draconniennes étaient prises pour enrayer le mal et éviter l'épidémie.

En 1895, la diphtérie, le croup, la scarlatine faisaient des ravages au Bassin à Chicoutimi. Nommé officier de santé par le conseil municipal, le Dr Caron recommanda que soit ordonné un règlement municipal efficace. Ces maladies avaient tué cent cinquante enfants à Montmagny l'année précédente. Il fallait donc agir et, le *14 février 1895*, des mesures sévères furent données à la population.

Joseph Tremblay fut chargé de porter secours aux familles éprouvées et de placarder les maisons désignées par l'officier de santé. La Ville avait prévu des secours limités pour les familles incapables de subvenir à leurs besoins.

Dès qu'un enfant était malade, la famille devait appeler le médecin afin qu'il établisse au plus tôt son diagnostic. L'enfant atteint du croup, de la diphtérie ou de la scarlatine devait être isolé dans une chambre spéciale, bien aérée, située à l'extrémité de la maison autant que possible. Il fallait empêcher toute relation entre les personnes soignant l'enfant malade et les autres. Les prescriptions du médecin devaient être suivies à la lettre.

Les autres enfants de la famille devaient être gardés à la maison. Voisins, parents et amis ne pouvaient pas pénétrer dans la maison et, si des secours étaient nécessaires, ils devaient être donnés de l'extérieur.

Syndicalisme des enseignants

Le *15 février 1937*, Albina Desbiens présidait le regroupement des enseignantes de Jonquière, selon une décision prise trois jours plus tôt. Cette association avait été précédée, le 2 novembre 1936, par la création du syndicat professionnel des instituteurs et institutrices présidé par Laure Gaudreault de La Malbaie.

Enseignant depuis 1914, Albina Desbiens recevait, comme les autres institutrices de campagne, un salaire variant entre 75 $, 100 $ ou 300 $ par année selon la Commission scolaire.

La jeune association de Jonquière était pauvre. Afin d'envoyer sept déléguées au congrès provincial qui devait se tenir à La Malbaie, Albina Desbiens décida de monter une pièce de théâtre. Le succès fut tel que, non seulement les sept déléguées purent participer au congrès toutes dépenses payées, mais encore chacune des vingt-trois enseignantes de Jonquière reçut 2,50 $ pour se rendre à La Malbaie.

Dans le volume 1 du livre de l'AFEAS, « Dans l'histoire... des femmes aussi... au Saguenay–Lac-Saint-Jean », Cécile Plourde relate que Albina Desbiens demeura à la présidence du syndicat pendant vingt ans. Elle fut décorée de l'Ordre du mérite scolaire en 1937 et elle reçut le degré de Commandeur de ce même ordre en 1951 et décorée, en 1953, pour services rendus dans l'enseignement.

Avec l'adhésion des professeurs, le syndicat devint plus imposant et prit le nom de Syndicat professionnel.

Du pétrole à Chambord

Lorsque la population parcourt son journal hebdomadaire, le Progrès du Saguenay du 16 février 1905, elle fait des rêves de richesse. En effet, on y annonce avec enthousiasme la découverte de pétrole et de charbon de terre dans le village de la paroisse de Chambord.

Des puits de pétrole ont été trouvés à divers endroits sur les rives du lac Saint-Jean, annonce le journal qui précise : « La présence du pétrole à Chambord est chose admise par tous les savants. Mgr Laflamme qui en a fait une étude spéciale n'a aucun doute qu'il y a de l'huile et des gisements de charbon à Chambord. La question est de savoir s'il y en a suffisamment pour qu'une compagnie en fasse une exploitation payante ».

« Ces puits ne sont pas sans intéresser diverses personnalités de l'extérieur, dont un certain M. Hall de New York, riche Américain qui a séjourné plus d'un mois à Chambord, accompagné d'un ingénieur des mines, M. Murphy de Boston et d'un Canadien français, M. C. Cayouette. »

« Si cette industrie surgit à Chambord, augure le journaliste, nous verrons d'ici à quelques années une ville importante remplacer l'humble village qui existe aujourd'hui. »

Le rêve ne s'est pas réalisé. La presse ne parla plus des puits de pétrole et Chambord poursuivit, jusqu'à ce jour, sa destinée de village agricole.

---

17 février 1910   ## Grève du ventre

Le début de l'année 1910 fut marqué par la mobilisation de nombreuses personnes dans un but commun. Une grève d'un mois, en l'absence de tout syndicat, non pour une augmentation comme le veut la tradition, mais pour obtenir une réduction... du prix du boeuf.

Devant la hausse croissante du prix du boeuf, un peu partout au Canada, les consommateurs tentaient de faire pression pour contrer le mouvement à la hausse. Ils décidèrent de faire la grève, c'est-à-dire de ne pas manger de viande pendant un mois.

Le *17 février 1910*, la population régionale était invitée à son tour à joindre le mouvement. Le Progrès du Saguenay insista sur le doute qu'inspirait la montée des prix, particulièrement aux États-Unis. Les consommateurs soupçonnaient les « trusts » de la viande d'accumuler des réserves pour créer la rareté et provoquer des hausses du prix de vente de la viande. Plusieurs enquêtes furent instituées pour découvrir la vérité.

Le Canada était-il également victime de cette pénurie factice ? La difficulté, pour les producteurs, de produire suffisamment pour répondre à la demande, semblait réelle. Dans un sens, comme dans l'autre, la grève des consommateurs ne pourrait donc être que bénéfique, pensaient les éditorialistes.

Pour vérifier cette hausse « effarante », on comparait les prix de 1903 à 1910. En 1903, le gros bétail se vendait 4,50 $. Sept ans plus tard il était à 5,65 $.

---

18 février 1890   ## Un deuxième comté

La colonisation va bon train. Les paroisses s'additionnent les unes aux autres. La population s'agrandit. Si bien que, dans son discours du *18 février 1890*, Honoré Mercier annonça la naissance du comté Lac-Saint-Jean, résultat de la division du comté Chicoutimi et Saguenay.

Cette division électorale répartit la région en deux, soit un premier comté partant de Chicoutimi à Hébertville et un second comprenant la région du Lac-Saint-Jean à partir d'Hébertville. Le but est de donner à cette seconde zone un représentant. « Les limites du nouveau comté du Lac-Saint-Jean sont très étendues : c'est une partie du pays qui progresse rapidement. Tout le monde connaît, sinon pour l'avoir vu, du moins de réputation, cette magnifique région du Lac-Saint-Jean. La population est déjà considérable, la culture très avancée ; l'industrie même y progresse », expliqua Honoré Mercier.

Le nom du comté avait été choisi en fonction du lieu déjà reconnu sous le nom du Lac-Saint-Jean. D'autres noms avaient été suggérés dont celui de Jean de Quen, découvreur du lac Saint-Jean et missionnaire Jésuite. Pour éviter de blesser les susceptibilités, il parut plus simple d'opter pour Lac-Saint-Jean.

La population des deux comtés était à peu près égale. Cependant, une quarantaine de citoyens du comté de Chicoutimi demandèrent à appartenir au comté du Lac-Saint-Jean, compte tenu qu'ils étaient établis plus près d'Hébertville que de Chicoutimi. Leur requête fut acceptée sans difficulté.

---

19 février 1961   **Mgr Marius Paré**

Le *19 février 1961*, Mgr Marius Paré devenait évêque de Chicoutimi, succédant à Mgr Georges Melançon. Il devait quitter ce poste le 5 avril 1979, transmettant ses adieux à la population, en disant : « Nous nous sommes compris, entraidés et aimés ».

· Sa démission avait été remise un an plus tôt conformément à la volonté de Paul VI, recommandant à tout évêque de soixante-quinze ans de donner sa démission.

« Nous ne pouvons échapper au temps et à l'âge, confie l'évêque, mais il reste que, pour les hommes vivants et sensibles que nous sommes, un tel changement ne nous laisse pas indifférents. Aussi ne le suis-je pas. »

« Mgr Paré a terminé un mandat difficile, écrit un éditorialiste. Mgr Paré acceptait la dure mission de guider les catholiques de la région au moment où s'ouvrait une période de transformations sociales profondes. »

. Parmi les oeuvres de Mgr Paré, il y a eu l'implantation du Séminaire Marie-Reine du Clergé à Métabetchouan et le réaménagement du Grand Séminaire de Chicoutimi pour lequel il fallut faire une campagne de souscription. Il créa la commission diocésaine de recherche pastorale (Commission Pednault) dont le président fut Mgr Pednault, évêque auxiliaire du diocèse de Chicoutimi.

Défense d'empoisonner les loups

Au Jardin zoologique de Saint-Félicien, les visiteurs du sentier de la nature peuvent admirer les loups qui se reposent paisiblement au soleil dans un environnement qui, bien qu'encadré, leur assure une certaine liberté. Pendant que l'on se promène derrière les barreaux de nos véhicules, on peut se souvenir d'une histoire de loup, que racontait à ses lecteurs le Progrès du Saguenay du *20 février 1913*. Salomon n'aurait pas mieux fait.

« L'un de nos compatriotes voulant se défaire d'un ennemi qui visitait inopinément sa bergerie et son poulailler à son profit personnel, résolut de s'en défaire par le poison. Cet ennemi se trouvait être un loup de forte taille qui lui avait causé des dommages assez appréciables. Il se procura du poison et l'appâta avec le résultat attendu ; le glouton animal avala la dose et fut ainsi expédié ad patres. »

« Fier de son triomphe, notre citoyen descendit la carcasse de l'animal et l'exposa à l'hôtel commercial. Ayant entendu dire que le gouvernement offrait une prime pour la destruction de ces dangereux quadrupèdes, il s'apprêtait à faire sa réclamation ; mais il n'avait pas compté sur les tracasseries de la justice. En effet, il appert que l'on peut bien détruire les loups et que c'est même action louable de le faire, mais non par le poison. M. le magistrat Thivierge, attaché au ministère des Pêcheries et des Forêts étant de passage ici, fit traduire le coupable devant son tribunal. L'avocat Lévesque de Chicoutimi occupait pour la couronne et Me Delisle avait en main la cause de l'accusé. Après les plus brillants efforts oratoires et les plus vives passes d'armes, le magistrat rendit son jugement. Les dénonciateurs furent condamnés à 10 $ d'amende plus les frais et l'accusé à 1 $ et ses frais. »

Carnaval à Saint-Fulgence

Tout était en place à Saint-Fulgence, le *21 février 1974*, pour célébrer le Carnaval 1974 de l'Anse-aux-Foins. La veille, le comité du Carnaval avait annoncé le slogan : « Prudent, l'homme du temps », choisi en fonction de Prudent Potvin dont ce carnaval allait rappeler la vie.

L'ouverture officielle, présidée par Mme Pierre-Paul Saulnier, était prévue pour le vendredi soir mais, le jeudi 21, certaines activités devaient marquer le début de ces quatre jours de fêtes à commencer par le thé des Grosses madames au Club sportif au Vieux Moulin. Le personnage-clé fut représenté par son petit-fils, Jean-Léon Potvin.

Prudent Potvin était arrivé à l'Anse-à-Pelletier en 1839. Pendant deux ans, il travailla à l'étude du notaire J.-Alfred Simard, s'occupant des contrats de mariage, des testaments, des actes de vente pour la petite communauté de Saint-Fulgence. Il travailla également pour Roger Bouchard, propriétaire d'un moulin à scie, d'un moulin à farine, d'une érablière et d'une goélette à l'Anse-à-Pelletier. Vers 1844, Prudent Potvin construisit sa propre maison.

Polyvalent, il cumula plusieurs fonctions au sein de la population du village. Cultivateur et instituteur, il fut également postillon, allant chercher le courrier à Chicoutimi chaque semaine pour le distribuer après la messe du dimanche. Il fut aussi le premier marguillier de Saint-Fulgence et secrétaire de la première commission scolaire.

---

22 février 1895 ## Les canons en aluminium

L'aluminium est un produit aux usages multiples. La population régionale percevait ces usines comme un lieu de production contribuant à la vie. Pourtant ce métal léger fut pensé aussi en fonction de la mort à la suite d'expériences dont parla le courrier du Canada le *22 février 1895*.

Un certain M. Allard, de Lévis, effectuait diverses expériences sur l'aluminium, tentant de découvrir les possibilités de ce métal. Une de ses tentatives l'amena à fabriquer un canon.

« Ce canon mesure 26 pouces de long, trois pouces et vingt et un trente-sixièmes de diamètre à la culasse. La culasse est de sept pouces et sept-huitièmes de long et le métal a quatre pouces d'épaisseur. À la gueule, le canon mesure trois pouces et neuf trente-deuxièmes à l'intérieur. La bande à laquelle sont fixés les tourillons n'a que deux un quart sur un trois quart. Un canon de fer de ces dimensions pèserait cent quatre-vingts livres, alors qu'en aluminium, il pèse quatorze livres. Le canon est très bien fait et a toute l'apparence de l'argent. »

Pour le premier essai, le canon fut chargé d'une livre de poudre. Pour ce premier coup, M. Spence, conseiller des États-Unis, et Julien Chabot de Lévis étaient présents. Un second canon, de douze pieds, devait être fabriqué par M. Allard et être envoyé à Washington.

L'histoire ne dit pas ce qu'il advint des canons de M. Allard.

---

23 février 1979 ## Félix-Antoine Savard

Le *23 février 1979*, l'Université du Québec à Chicoutimi annonça son intention de décerner un doctorat honorifique à l'écrivain Mgr Félix-Antoine Savard, auteur du célèbre « Menaud, maître draveur ». Cet honneur était la manière choisie par l'Université pour souligner son dixième anniversaire. Cet

hommage avait déjà été rendu, par un même doctorat, au créateur de
« Menaud » par les Universités de Montréal, de Sherbrooke, de Laval et
d'Ottawa.

Malgré tout, la population de Chicoutimi pouvait considérer que ce
témoignage conservait un sens particulier. En effet, selon Bertrand Tremblay,
éditorialiste au Quotidien, Mgr Félix-Antoine Savard aurait été influencé par
son passage à Chicoutimi. « C'est d'ailleurs chez nous, écrit-il, qu'il a puisé
l'inspiration de son chef-d'oeuvre littéraire « Menaud, maître draveur ». Ce
roman qui a connu un succès de diffusion vraiment exceptionnel, fut à vrai
dire le premier cri de ralliement lancé aux Québécois devenus alors des étrangers, des porteurs d'eau et des quémandeurs dans leur propre pays. »

Félix-Antoine Savard est né à Québec le 31 août 1896. La famille Savard
s'installa au Saguenay et Félix-Antoine fit ses études primaires chez les frères Maristes, son cours classique au Petit Séminaire de Chicoutimi, ses études de théologie au Grand Séminaire.

Prêtre et professeur, il devint également écrivain avec la publication
de « Menaud, maître draveur » en 1937. Ce roman lui valut d'être lauréat à
l'Académie française et du prix David au Québec.

---

24 février 1947   # Chômage à Dolbeau

Une pénurie de wagons entraîna la fermeture d'un moulin à Dolbeau
et condamna au chômage trois cent cinquante hommes. La faute en revint à
la rigueur de cet hiver 1947 qui n'arrêta pas de faire des siennes.

« Les autorités des chemins de fer nationaux attribuent aux conditions
rigoureuses de l'hiver et au surcroît de demandes venant de toutes parts,
la pénurie actuelle de wagons de marchandises qui retarde les expéditions
du papier-journal de la région du Lac-Saint-Jean » annonça Le Soleil, le *24
février 1947*.

« Des rapports d'une sérieuse pénurie de wagons de fret sont parve-
nus de la région du Lac-Saint-Jean où l'Association d'expansion industrielle
du Saguenay a déclaré que des moulins de papier, dans cette région,
devraient fermer parce qu'ils ne peuvent expédier leur production. »

Cela provoqua la fermeture du moulin de Dolbeau et trois cent cinquante travailleurs se retrouvèrent temporairement sans emploi. On estimait
alors qu'il fallait trois cents wagons par jour dans la région. Il n'en était venu
que trente en trois jours.

Un télégramme fut envoyé au ministre du Transport et aux députés
fédéraux pour qu'ils interviennent de façon à corriger la situation. Les difficultés étaient, de plus, accentuées en raison des conditions climatiques

et par la production accrue des moulins de papier, qui ne disposaient pas de suffisamment d'espace pour entreposer leur produit.

---

25 février 1890   **Damase Jalbert**

Parmi les sites touristiques de la région, il y a un village-fantôme nommé Val-Jalbert. Ce nom est celui d'un marchand de Saint-Jérôme, Damase Jalbert, qui se valut les éloges d'un certain Luc, lequel adressa une missive datée du 25 février 1890 dans « La Justice ». Il y décrivit l'évolution de quelques paroisses pour en venir à des propos élogieux envers Damase Jalbert.

« C'est avec raison que l'on peut dire que la politique des chemins de fer est une politique de progrès ; en effet, l'on serait porté à croire que du noir panache de fumée que vomit la locomotive s'échappe un microbe qui donne naissance à des villes, des villages, des moulins de toutes sortes, et ce, depuis Québec à Roberval. Roberval, petit village insignifiant il y a à peine deux ans, est devenu une petite ville qui prend de l'importance tous les jours. Saint-Louis où l'on aurait eu de la peine à trouver un manche de plume à acheter à la même époque, se paye aujourd'hui le luxe d'avoir un magasin de gros qui y fait de très bonnes affaires paraît-il. (...) Le lac Bouchette : ici nous sommes à l'endroit où le progrès semble avoir élu domicile. Avoir vu le lac Bouchette au mois d'avril 1889, entouré d'une forêt vierge et le voir aujourd'hui, c'est-à-dire dix mois plus tard, avec son coquet petit village qui se mire dans ses eaux limpides, son immense scierie à vapeur qui marche hiver comme été et par là même donne de l'ouvrage à au-delà de cent hommes... (...) Vous me direz qu'il a fallu un prodige pour opérer de si grands changements et donner un tel essor au progrès dans cet endroit sauvage. (...) Il fallait tout au plus un homme de coeur, doué d'une incomparable énergie, ami du progrès, ne craignant jamais la fatigue pour lui-même et implacable ennemi de la fainéantise. Cet homme s'est rencontré dans la personne de Damase Jalbert, marchand de Saint-Jérôme. »

---

26 février 1922   **Mgr Labrecque**

Le *26 février 1922* fut inaugurée la troisième cathédrale de Chicoutimi, deux fois détruite par le feu.

Les rédacteurs profitèrent du centenaire du diocèse pour raconter l'histoire de l'Église de la région et des évêques qui s'y sont succédés, chacun apportant ses particularités, comme ce fut le cas de Mgr Labrecque qui se souciait beaucoup des cérémonies liturgiques.

« Mitre en tête, bâton pastoral à la main, tenue et démarche d'une parfaite distinction, gestes mesurés et les plus naturels du monde et, qu'il parle ou qu'il chante, cette voix qui, nous l'avons bien dit, tenait du clairon et qu'il fallait écouter ; bref, un ensemble qui créait un climat, exerçait une emprise pratiquement irrésistible. »

« Mgr Labrecque n'improvisait jamais une cérémonie, il savait parfaitement ce qu'il avait à faire. Et chacun qui était de service était intéressé à le savoir aussi, car il risquait de l'apprendre de façon... pas spécialement diplomatique. »

Mgr Labrecque tenait à la présence des gens du Séminaire aux offices. Chacun devait tenir sa place : prêtres, ecclésiastiques, élèves de la division des petits au choeur. Chorale Sainte-Cécile au jubé de l'orgue. Les autres : dans le bas choeur.

En septembre 1927, Mgr Labrecque, nommé évêque de Hélénopolis en Bithynie, donna sa démission et se retira dans ses appartements à l'Hôtel-Dieu où il mourut le 3 juin 1932.

---

27 février 1936   **Les grimaces**

Il fut un temps où les grimaces étaient monnaie courante dans la région. Rien n'est plus vrai puisque c'est par ce surnom coloré, « grimaces », que les ménagères désignaient les fameux « pitons » ou billets négociables avec lesquelles monsieur Price payait ses ouvriers.

Ce système fut en vigueur au moins jusqu'en 1881, écrivait Percy Martin dans un texte publié le *27 février 1936*. Il y avait deux catégories de « pitons ». Les « pitons » proprement dits, payables au porteur pouvant être encaissés dans les magasins de la compagnie Price, ou autres si les autres avaient existé. La seconde catégorie était un bon d'achat pour les magasins Price. Ils ne pouvaient être échangés que contre de la marchandise. Si les achats ne correspondaient pas à la valeur totale du bon, le marchand signait un billet, simple petit papier, pour les achats futurs. Ce sont ces « pitons »-là que les ménagères appelèrent « grimaces », n'appréciant guère ce système.

« C'était une méthode pratique d'achat chez nous » commentait le narrateur. Méthode contestée par les ouvriers affectés au chargement des navires pour Price, à Saint-Alexis, qui refusèrent d'être payés en bons d'achat. Voulant à tout prix être rémunérés en « argent sonnant », ils firent grève. Les contremaîtres durent accomplir leurs tâches. Des volontaires, venant des paroisses voisines, se présentèrent pour remplacer les grévistes, mais ceux-ci réussirent à les en empêcher. Sans nous dire le dénouement du conflit, l'historien présuma que les « pitons-grimaces » furent finalement acceptés par les ouvriers.

Tout le monde ne boudait pas ce système. En 1854, un jeune homme s'improvisa faussaire après s'être procuré deux livrets de bons d'achat. Ses bons n'étaient pas signés. Ils furent refusés et le jeune homme se retrouva devant le juge Roy.

---

28 février 1962   # Le twist infernal

« Le twist, c'est le fils encanaillé du rock-n-roll, les deux danses les plus sexuelles de notre temps. Dès les premières mesures de cette musique nègre, les danseurs s'oublient mutuellement pour onduler brutalement des hanches dans une danse du ventre. L'attrait du twist est tellement sexuel. C'est la danse préférée des voyous. » Ainsi parlait-on de cette danse dans un document daté du *28 février 1962*.

Mais ce n'était pas tout. Le twist était coupable de plus que cela. « À la musique endiablée, on a ajouté les gestes éhontés de la plus sollicitante des débauches. C'est la pantomime musicale et munie de l'appel sexuel. C'est tellement immoral qu'en Angleterre, certains clubs de danse ne la tolèrent pas. Toute noblesse de rythme, toute élégance de geste est disparue. On s'y encanaille collectivement jusqu'à l'hystérie. Et la jeunesse réclame cette danse, les parents ne semblent pas s'en offusquer. Nos danseurs feignent n'y pas voir, ni y prendre de mal. Vous admettrez tout de même que des gestes collectifs ne sont pas honnêtes, que la tenue des danseurs n'est pas élégante et qu'au lieu d'évolutions gracieuses, si vous dansez le twist, vous manifestez extérieurement des désirs licencieux dont on a honte en temps normal. »

« Bref, c'est une danse de chiens errants. Ce n'est pas une danse humaine exprimant des goûts humains... C'est une danse animale, sauvage, qui extériorise des désirs sordides. S'il y a des danses immorales, celle-ci est de grande classe. On peut danser honnêtement et rester digne, poli, civilisé ; on ne peut danser ces danses hystériques, érotiques, sans se mettre dans l'occasion prochaine de péché grave. »

La chute de Val-Jalbert.

Voyage en auto-chenille

Vraiment, aurait-il fallu être Jules Verne pour imaginer l'exploit de J.-B. Mathieu et J.-C. Hudon ! C'est ce qu'affirma le narrateur d'une expédition, partie de Saint-Jérôme le *1er mars 1927*, en direction de Québec. Le véhicule utilisé était une auto-chenille.

« L'exploit extraordinaire accompli ces jours derniers par deux automobilistes de Saint-Jérôme mérite d'être mentionné. Pour la première fois on a réussi à faire, en automobile, et en plein hiver, le trajet de Saint-Jérôme à Québec. MM. J.-B. Mathieu et J.-C. Hudon ont fait ce voyage sensationnel dans un temps de dix heures et quarante-cinq minutes. Partis de Saint-Jérôme à 2 h 30 dimanche dernier, les voyageurs sont arrivés à Québec à 5 h hier soir, après s'être arrêtés pour la nuit dans un endroit appelé le trou de l'enfer. MM. Hudon et Mathieu, qui sont des garagistes, sont aussi les constructeurs de cette auto-chenille modèle Landry. Ils se sont servis d'une machine de marque Hudson. Le voyage, nous ont dit les voyageurs, s'est fait sans difficulté et plus il y avait de neige mieux nous allions. Un troisième passager s'était joint à eux, c'est M. C. Lescomb, ingénieur de Saint-Jérôme. Tout de même, prévoir il y a quelques années qu'on parviendrait un jour à accomplir cet exploit, il aurait fallu l'imagination de Jules Verne ! »

Cent ans plus tôt

Pour célébrer le centenaire du Saguenay, la population régionale se prépara longuement. Un comité du centenaire, chargé de l'organisation de cet anniversaire, fut créé et reçut sa charte le *2 mars 1938*. La région avait été officiellement ouverte à la colonisation avec l'arrivée des colons de Charlevoix, en 1838, plus encore lorsque Alexis Simard renonça à la coupe du bois pour faire germer le blé.

Voulant inciter la population à se préparer pour les fêtes du centenaire, le comité insista sur l'importance de la reconnaissance envers les défricheurs. Comparant le développement de la région à la création de la terre, il insista sur le fait que, sans eux, la région ne serait pas devenue ce qu'elle était en 1938.

« Tout n'était que forêts vierges, rivières et lacs solitaires, où l'on n'entendait que le chant des oiseaux, le cri des bêtes fauves et l'incompréhensible jargon des sauvages montagnais disséminés ici et là. Et qu'y voyons-nous maintenant ? Une immense et riche région agricole et industrielle où fleurit la religion du Christ ; une série de soixante-douze paroisses, dont dix villes, toutes fières de leurs institutions et de leurs développements, vrais titres de gloire pour les pays les plus anciens et les plus prospères. »

« L'unique moyen de nous acquitter comme il convient à l'égard de nos devanciers, de ce devoir naturel de reconnaissance, c'est de souligner par des fêtes commémoratives ce siècle d'existence de notre région qui se terminera l'an prochain. (...) les pionniers ont accompli une véritable merveille qui tient du miracle. Miracle qui s'explique par la dose de courage, d'énergie, d'économie, d'esprit pratique et de foi intense qui les soutenait à la tâche. »

---

3 mars 1851   ## Requête de l'abbé Hébert

La colonisation, ce fut avant tout un labeur incessant, une lutte farouche pour rendre fertiles des terres qu'il avait fallu enlever à la forêt. Et ces terres que nos pères faisaient naître de leur sueur, ils devaient encore les payer d'argent et de main-d'oeuvre. C'est ce que l'on devine, à la lecture d'une pétition, en date du *3 mars 1851*, adressée au Gouverneur général par l'abbé N.-T. Hébert. Il y demandait une place pour un moulin, des lots à prix abordables et un chemin du Lac-Saint-Jean à Grande-Baie.

Les efforts des premiers colons s'avéraient efficaces et les récoltes étaient bonnes. Mais l'éloignement des moulins causait un problème. L'abbé Hébert demanda donc au gouverneur d'octroyer à la Société des défricheurs le lieu choisi pour l'emplacement du moulin près de la chute de la rivière Aulnets. « Les colons, épuisés par les sacrifices qu'ils ont déjà faits pour rencontrer leurs versements annuels, se voient avec regret dépourvus des moyens nécessaires pour rencontrer le coût d'achat de ladite place du moulin. »

La Société, endettée de quelques centaines de louis, avait besoin, pour continuer son oeuvre, de pouvoir, quelques années de plus, bénéficier de l'octroi des terres à un chelin l'acre. Il fallait aussi comprendre l'importance d'ouvrir de nouveaux chemins. La Société avait déjà investi beaucoup dans la construction du chemin sur le « township Mésy », mais il fallait penser aux communications entre la Grand'Baie et le Lac-Saint-Jean. L'abbé Hébert signala que les colons ne pouvaient envisager « des travaux si considérables et si disporportionnés avec leurs moyens » que s'ils gardaient espoir d'obtenir concrètement un encouragement, notamment l'attribution gratuite des terres bordant le chemin Mésy.

---

4 mars 1911   ## Lac-à-laCroix

Antoine Laprise, installé au sud du lac-à-la-Croix, fut le premier colon de la paroisse Sainte-Croix. D'autres pionniers suivirent et s'établirent autour du lac. Fabien Saint-Pierre, Achille Ouellet, Damase Gilbert, François Fortin, Georges Larouche, Noël Bouchard, Louis Boivin et Pierre Tremblay, du côté sud, Alfred Croft, Ignace Tardif, Alexandre Pelletier et Alexis Castonguay, du côté nord.

Le décret d'érection de la paroisse Sainte-Croix date du *4 mars 1911*. La première messe fut célébrée dans la maison d'André Voyer, cultivateur, par le curé de Péribonka, Abraham Villeneuve, désigné pour cette paroisse. La chapelle fut inaugurée le 29 septembre. Le curé Leclerc fit construire le premier presbytère, ainsi que l'église, temple que bénit lui-même Mgr Labrecque.

L'église avait un clocher de cent huit pieds de hauteur, comprenant trois cloches : « Pie X » pesant mille cinq cents livres, « Michel Thomas », mille cent livres et « Louis-Gaudiose », huit cents livres. Les cloches donnaient les notes sol, la, si.

La municipalité fut officiellement érigée le 27 décembre 1911. Le premier conseil municipal, formé le 22 janvier 1912, eut pour maire Alphonse Gagnon, et pour conseillers : Willian Croft, Médard Côté, Joseph Villeneuve, Joseph Bédard, Charles Côté et Henri Tremblay.

Le 1er janvier 1953, la municipalité devint le village de Lac-à-la-Croix sous la direction du maire Charles-François Baillargeon.

---

5 mars 1987   # Relance à Desbiens

« C'est bien beau des délais, mais la patience a des limites. Cette fois nous ne voulons pas nous faire dire à la toute dernière minute que tout est arrêté. Nous espérons avoir des indications claires et précises. »

Claude Turcotte, président du syndicat des employés de la St. Raymond de Desbiens, faisait cette déclaration, le *5 mars 1987*, la veille d'une rencontre entre les diverses parties concernées par la relance de l'usine de Desbiens, fermée depuis le 4 décembre 1981. Il réagissait ainsi, à la demande de nouveaux délais, adressée au gouvernement par les entreprises Johnson et Johnson et St. Raymond, avant de se prononcer définitivement sur le projet de relance.

L'impatience était grande pour les quatre-vingt-dix employés (sur les 125 mis à pied lors de la fermeture) qui vivaient depuis plus de cinq ans l'angoisse et les difficultés financières, plusieurs fois déçus par des promesses vaines concernant la relance de cette usine de fabrication de pâte sulfite.

L'entrée en scène de l'entreprise Johnson et Johnson ne mit pas fin au suspense, car la décision finale était constamment reportée à une date ultérieure.

Le 14 juillet 1987, Benoît Bouchard, ministre de l'Emploi et de l'Immigration du Canada et député de Roberval aux Communes, confirmait la signature d'un protocole d'entente entre les entreprises St. Raymond et Johnson et Johnson. Le 25 août, la compagnie Johnson et Johnson faisait part officiellement de la relance de l'usine : Produits Desbiens inc. Entreprise de fabrication de matériau absorbant à partir d'une plante provenant de certaines tourbières, la sphaigne, selon un procédé mis au point dans les laboratoires de Johnson et Johnson, de Montréal. Première au monde à produire ce matériau.

Les gouvernements fédéral et provincial participaient au financement des travaux de relance. Plus de 3 millions du ministère de l'Expansion économique régionale (soit 20 pour cent des investissements globaux) et un prêt de 3,3 millions, sans intérêt pour quinze ans, de la Société de développement industriel du Québec.

Sur les 125 employés en chômage depuis la fermeture, seulement quarante allaient retrouver un emploi à l'usine, dont les travaux de conversion s'échelonneront jusqu'en 1989.

« Les manifestations dans les rues de Desbiens, les délégations à l'extérieur, l'occupation de l'usine et les pressions politiques n'ont pas été faites par simple plaisir, déclarait Claude Turcotte, à l'annonce de la relance. Pour nous, et je veux que les gens le comprennent bien, il s'agissait de la seule façon de sortir du cauchemar. »

---

6 mars 1913   **Château en Espagne**

L'espoir fait vivre dit le dicton et lorsque s'écroulent tous les châteaux en Espagne, rêves suscités par certains événements, il reste quand même un peu de réalisme teinté d'ironie. En témoigne le Progrès du Saguenay du *6 mars 1913* alors qu'il annonçait une grande et étonnante nouvelle : « Toute la paroisse de Saint-Charles-Borromée a été vendue. ».

Voici ce qu'il relatait : « Il y a quelques semaines déjà, une escouade d'hommes composée d'ingénieurs civils, d'arpenteurs, voire même d'un notaire, ayant reçu des instructions du colonel B.-A. Scott, venait acheter notre petite paroisse à des prix très modiques. »

« Ces gens-là, auxquels désormais nous nous fierons, mériteront certainement de la patrie, car ils nous ont promis de faire le barrage de notre Grande Décharge, ce qui coûtera certainement des millions. »

« De plus, on parle de manufactures de pulpe colossales, de voies ferrées qui nous relieraient aux grands centres en moins d'un quart d'heure, etc., et tout cela, paraît-il, dans un avenir quasi prochain. Cinq cent lunes au plus, comme diraient les Sauvages, subito comme diraient les Italiens.»

« Oh ! quels gens heureux nous serons, nous vieillards, dans deux cents ans ! Si toutefois, par coup de hasard, toutes ces choses prédites par nos prophètes de Saint-Joseph d'Alma n'arrivaient pas, on nous dit que nous aurons, à coup sûr cette fois, peut-être avant vingt-cinq ans... le téléphone ! »

---

7 mars 1935　　　　　　　　　　　　**Du poing à la terre**

Afin de préserver les souvenirs de notre histoire régionale, la Société historique organisa un concours : le but était de recueillir la meilleure anecdote auprès des vieillards. Parmi ces histoires, dont Percy Martin fit un résumé, on retrouve un texte publié le *7 mars 1935* qui raconte l'installation d'un colon à la pointe de Saint-Fulgence.

Il s'agissait d'un dénommé Michel Simard, arrivé à Chicoutimi en même temps que Peter McLeod pour qui il travailla comme « boulé », c'est-à-dire homme de main. L'histoire veut que Peter McLeod ait résolu ses différends avec les poings de quelques hommes bagarreurs prêts à défendre ses points de vue.

Après quelques années à Chicoutimi, Michel Simard eut envie de travailler la terre. Il alla tout bonnement planter sa tente sur la pointe de Saint-Fulgence, s'appropriant un terrain appartenant à Peter McLeod. Il était à l'oeuvre depuis plusieurs mois quand il reçut la visite du propriétaire légitime qui, malgré sa vigueur, ne vint pas à bout du tenace colon.

Peter McLeod délégua ses « ambassadeurs », avec pour mission de déloger Michel Simard. Réalisant le danger, celui-ci prit un vieux fusil, inutilisable, et le donna à ses fils avec l'ordre de ne tirer qu'à sa demande. Puis il se dirigea vers les « boulés ». Comme la discussion s'envenimait, un des fils demanda s'il devait tirer. Entendant cela, les hommes de main crurent qu'ils étaient réellement armés et n'insistèrent pas davantage. Michel Simard put construire en paix sa maison et cultiver sa terre où il vécut pendant vingt-cinq années.

---

8 mars 1981　　　　　　　　　　　　**Fondatrice d'une ville**

Pour rendre hommage au courage des pionnières et, en particulier à la fondatrice de Jonquière, le nom de Marguerite Belley a été officiellement donné à l'Édifice administratif de Jonquière, le *8 mars 1981*, journée internationale des femmes.

Cette dénomination est le résultat des démarches successives d'une citoyenne d'Arvida, Claire Frêve, qui tenait à rendre à Marguerite Belley la place qui lui revient dans l'histoire de la région. Les livres d'histoire ont été plus que discrets au sujet de cette femme courageuse qui n'hésita pas à affronter les préjugés de son temps afin d'établir deux de ses fils et leur éviter l'exil aux États-Unis.

Connue sous le nom de la veuve Maltais, Marguerite Belley quitta son époux que l'on disait malade et, accompagnée de ses fils Tom et Léandre, âgés de douze et quinze ans, vint prendre possession de plusieurs lots sur les bords de la Rivière-au-Sable. Pour arriver jusque-là, elle avait traversé la forêt à cheval par des sentiers que ne connaissaient que les chasseurs. Elle construisit une cabane au bord de la rivière et défricha la terre qu'elle voulait donner à ses fils. D'autres pionniers suivirent son exemple et créèrent un village.

Pendant quatre années, soit de 1847 à 1851, Marguerite Belley retourna passer les hivers à La Malbaie pour revenir au Saguenay dès le printemps. À la mort de Jean Maltais, son époux, elle s'installa auprès de ses fils. Le petit village connut bien des difficultés mais il prospéra et devint une ville importante comptant actuellement plus de soixante mille habitants.

---

9 mars 1977 **Lutte contre l'assimilation**

L'histoire est faite d'événements mais aussi de projets, de désirs, de rêves et d'expérience. Même si on ne sait pas toujours la fin d'un essai, avoir existé signifie déjà quelque chose. Parmi les initiatives qui ont été avancées, il en est une qui voulait être à l'écoute des besoins des autochtones. Il s'agissait d'un projet d'aide sociale visant à aider les Amérindiens à se prendre en charge, à faire émerger leurs valeurs culturelles et, finalement, à leur donner le choix.

Dans un article du journal Le Quotidien du *9 mars 1977*, une journaliste posait la question : « L'évolution de la culture amérindienne devra-t-elle toujours passer par les « Blancs » ?

« Non » répondait Roger Naud qui avait mis de l'avant un projet visant à éviter l'assimilation des Indiens. Son but était d'amérindianiser les services sociaux donnés aux Indiens. Par exemple, lorsqu'il s'agissait de trouver une famille d'accueil à un enfant, il suggérait de lui préférer une famille amérindienne et d'éviter un placement en milieu blanc. Il souhaitait recruter des Indiens susceptibles de travailler pour le Centre des services sociaux, de les laisser travailler à leur rythme, de façon à ce qu'ils structurent eux-mêmes des services adaptés aux problèmes qui les concernent.

« ... Les Amérindiens sont amputés d'une autonomie réelle. Les territoires de chasse et de pêche qui leur ont été laissés ne représentent ni leur choix ni leur survie. Repoussés sans cesse vers le nord et les terres les moins prospères, la contamination de la société occidentale n'a rien épargné. »

Le moulin de Thomas

La fermeture de plusieurs chantiers dans le Bas Saguenay, en automne 1854, entraîna un changement d'orientation pour les travailleurs qui décidèrent de s'établir sur une terre. Ce mouvement favorisa la colonisation sur la rive ouest du lac Saint-Jean, au printemps 1855.

Le *10 mars 1855*, devant le notaire Ovide Bossé de Chicoutimi, Thomas Jame acheta la propriété de Jacob Duchesne. Il quitta Laterrière pour aller s'installer sur son nouveau domaine en avril ; il s'agissait d'une terre située sur la rive droite de la rivière Ouiatchouanish qui devint alors la rivière à Thomas Jame sur laquelle il voulait ériger un moulin à scie. Site de la future colonie de Notre-Dame-du-Lac et plus tard, de Roberval.

Thomas Jame avait acquis la propriété en échange de trois cent cinquante planches à scier chaque année par l'acquéreur, et ce, pendant dix ans. Le vendeur devait, bien entendu, fournir le bois, l'apporter au moulin et se conformer aux usages. Pour ce prix, Jame avait obtenu un domaine d'un arpent et demi de largeur s'étendant jusqu'au premier coude de la rivière Ouiatchouanish, « là où elle prend les eaux mortes ». Il avait également une maison et les communs, une part sur le lac et le site pour son moulin.

Deux ans plus tard, le moulin à scie de Thomas Jame tournait et sa terre s'était agrandie de quatre cents acres.

Salaire des institutrices

« Pouvez-vous me dire pourquoi le salaire de l'institutrice qui enseigne à la campagne n'est pas le même que reçoit celle qui enseigne dans une ville ? »

Cette question fut posée le *11 mars 1955* à l'occasion d'un forum lors de la séance d'étude des instituteurs et institutrices de la paroisse de Chicoutimi. Une institutrice se fit le porte-parole de ses consoeurs auprès du Comité d'éducation de la paroisse.

M. Eugène Pedneault, président de la commission scolaire de la paroisse de Chicoutimi répondit que : « ... si l'on se donnait la peine de regarder attentivement, on remarquera qu'il s'est fait de grands progrès dans ce domaine et que, dans un avenir prochain, cette question ne se posera même plus ».

« La nouvelle convention collective entre éducateurs et les autorités de la commission scolaire n'est pas encore signée, rappela le président, et lorsque viendra le temps de discuter du contrat de travail l'on aura alors une occasion magnifique de parler de la chose devant ceux que la chose concerne tout particulièrement. »

Les institutrices semblèrent se contenter de cette réponse et, le lendemain, le Soleil titrait : « Les institutrices de la campagne voient briller une lueur d'espoir. »

---

12 mars 1884   # Salaire de médecin

Le *12 mars 1884,* la population de Saint-Félicien, au Lac-Saint-Jean, comptait huit cent quatre personnes réparties en cent trente-quatre familles.

Pour s'occuper de la santé de cette population il n'y avait qu'un seul et unique médecin, le docteur Ls-Arthur Poliquin, également médecin de Saint-Prime et de Mistassini.

Lorsqu'il allait soigner un malade, le docteur Poliquin ne savait pas toujours quel serait le moyen choisi pour le rémunérer. Les gens étaient pauvres, l'argent était rare en ce début de la colonisation. On s'acquittait le plus souvent d'un compte en donnant des animaux, ou autres produits de la ferme. Ainsi, pour un accouchement on pouvait payer soit avec une ou deux cordes de bois, soit avec une fesse de cochon.

Pour compléter des fins de mois que le troc ne rendait pas toujours faciles, le Dr Poliquin avait accepté d'être agent des terres du gouvernement Il bénéficiait alors, pour cette fonction, d'un salaire annuel de quatre cents dollars.

---

13 mars 1913   # Saguenay

La rivière Saguenay n'a pas fini de faire rêver les poètes, ni d'attirer les navigateurs. Réputée dangereuse déjà lorsque les Indiens la descendaient en canot, elle a attiré Jacques Cartier qui en a décrit les impressionnantes marées et les rochers abrupts entre lesquels elle se faufile. À partir de l'embouchure de la Baie des Ha ! Ha !, la rivière devient capricieuse, profonde par endroit, recouvrant à peine le fond à d'autres, dissimulant un récif ou encore une bande de terre.

Les préoccupations que donne le Saguenay aux navigateurs n'ont rien de nouveau. Le *13 mars 1913,* le Progrès du Saguenay faisait part de la visite de l'inspecteur J. Kaine, du département de la Marine. Ce dernier avait envisagé diverses améliorations à apporter tant à la disposition des bouées, des lumières, des phares que des cartes. À cette époque, le Saguenay était la

60

voie privilégiée pour se rendre à l'extérieur de la région. De nombreux bateaux à vapeur y naviguaient du printemps à la fin de l'automne et certains s'y échouèrent.

Aujourd'hui, de lourds cargots y transportent du pétrole, du minerai, et autres cargaisons. De nombreux bateaux de plaisance et de plus en plus de voiliers suivent son cours.

En 1980, c'était au tour du célèbre commandant Cousteau de s'intéresser à la rivière Saguenay, confirmant les particularités de ce fjord quant à sa faune, la même que celle de l'Arctique, sa profondeur, son eau salée. Depuis plus de vingt ans, des groupes de recherches océanographiques s'intéressent assidûment à ce fjord.

---

14 mars 1867   # William Price

Des mâts de navire peuvent mener plus loin que l'on pense. Ainsi en fut-il pour William Price. Il était venu au Canada pour y remplir un contrat et fournir des mâts. Finalement, il s'y établit et développa une industrie florissante au Saguenay qui lui valut d'être nommé : Père du Saguenay.

Anglais d'origine, William Price est arrivé au Québec en 1810. Il avait besoin de mâts pour une compagnie de construction maritime de Londres, Idler Co. Il ne tarda pas à entendre parler de la forêt vierge du Saguenay.

« Elle allait déposer à ses pieds les superbes futaies du royaume et les vaisseaux du roi venaient les y charger pour les transporter aux chantiers de Londres. »

Installé à Tadoussac, William Price remplit son mandat tout en songeant à créer une industrie pour son profit personnel. À l'expiration de son contrat avec la Idler Co., il fonda une société avec Peter McGill, fondateur de l'université McGill, et trois négociants anglais. En 1842, il acheta tous les établissements du Saguenay à la Société des Vingt-et-Un. En 1852, à la mort de Peter McLeod, il devint le maître incontesté de la place. Il fonda et développa diverses industries du bois, jusqu'à sa mort, le *14 mars 1867.*

Ses trois fils, David, William et John prirent la relève et restèrent au Saguenay jusqu'à la fin de leur vie où ils fondèrent la compagnie Price Brothers.

David était considéré comme le plus entreprenant des trois. C'est sa signature qui apparaissait sur les « Pitons » échangeables seulement au magasin de la compagnie.

Crise et chômage

La crise économique ne s'était pas encore révélée que déjà certaines industries subissaient un ralentissement et devaient même evisager la fermeture. Les conséquences furent graves pour les familles ouvrières qui se retrouvaient sans emploi. Parmi les fermetures des industries en difficulté, il y en a eu une qui fit particulièrement mal aux travailleurs de Chicoutimi. C'était la Compagnie de pulpe qui fut mise en liquidation le *15 mars 1924*. Ouvertures et fermetures se succédèrent jusqu'à ce qu'une faillite définitive mette fin à tout projet, en 1929.

La population affrontait alors une période pénible au cours de laquelle, pour survivre, on vit même des enfants fouiller dans les poubelles pour tenter de trouver de quoi manger. En 1935, sur une population totale de onze mille huit cent soixante-dix-sept personnes, Chicoutimi comptait mille trois cent dix-neuf chefs de famille au chômage et huit mille cent soixante-douze habitants vivant des secours directs. Les effets de la crise se firent sentir dans le milieu jusqu'en 1940.

Pour se loger, il était impossible de trouver un abri de moins de 35 $ par mois, ou sinon dans des caves. Pour tout foyer, certaines familles n'avaient que des maisons sans lumière, des caves, des abris adossés à des étables. Cette situation incita plusieurs familles à quitter le Saguenay pour chercher refuge dans les régions qui, tout en étant elles aussi victimes de la crise économique, n'avaient pas à déplorer une situation aussi dramatique.

Pour lutter contre le chômage, on pensa à ouvrir de nouvelles terres à la colonisation. Ce n'est qu'en 1937 que le taux de chômeurs commença à se résorber un peu, passant de mille trois cent dix-neuf à neuf cent quarante.

Le médecin des pauvres

Surnommé le médecin des pauvres, le Dr Riverin a mérité l'estime d'une population qu'il soigna avec dévouement. Né à Chicoutimi le *16 mars 1868,* il était le fils de Thomas Riverin, à la fois marin et agriculteur, et d'Émérentienne Lapointe. Il étudia au Séminaire de Chicoutimi et de Québec, commença ses études médicales à l'université Laval et les acheva à l'université de Montréal en 1893.

Il exerça sa profession pendant quarante ans tout en étant écrivain, maire, shérif de comté. L'historien, Mgr Victor Tremblay, dit de lui : « Toujours le Dr Riverin fut l'homme qui se donne tout entier à la tâche, ne connaît pas obstacles que pour les vaincre, va au but la ligne droite. Aussi, pas un appel n'est vain, pas un malade n'est laissé sans secours, pas une souffrance qui ne soit soulagée ».

Les funérailles du Dr Riverin, décédé le 15 novembre 1932, furent l'occasion d'une sorte de ralliement régional. Parmi les témoignages recueillis à son sujet, on retrouve cette fidélité du médecin envers chaque malade.

« Que de fois nous avons entendu dire : le docteur part pour Saint-Fulgence. Jamais il ne pourra traverser, il risque sa vie. Et il revenait toujours, parfois avec un attelage d'emprunt, il est vrai, ayant perdu cheval et voiture au cours de la traversée sur la mauvaise glace du Saguenay. Et qu'on n'aille pas croire que c'est par soif du gain. Un jour, le docteur est demandé presque en même temps chez un bon patient de la ville et chez un pauvre colon des Îles de Saint-Fulgence. Il n'hésite pas un instant. Monsieur X aura facilement du secours car il paye bien. Je vais descendre aux Îles. Je connais mon homme, j'ai fait trois voyages gratis pro deo pour lui ».

---

17 mars 1821   **Cour des petites causes**

En plus des tribunaux du Québec, ayant juridiction en matière civile, le chapitre 2 de la loi 1 de Georges IV établit un tribunal de juridiction inférieure le *17 mars 1821*. Ce tribunal s'occupait des causes de peu d'importance dont le montant en jeu ne dépassait pas 25 $.

Cette juridiction fut abolie en 1841 par le Statut 4 de Victoria qui créa, pour la remplacer, les cours de district et les cours de division. Puis, en 1847, l'Acte 7 Victoria fit disparaître ces cours et rétablit la Cour des commissaires.

La première Cour des commissaires à être établie dans la région fut celle de Bagotville. Elle date du 8 mars 1860. Les premiers commissaires nommés furent : Robert Blair, Louis Mathieu, Ignace Gravel, Damase Potvin, Abel Tremblay et Honoré Bellemare. Le premier greffier de ce tribunal fut Ls-Z. Rousseau. Cette Cour siégea pour la première fois le 7 mai 1860.

Jusqu'en 1913, il n'y eut qu'une seule Cour des commissaires au Saguenay. La ville de Jonquière, à la suite de développements industriels, de 1911, voulut établir un semblable tribunal dans ses limites et adressa une requête au Lieutenant gouverneur.

Les premiers commissaires de la Cour de Jonquière furent : Amédée Bergeron, Émile Leblanc et Trefflé Gauthier. Le premier greffier : A-J. Reid.

---

18 mars 1938   **Les cheminées éteintes**

La crise économique des années trente avait provoqué un taux de chômage catastrophique dans la région. Il atteignait soixante-dix pour cent de la main-d'oeuvre et presque toute la population dépendait des secours directs. Un seul espoir subsistait : la réouverture des moulins de pulpe, propriétés de la Québec Pulp and Paper Corporation.

Un comité de la reprise industrielle de la cité de Chicoutimi avait prévu un plan pour réussir à rendre concret le projet de réouverture des moulins. Ce projet faisait appel aux gouvernements fédéral et provincial et il fut soumis à Maurice Duplessis en octobre 1936. Le 27 mai 1937, le lieutenant gouverneur sanctionnait une loi favorisant la réouverture des usines de la région de Chicoutimi. Plusieurs déclarations de Duplessis et de ses ministres permettaient de croire que la reprise du travail était prochaine.

L'hiver passa, et, le *18 mars 1938,* une nouvelle loi modifiait celle de 1937 relative aux moulins de la région.

Le député, Arthur Larouche, démissionna pour raison de santé dit-il. Des élections partielles allaient opposer plusieurs candidats dont Antonio Talbot, Henri-L. Duhaime, Pierre-Aimé McNicoll, Wilbrod Perron (qui céda sa place à Talbot à la demande du premier ministre) et Alfred Tremblay.

Lorsqu'il s'adressa aux électeurs, le candidat Duhaime tint à leur faire remarquer qu'il avait tenu en mains la réouverture des moulins. Il suggéra d'envoyer une « platée » de boue à ceux qui oseraient faire des promesses de réouverture. Et 1939 arriva sans que les cheminées de ce qui fut la plus grande pulperie du monde ne fument.

---

19 mars 1869   ## Système « D » à Roberval

En l'absence de professionnels, la ville de Roberval dut se débrouiller pour mener à bien ses affaires, que ce soit un acte de vente, une plaidoirie en justice ou des soins médicaux. Petit à petit, Roberval fut dotée des professionnels nécessaires à sa vie communautaire.

Le premier à ouvrir la marche fut le jeune notaire Israël Dumais qui arriva à Roberval le *19 mars 1869.* Avant son installation, la population devait attendre la visite des notaires de Bagotville et d'Hébertville. Le notaire Dumais occupa plusieurs charges publiques dont celles d'agent des terres, de secrétaire du Conseil et de garde-chasse.

En 1879, un médecin suivit. Au cours de vingt-cinq années précédentes, la population avait pourvu elle-même aux soins ordinaires connaissant bien les remèdes à employer pour les maladies courantes. On déplorait cependant un fort taux de mortalité infantile. Quelques femmes expertes s'occupaient des accouchements ; elles avaient à apprendre non seulement à aider la naissance des enfants mais aussi à baptiser, chose qu'elles devaient faire bien souvent. Parmi les sages-femmes, Marguerite Simard se serait particulièrement distinguée, mettant au monde plus d'une génération de Robervalois.

Les avocats arrivèrent les derniers. La Cour de magistrat fut établie en 1872. À défaut d'homme de loi, les accusés faisaient appel aux plus débrouillards parmi les habitants pour plaider en Cour.

---

20 mars 1947   # Région de musique

La région du Saguenay compte de fervents amateurs de musique. Plusieurs écoles dispersées au Saguenay et au Lac-Saint-Jean accueillent chaque année des milliers d'élèves, jeunes et adultes. Un camp musical, un Conservatoire de musique, un orchestre symphonique, un orchestre de chambre, un orchestre de jeunes, une Société nationale de production et de diffusion des arts lyriques, les Jeunesses musicales, sans compter les groupes de jeunes musiciens qui se produisent en spectacle.

Cet amour de la musique n'est pas nouveau dans ce royaume et déjà, au mi-temps du siècle, l'on notait que Chicoutimi était un des centres, au Québec, où l'on s'intéressait le plus à la musique, comme le relate un document daté du *20 mars 1947*.

« À Chicoutimi on parle de musique. Des artistes canadiens et américains visitent cette ville à plusieurs reprises durant le même mois. On ne compte plus le nombre des grands concerts qui y ont été donnés, ni celui des artistes du Metropolitain Opera House.

À cette époque, il y avait plusieurs associations musicales, dont la plus active était la Société des concerts, fondée en 1945. Elle organisait quatre concerts par année pour sept cents membres. Même la famille Trapp avait été invitée. Un accueil chaleureux avait été réservé à cette famille exceptionnelle. Vilmond Fortin, directeur-gérant du poste CBJ, était l'organisateur et le recruteur de la Société des concerts.

Une autre association, le Cercle musical de Chicoutimi, comptant six cent trente membres, présentait des concerts du dimanche et des soirées d'initiation à la musique. S'ajoutait une fanfare de trente-deux musiciens, fondée par l'abbé Constantin.

Et, en 1947, le chanteur Lucien Ruelland était reconnu pour être un des meilleurs chanteurs canadiens.

« Elle est là, au sommet de la dune escarpée qui domine le port. Et son clocher pointu, qui a servi si longtemps de phare aux marins du Saguenay, porte encore la croix que les Jésuites y ont placée. » Chère au coeur des Saguenéens, sise à l'embouchure de la rivière Saguenay, la petite chapelle de Tadoussac est devenue un monument à l'histoire. Elle fut construite en 1747, à partir des pièces de bois que le charpentier Blanchard était allé équarrir le *21 mars 1747,* selon un engagement écrit qu'il avait pris. »

Les planches, les madriers et les bardeaux ainsi que tous les clous furent donnés par l'intendant Hocquart. Et pour rendre hommage à ce geste, le père Coquart promit à l'intendant de dire la messe le jour de la Sainte-Anne à son intention tant que l'église subsisterait. Il engagea du même coup tous ses successeurs.

La chapelle servit de temple paroissial jusqu'en 1885, jusqu'à ce que soit construite une église de pierre. La petite chapelle « où l'on chantait les louanges au Seigneur dans tous les dialectes des nations du nord et du sud du Saint-Laurent inférieur » ne servit plus qu'une fois l'an : à la fête de Sainte-Anne. Toute la paroisse, ce jour-là, se rendait au sanctuaire pour y entendre la messe que les successeurs du père Coquart disaient à l'intention de l'intendant Hocquart.

La chapelle avait été terminée le 24 juin 1750. Elle était évaluée à trois mille livres. On raconte que le fermier des postes qui n'avait pas déboursé un sou pour cet édifice, trouva moyen de s'en faire payer la valeur entière ainsi que le coût des ornements.

Fr.-X. Gosselin, admis au barreau le 14 juillet 1879, vint s'établir à Chicoutimi. Il arriva le 1er septembre et s'associa avec l'avocat Ernest Cimon, procureur de la couronne depuis 1873. Il avait fait ses études classiques au Séminaire de Québec jusqu'en 1876 et terminé ses études de droit à l'université Laval.

Il était considéré comme une vedette au barreau saguenéen ainsi que Me Hudon et Me Gagné. Il fut maire de Chicoutimi de 1881 à 1882 et député fédéral de la circonscription Chicoutimi-Saguenay de mars 1874 à mai 1882.

Nommé protonotaire de la Cour supérieure en 1886, il occupa le poste jusqu'en 1920. Réputé pour être un homme de lettres et d'études, il aimait particulièrement les oeuvres para-légales et sociales.

Presque toutes les associations industrielles, religieuses, sociales l'ont eu comme président, directeur ou secrétaire. Il fut également le premier secrétaire de la première conférence Saint-Vincent de Paul à Chicoutimi et secrétaire-trésorier de la ville du *22 mars 1895* au 6 octobre 1900.

Me Gosselin était l'oncle de Mgr F.-A. Savard. Comme son neveu, il se laissa tenter par l'écriture. Il publia deux volumes, soit « La reine du nord » et « Monument érigé à la mémoire de William Price ». Le premier volume était un résumé de l'histoire primitive du Saguenay, de Chicoutimi et de la maison Price. Il y parla de la religion, la politique, traita de l'aspect judiciaire, industriel, économique et scolaire. Un chapitre raconta même la petite histoire du journalisme.

---

23 mars 1905   **Haro sur les immigrants**

L'encre noire coulant d'une plume peut tout devenir selon l'esprit qui anime la main. Le *23 mars 1905*, l'encre avec laquelle un journaliste écrivit son article était aussi sombre que les pensées exprimées sous prétexte de défendre la population du Saguenay contre les indésirables. Le lendemain matin, dans les pages du Progrès du Saguenay, les gens purent lire ses propos vindicatifs à l'égard des étrangers.

« L'importation d'une certaine classe d'individus que l'Europe nous envoie chaque année est un danger. Ces gens répandent des idées les plus malsaines au grand scandale des Catholiques qui composent la presque totalité de notre population.(...) Ce que la France, la Belgique et la Suisse nous fournissent, règle générale, est une immigration sans foi, sans religion. Ces immigrés imbus des idées du socialisme moderne se disent Catholiques mais ils ne professent en aucune manière la religion.(...) Si ces imposteurs avaient le bon esprit de se taire ! (...) On ne devrait pas donner asile chez nous aux gens de cette espèce. Sans doute nous ne pouvons pas leur interdire l'entrée au sol canadien ; nous ne pouvons pas non plus les chasser, mais les patrons pourraient fort bien les forcer à quitter le pays en leur refusant le travail qu'il leur faut pour vivre ; nos concitoyens pourraient leur refuser tout patronage si ceux que nous dénonçons comme un danger public sont à la tête d'un négoce quelconque. Si nous leur refusions tout encouragement, il leur faudrait bien déguerpir. Nous signalons ce danger à tous les citoyens afin que chacun y regarde de près lorsqu'il s'agira d'encourager ou d'employer un étranger »

---

24 mars 1938   **Cravate du centenaire**

Célébré en grandes pompes, le centième anniversaire du Saguenay-Lac-Saint-Jean fut commémoré par de nombreuses activités. La population s'y prépara longuement, prévoyant pour les dames, un costume aux couleurs symboliques et, pour les hommes, une cravate spécialement conçue.

Le *24 mars 1938,* les journaux annonçaient officiellement que Pierre Gagnon de Bagotville avait obtenu l'autorisation de vendre les cravates du centenaire, autorisation enregistrée aux archives du Comité sous le numéro huit.

Pour stimuler la grande campagne de nettoyage lancée le 7 avril 1938, afin d'embellir villes et villages, un slogan disait : « La propreté est accessible à tous, elle est le luxe des pauvres. »

Plus encore, le Comité du centenaire avait prévu une émission radiophonique, animée par des artistes comédiens de la région et destinée à évoquer des souvenirs historiques du Saguenay. Dès le 18 mai 1938, trois fois par semaine, une courte pièce écrite par Madame Sergerie de Bagotville relatait les débuts de la région.

Un hymne fut composé, paroles de l'abbé O.-D. Simard, mises en musique par l'abbé H. Fortin.

Ils sont bien loin de leur rivage
Les gars hardis de Charlevoix
Leurs bras puissants, leur fier courage
Se sont rués contre nos bois.
La hache frappe avec cadence
Voyez tomber la forêt dense.
Saluons bas, nous leurs enfants,
Nous sommes fils de conquérants.

---

25 mars 1972　　　　　　　　# Rêve d'un village sportif

L'histoire n'est pas faite que de réalisations, elle compte aussi sa part de rêves. Certains se réalisent, d'autres pas.

Le *25 mars 1972,* un important projet était divulgué avec beaucoup d'optimisme : la création d'un village sportif communautaire de style 1800 pour la récréation de la famille d'aujourd'hui et des espaces verts pour l'homme de l'avenir.

Un des buts du projet, dont on ne pouvait évaluer le coût total, consistait à attirer dans la région des visiteurs « qui ne seront pas seulement attirés par de beaux paysages statiques faits d'arbres, de montagnes et de rivières ». Une centaine de personnes assistaient à cette rencontre, présidée par Pierre Thibodeau. Ce dernier expliqua que le village communautaire serait la solution pratique au problème moderne des loisirs « en situant, à l'intérieur d'un même emplacement des aménagements de diverses disciplines sportives comme le croquet, le canotage, le tir à l'arc, le ski de fond, la raquette, une piste de course d'un quart de mille, une piste de course pour automobiles miniatures et pour des avions, des promenades pour les amateurs d'équitation ».

Le module de biologie de l'Université du Québec à Chicoutimi envisageait d'y aménager une pisciculture en bordure de la Rivière-du-Moulin. Le village aurait été administré par un conseil, formé d'un maire et de conseillers, d'un juge et d'un shérif.

---

26 mars 1974   # Le solitaire

P.-H. Harvey, propriétaire de la scierie de Saint-François-de-Sales, annonça l'expansion de son entreprise le *26 mars 1974*. Ce village, situé au sommet d'une colline, à mi-chemin entre Chambord et Lac Bouchette, possédait là une petite industrie de sciage qui identifiait bien ses deux identités : milieu à la fois agraire et forestier.

La scierie n'était pas le seul point d'attrait de cette localité. Il y avait, parmi ses habitants, un homme peu ordinaire qui, à l'âge de 84 ans, continuait à vivre en célibataire endurci et solitaire dans une petite cabane, sans eau courante, ni électricité, ni télévision. Il ne savait ni lire, ni écrire.

Joseph Riel fut l'un des premiers habitants de Saint-François-de-Sales. Attiré par les propos de ceux qui vantaient les terres de la région, il était venu de Maskinongé avec ses trois frères. Faute d'avoir du succès avec les récoltes, Joseph Riel alla travailler en forêt.

La petite maison où il vivait encore en 1977, avait été construite en 1927 dans le rang 9. Maison très petite, d'une seule pièce, sans électricité, ni eau courante même si le service public passait tout près de sa propriété. Avouant n'avoir besoin que de peu d'eau, il considérait inutile d'être relié au réseau municipal puisqu'il avait son propre puits.

Pour éclairer ses soirées, solitaires depuis cinquante ans, il utilisait une lampe à l'huile et cuisinait sur son poêle à bois. Ses journées débutaient à 6 heures du matin. Il fendait lui-même son bois, maniait la faux et se couchait à 20 heures.

---

27 mars 1861   # L'alcool

L'alcool devenait un danger pour la colonie, si grave qu'il fut nécessaire de passer un règlement sévère pour empêcher la vente de boissons enivrantes. Arthur Buies, dans son livre sur le Saguenay, raconte qu'en 1842, l'ivrognerie se propagea parmi la population de Saint-Alexis et de Saint-Alphonse menaçant de détruire cette jeune colonie.

Une campagne de tempérance fut entreprise par les missionnaires mais, plus la région se développait, plus les trafiquants devenaient prospères. « Les contrebandiers et les fabriquants de liqueurs spiritueuses, profitant de l'absence de tribunaux, avaient beau jeu pour exercer leur commerce diabolique », commente Percy Martin dans un article datant de 1936.

Devenant une menace pour la population, l'alcool fut l'objet d'une réglementation, votée à la seizième séance du Conseil de comté de Chicoutimi le *27 mars 1861.*

L'article 1 disait : « Aucune personne ne pourra obtenir une licence ou vendre ou détailler des liqueurs alcooliques, vineuses ou fermentées dans les limites du comté de Chicoutimi à moins qu'elle ne soit munie d'un certificat signé par le curé, un juge de paix et le marguillier en exercice dans la localité où la personne veut vendre, ou détailler des boissons comme sus-dit… »

Défense de vendre moins de trois demiards à la fois. Obligation de garder ou de se procurer pour la vente toutes les liqueurs pouvant être jugées nécessaires ou utiles, telles les vins de Porto ou autres en usage dans les maladies.

---

28 mars 1893   # Jour du pauvre

La Trappe de Mistassini avait une façon bien à elle de souligner les Jeudi-Saint. Une cérémonie dite du « Mandateur des pauvres », prescrite par les règlements, fut décrite par un auteur dont les initiales étaient F.M.L.d'G., dans l'édition de L'Oiseau-Mouche.

C'était un *28 mars 1893.* Les Pères avaient assisté à la messe en compagnie de quelques habitants et ouvriers, ainsi que des employés de la construction du pont ferroviaire. Commença alors la cérémonie :

« Nous invitons autant de pauvres qu'il y a de religieux dans le monastère ; immédiatement après l'Angélus, tous les religieux, à la suite du supérieur viennent se mettre devant les pauvres, assis sur un banc des cloîtres. Au signal du supérieur, les religieux se mettent à genoux devant les pauvres, les déchaussent, leur lavent les pieds, les baisent et les rechaussent. Les religieux se lèvent ensuite, et, à nouveau, au signal, se remettent à genoux devant les pauvres, leur donnent une petite aumône en leur baisant les mains. Il se relève de nouveau, et, à un troisième signal, se mettent à genoux, font la prière » Suscepimus Deus etc. » aux pieds des pauvres ; se relèvent, saluent les pauvres et se retirent ».

« Le supérieur conduit ensuite ces pauvres au réfectoire où un dîner leur a été préparé ; lui-même les sert à table et, après le dîner, les congédie en leur donnant une deuxième aumône ».

---

29 mars 1935   # Paix et chapelet

Il suffit de savoir demander pour obtenir ce que l'on veut. C'est ce que semblait croire une dame qui adressa une lettre au journal local le *29 mars 1935* racontant comment son grand-père avait su amener ses hommes à plus de piété.

Jean Tremblay, surnommé Bouleau, fut le premier colon de Shipshaw. Il allait travailler aux chantiers en hiver. Il se retrouva en compagnie d'hommes dont le vocabulaire coloré était accompagné de « sacres, de blasphèmes, de mauvais propos et de mépris pour la prière et la religion ».

Vint le temps du Carême. Le contremaître avait demandé aux hommes de surveiller davantage leur comportement. « La proposition de dire la chapelet en commun eut pour effet de stimuler la verve des mécréants ; ils firent un tel concert de moqueries, d'interruptions, de balivernes et d'autres bruits inconvenants que ça devint impossible de continuer la prière ».

Jean Tremblay, après trois soirs de ce manège, perdit patience. « C'est le temps que ça change, dit-il à ses compagnons, tenez-vous prêts à m'appuyer, on va régler ça tout de suite ».

Il proposa à tous de se mettre à genoux pour le chapelet. Un premier ricanement se fit entendre. Il n'attendit pas le deuxième. « On va voir qui est le maître icitte » fit-il en saisissant le ricaneur au collet ; il lui administra « une volée » et le jeta dehors. Il fit la même chose avec quelques autres. Ils ne purent réintégrer le camp qu'une fois le chapelet terminé. On dit que les soirs suivants, les prières eurent lieu sans autres commentaires.

---

30 mars 1913   # Voyage en train

Le *30 mars 1913*, un train de fret, comprenant une douzaine de wagons, a déraillé à quelques milles de Chicoutimi, obstruant la voie ferrée et retardant le départ de l'express de Chicoutimi. On présuma que l'accident avait été causé par l'eau et la glace qui, chaque année, à cet endroit marécageux, déplaçaient les rails et provoquaient des déraillements.

Le retard subi par les passagers de l'express de Chicoutimi, en 1913, causa moins d'émoi que la perspective, en 1971, de perdre définitivement le service de transport des passagers par le Canadien National.

« La gare ne représente plus qu'une valeur symbolique et sentimentale, écrivait un journaliste du Soleil. Le Canadien National fait des affaires d'or au Saguenay-Lac-Saint-Jean avec le transport des marchandises, mais son service de passagers est déficitaire. Il a donc demandé à la Commission canadienne des transports l'autorisation de céder aux autres entreprises de transports en commun ce service de voyageurs. »

Le transport en commun, pour toute région éloignée, est un problème crucial. Si, en 1971, la population délaissait le chemin de fer, c'était surtout en raison du service lui-même. Le trajet était très long, parfois seize heures en hiver de Chicoutimi à Montréal, et le confort laissait à désirer. Mais il subsistait toujours des irréductibles amateurs du train. Pas seulement par sentimentalité ou nostalgie du passé, mais pour la beauté exceptionnelle du paysage qui se déroulait sous les yeux des passagers. Le voyage en train, surtout au Lac-Saint-Jean, était un enchantement, surtout l'aube se levant avec une infinité de nuances au-dessus du lac gelé.

---

31 mars 1955   # Poliomyélite

Au cours de l'été 1955, une épidémie de poliomyélite laissa des séquelles tragiques chez les enfants de neuf mois à quinze ans. Pour aider les familles des victimes, un comité d'aide aux victimes de la polio fut créé sous la présidence de Vincent Brassard de Chicoutimi. Une des premières initiatives de ce comité fut d'inviter les parents à amener leurs enfants atteints à l'hôpital Hôtel-Dieu St-Vallier pour y passer un examen médical. Les membres de l'unité sanitaire avaient préalablement affirmé qu'il y avait eu seize victimes dans la région. Le journaliste du Soleil, dans l'édition du *31 mars 1955*, déclarait avoir lui-même compté plus de soixante enfants atteints auxquels il fallait ajouter ceux qui étaient déjà dans les salles d'examen.

En fait, plus de cent patients s'étaient présentés à l'hôpital. La direction dut prendre des dispositions, soignant prioritairement les malades provenants des localités les plus éloignées, fixant un nouveau rendez-vous pour les familles de Chicoutimi, Jonquière, Arvida.

Décrivant ce qu'il avait vu à l'hôpital, le journaliste écrivait : « Ces enfants sont atteints de différentes infirmités plus ou moins graves selon le cas. Les uns éprouvent beaucoup de difficultés à marcher, d'autres doivent se servir de béquilles, certains peuvent à peine bouger soit un bras ou une main, enfin tous ont quelque chose qui les empêche de se comporter comme des enfants ayant un corps véritablement sain. »

Baie des Ha ! Ha ! par le peintre Fred B. Schell.

(Photo: Archives nationales du Québec)

« Échange, union et collaboration, trois ingrédients essentiels à la réalisation et au succès de grands projets ». Suzanne Beauchamps-Niquet, maire de Dolbeau adresse ces mots à la population en fête. C'est le cinquantième anniversaire de cette ville, incorporée le *1er avril 1927*. La ville doit son existence tant à ceux qui ont amené l'usine de pâtes et papier sur les bords de la rivière Mistassini qu'aux ouvriers qui ont donné leur force de travail pour faire fonctionner l'usine.

Dans son discours, Mme Beauchamp-Niquet met en relief cet échange. Le rêve qui se réalisait avec la construction du moulin a amené à Dolbeau un grand nombre d'hommes venant de tous les milieux, de toutes les directions et qui ont bâti une ville neuve dans la mesure de leur courage. L'usine qui a pris forme et les compagnies successives qui en sont propriétaires ont créé des emplois, donné un grand essor à la vie économique, ouvert des réseaux routiers et de transports, fourni la planification d'une ville harmonieuse, participé à l'organisation de la vie sociale et travaillé en étroite collaboration avec les autorités civiles ».

« D'autre part, les citoyens de Dolbeau ont fourni le travail de leurs bras, leur intelligence, leur courage, leur patience, leur goût de l'ouvrage bien fait et leur ambition ».

À l'occasion des fêtes du cinquantenaire, cinquante-six pionniers ont été honorés, tous des retraités de la compagnie Domtar.

---

2 avril 1914 **Victor Delamarre**

Devant une foule de mille cinq cents personnes, Victor Delamarre conquit le titre de champion du monde des hommes forts le *2 avril 1914*. Surnommé le Samson canadien, il avait battu le record jamais égalé de Louis Cyr en soulevant d'une seule main, un poids de trois cent neuf livres et demi. Fils de L.-Chs Delamarre, installé au Lac Bouchette, Victor naquit le 24 septembre 1888. Très vite, il se révéla d'une force exceptionnelle. Ses compagnons de jeu ne purent jamais le vaincre.

Peu porté vers les études, il alla vivre chez son oncle Maxime Vézina dont l'épouse, institutrice, l'aida à compléter ses études tout en le faisant participer aux travaux de la ferme. Il aimait démontrer sa force et ses exploits se multiplièrent.

À quinze ans, il souleva un rail de chemin de fer mesurant vingt-neuf pieds et pesant cinq cent cinquante livres. À seize ans, il souleva un double voyage de foin pour se sortir du fossé. Lors de la construction de la seconde chapelle du séminaire du Lac Bouchette, les hommes ne parvenaient pas à utiliser le mécanisme prévu pour élever la lourde statue de Saint-Antoine. Elle pesait environ mille deux cents livres. Victor la prit sur ses épaules, grimpa les deux échelles et installa la statue à sa place, à une hauteur de quarante pieds.

Il souleva deux lourdes pierres gênant la construction de la chapelle. La première pesait douze mille livres, mesurait quatre-vingts pieds cubes. La seconde pesait quinze mille livres. En 1920, il souleva, sur son dos, trente hommes du corps de police de la ville de Québec.

---

3 avril 1947   **Route vers Tadoussac**

Il fallut la ténacité de la population pour assurer à cette région un réseau routier que les autorités tardaient à donner. Chaque fois, et pour chaque direction que nous parcourons aisément aujourd'hui, quelques personnes ont pris le risque de prouver aux autres qu'il était possible de relier cette région aux autres. Ce fut également le cas pour le trajet entre Chicoutimi et Tadoussac.

Un groupe de citoyens du comté de Saguenay quittèrent Sacré-Coeur le jeudi matin du *3 avril 1947* à bord d'une jeep de marque Willys. Désireux de maintenir en permanence la communication établie par les autos-neige, ils prirent la route d'hiver de Tadoussac. Le voyage s'était effectué sans avarie, en longeant la rivière Sainte-Marguerite près de Sainte-Rose-du-Nord, puis la route régionale, distance de soixante-dix milles à peine.

Cette route de neige était battue par les autos-neige des résidents de Sacré-Coeur et de Chicoutimi qui tenaient à maintenir ouverte une voie d'accès entre les deux régions. Ils suivient le tracé d'une route prévue naguère mais apparemment mise de côté.

À leur arrivée à Chicoutimi, ils furent reçus triomphalement par les différents corps publics. Ce qu'ils avaient fait permettait à la population de croire qu'il n'était pas chimérique pour le comté Saguenay de penser à un débouché vers le Lac Saint-Jean par la rive Nord.

Cette route existe maintenant et est l'un des plus beaux parcours pour aller vers la Côte-Nord ou vers Charlevoix.

---

4 avril 1930   **Pour devenir une cité**

Les institutions municipales, comme les individus, naissent, croissent et grandissent pour finir par atteindre leur plein développement. La corporation municipale de Chicoutimi n'a pas échappé à la règle générale et, avant d'obtenir son titre de cité, dut gravir les échelons un à un. Elle fut d'abord intégrée dans la municipalité des comtés en 1851 avec Louis Tremblay et Jean Harvey comme représentants. Suivit la municipalité de canton avec un premier conseil formé le 26 juillet 1855, dont le maire fut David McLaren.

Le 7 mai 1860, le Conseil de la municipalité du canton Chicoutimi érigea une certaine partie de son territoire en village non incorporé, avec Johnny Guay, marchand, pour maire. Ce dernier fut de nouveau maire du village incorporé de Chicoutimi le 25 juillet 1863.

L'Acte 42-43 Victoria, Chapitre 61, assura au village le statut de ville, le 31 octobre 1879. La première ville du royaume du Saguenay tint son conseil le 29 septembre 1879 dans la « maison d'école » connue sous le nom de vieux séminaire, sous la direction du maire Néron Tremblay.

Enfin, le dernier saut eut lieu en 1930, alors que la loi 20 Georges V éleva la ville au rang de cité et lui en conféra tous les pouvoirs. Cette loi fut sanctionnée le *4 avril 1930*.

---

5 avril 1869   **La société de colonisation**

Pour vaincre le chômage le gouvernement favorisa la colonisation, transformant en cultivateurs les chômeurs qui encombraient les villes. Le *5 avril 1869,* le gouvernement vota l'acte 32 Victoria, loi dont l'ambition était d'établir sur des terres vierges les sans-emploi qui se multipliaient et pour lesquels, bien souvent, la seule solution consistait à partir vers les États-Unis.

Pour atteindre cet objectif, il fallait ouvrir des voies nouvelles, soutenir les colons au cours des premières années, leur apportant aide matérielle et théorique.

Pour établir un lien entre les colons et l'État, un organisme fut créé, société de colonisation aux structures différentes des schémas typiques de la paroisse et du diocèse traditionnels.

Dans « Économie régionale du Saguenay-Lac-Saint-Jean » un rédacteur écrivit : « Pour voir son existence civile ratifiée, cette société dut être accréditée selon certains procédés légaux bien définis. Cette reconnaissance légale lui permit de jouir des largesses gouvernementales : octroi d'une somme d'argent, don à la société d'un lot de terre chaque fois qu'elle réussissait à établir dix colons sur des terres nouvelles ».

Cette loi s'avéra efficace. Plusieurs sociétés furent formées assitôt et, sur les vingt-six premières, quatre d'entre elles s'attachèrent au Saguenay et au Lac-Saint-Jean. La société de Chicoutimi installa des colons aux Terres-

Rompues et à Saint-Charles.

---

6 avril 1950   # Rosaire Gauthier

Lorsque l'on se promène sur la rue Bégin, non loin de l'aréna, un parc aux arbres hauts et droits attend les promeneurs du dimanche et les familles à la recherche d'un coin verdoyant pour y pique-niquer. Ce parc porte le nom d'un maire de Chicoutimi, personnage coloré décrit comme un homme ayant une volonté indomptable de vaincre : Rosaire Gauthier.

« Vouloir c'est avoir le courage de s'exposer à un inconvénient ». Cette pensée de Stendhall, un journaliste du Soleil la reprenait au profit du maire Gauthier dix ans après sa première victoire à la mairie de Chicoutimi. « Quand on repasse brièvement les principales étapes de la carrière publique de S.H. le maire R. Gauthier, écrit le journaliste, cette pensée de Stenhall nous vient spontanément à l'esprit.(...) Le premier magistrat de Chicoutimi a toujours été inspiré par cette volonté indomptable de vaincre les épreuves. Il a évidemment subi des échecs mais jamais sans avoir lutté avec une opiniâtreté à nulle autre pareille.

Une des luttes les plus dures, menée par le maire Gauthier, fut celle en faveur de la municipalisation de l'électricité. Des polémiques acerbes, des propos d'une grande violence verbale marquèrent ce débat qui prit fin le 17 février 1956, lors de la signature du contrat liant la cité de Chicoutimi à la compagnie électrique du Saguenay.

Rosaire Gauthier fut élu pour la première fois le 1er août 1950, mais il avait déjà été désigné par les échevins, le *6 avril 1950* pour succéder au maire G. Smith, décédé. Il fut réélu quatre fois. Député fédéral le 10 juin 1957, défait aux élections suivantes par Vincent Brassard. Il occupa la présidence de l'Union des municipalités en 1956 et fut directeur de la Fédération canadienne des maires et des municipalités en 1959.

---

7 avril 1979   # Mgr Couture

Apprenant dans les journaux du *7 avril 1979* le départ de Mgr Marius Paré qui fut évêque du diocèse de Chicoutimi pendant dix-huit ans, la population découvrait en même temps le visage du successeur de leur évêque. Il s'agissait de Mgr Jean-Guy Couture, envers lequel les journalistes se firent élogieux.

« Un serviteur joyeux » dit-on de lui en 1975, lorsqu'il fut nommé évêque de Hauterive. « Chez lui, la précision mathématique et le sens des finances n'ont rien de sec et de mercantile. Le rire clair qui descend en cascade et la fine répartie fusant avec tant de facilité sont comme des invitations à déranger cet homme chez qui le service semble si naturel ».

Après avoir terminé son Grand Séminaire, Jean-Guy Couture fut attaché au séminaire de Saint-Georges de Beauce, en 1953. Il obtint sa licence en sciences à l'université Laval en 1959. Il fut nommé procureur au Petit Séminaire de Saint-Georges en 1961, puis, adjoint au directeur du diocèse de Québec.

Continuant son ascension, il fut nommé, quatre ans plus tard, directeur du service de l'administration financière du diocèse de Québec, fonction qu'il occupa jusqu'en 1975. Cette année-là, le pape Paul VI le désigna comme successeur de Mgr Gérard Couture, évêque de Hauterive.

Mgr Couture s'est occupé de relations de travail, il a contribué à mettre sur pied des mesures visant à assurer plus de sécurité aux employés laïcs des paroisses et s'est occupé des problèmes des prêtres malades et retraités.

---

8 avril 1855   # Notre-Dame-du-Lac

La seconde paroisse à être créée au Lac-Saint-Jean fut Notre-Dame-du-Lac. Les colons s'y installèrent le *8 avril 1855*, suivis en 1860 par l'abbé Auguste Bernier.

Pour venir d'Hébertville à Notre-Dame-du-Lac, l'abbé Bernier avait franchi les rivières et le lac Saint-Jean en canot, voyage qui ne fut pas sans grandes fatigues, ni sans aventures.

La première chapelle de la nouvelle paroisse fut construite en 1860, mais elle fut entièrement dévastée par les flammes lors du grand feu, le 19 mai 1870.

Les Ursulines arrivèrent à Notre-Dame-du-Lac en 1862. La vie de la petite colonie s'organisait peu à peu et prit vraiment son essor en 1888 lors de la construction du chemin de fer. Le mouvement de la colonisation s'intensifia et le tourisme se développa.

Au début du siècle, une nouvelle église fut érigée. Sa construction entièrement de bois lui valut, plus tard, une certaine réputation. En 1959, la revue Saguenayensia, publiée par la Société historique du Saguenay, affirmait que cette église était la plus vieille église de la région. Et l'auteur de l'article déclarait : « Cette gloire aura son terme, comme toutes les choses humaines ; en attendant, elle contribue pour sa part au charme attachant du site et de l'allure propre et distinguée de Notre-Dame de Roberval.

Les noms de l'histoire

Même si la ville de La Baie est le résultat d'une fusion de trois villes, Port-Alfred, Grande-Baie et Bagotville, les noms ne meurent pas pour autant. Les pages d'histoire n'effaceront pas ce qui a été, comme par exemple, le souvenir d'un temps où les noms choisis correspondaient à une volonté d'angliciser le pays. En racontant l'origine du mot « Bagot » Percy Martin de la Société historique rappelait ce temps passé dans un article qu'il signait le *9 avril 1936.*

« Lorsque le canton de Bagot fut érigé, en 1848, nous étions sous l'Union, époque de notre histoire où les Anglais du pays cherchaient à faire disparaître tout ce qui avait le caractère français pour donner à notre province une physionomie anglaise. Le comté de Chicoutimi était alors représenté par un Anglais, M. Price. Le moment était donc propice pour donner un nom anglais à un de nos cantons. Les Canadiens qui défendaient alors nos intérêts à la Chambre ne firent aucune objection aux choix de ce nom pour la bonne raison que ce nom représentait celui d'un gouverneur anglais qui avait été un ami des Canadiens français, Sir Charles Bagot ».

Cet Anglais, gouverneur de 1841 à 1843, avait des vues très libérales, affirma Percy Martin et il inaugura la politique de responsabilité. « L'équité qu'il témoigna aux Canadiens lui attira, comme cela était arrivé à certains de ses prédécesseurs, l'inimitié du « Family Compact ».

Le Séminaire

Un sou par personne... et voilà le Séminaire de Chicoutimi ! Mais l'histoire ne commence pas là. Il faut remonter jusqu'au *10 avril 1872,* alors que le curé de Chicoutimi, Dominique Racine, adresse à Mgr E.-A. Taschereau, archevêque de Québec, une lettre dans laquelle il expose la nécessité de commencer, à Chicoutimi, une maison d'éducation qui deviendra plus tard un collège.

Requête à laquelle l'Archevêque donna sa bénédiction de tout coeur, assurant le curé Racine de son appui. Fort de cet encouragement, Dominique Racine vit venir l'heure de concrétiser le rêve qu'il portait en lui depuis 1865 : un Séminaire. Ovide Bossé, Néron Tremblay, Eucher Lemieux et Michel Caron, commissaires d'école, offrirent spontanément la maison d'école du village. L'acte de vente fut passé le 1er août 1873, incluant un acre de terrain, cédé à la corporation archiépiscopale pour le prix d'un dollar. Des réparations furent faites au cours de l'hiver et de l'été, pour la somme de 700 $. Et, le 15 août 1873, Mgr Taschereau érigeait cette nouvelle maison en Séminaire, placée sous la protection de la sainte famille. Dominique Racine, alors vicaire général en fut le premier supérieur et Samuel Caron le directeur. Le 15 septembre, les premiers élèves se présentèrent pour atteindre, au cours de l'année, le nombre de soixante et un.

La maison devint rapidement trop petite. En mars 1874, il fallut envisager la construction du futur séminaire. Mgr Taschereau acquit de la maison Price un vaste terrain. La somme destinée à cet achat fut recueillie parmi les prêtres et par une souscription populaire d'un sou par personne dans tout le diocèse de Québec.

---

11 avril 1937   **Les voix du Saguenay**

La chorale, « Les voix du Saguenay », donna un concert, lors de la soirée de la « Bonne Presse », soirée pour les hommes, le *11 avril 1937*. Cette jeune chorale avait débuté grâce à l'initiative de Vilmont Fortin, désireux de trouver des talents locaux pour le poste de radio dont il avait la direction.

Appelé à prendre en charge le poste nouvellement créé CRCS, Vilmont Fortin constata les maigres ressources à sa disposition. Il décida de recourir aux talents locaux pour alimenter son programme et pour populariser le répertoire français tout en développant, chez ses auditeurs, le goût du chant et de la musique.

Après plusieurs démarches, il réussit à former une chorale mixte qu'il nomma « Les voix du Saguenay », dirigée par l'abbé Joseph-Wilbrod Dufour du Séminaire de Chicoutimi. La chorale comptait une pianiste, Juliette Riverin, et huit voix : Pierrette Demers, Marcelle Desbiens, altos, Bernadette Blais, Georgette Côté, sopranos, Vilmont Fortin, Roland Dallaire, ténors, Lucien Ruelland, baryton et Jacques Bordeleau, basse.

Ils entreprirent leurs activités vers 1935. Ils donnèrent plusieurs concerts, notamment celui du 10 décembre 1936, au profit de l'Hôtel-Dieu Saint-Vallier. Mais ils se produisaient surtout au poste CRCS.

---

12 avril 1931   **Terre contre chômage**

Le chômage faisait rage au cours de l'hiver 1930-1931. Les centres industriels, victimes de la crise, furent témoins de nombreuses mises à pied. Pour résoudre le problème, il fallut envisager une solution : le retour à la terre.

Pour cela, on décida d'explorer la région afin de voir où les nouveaux colons pourraient s'établir. C'est ainsi qu'au printemps,le *12 avril 1931* une équipe d'hommes fut envoyée dans le canton Proulx afin de déterminer les possibilités de défrichement. Leur rapport fut favorable.

Peu avant, dans le diocèse de Chicoutimi, avait été fondée la Société de colonisation de la Baie des Ha ! Ha !, société qui avait pour but d'établir, sur des terres nouvelles, les chefs de famille devenus chômeurs. Au retour des explorateurs, trente et un chômeurs donnèrent leur nom pour partir à la conquête d'un nouveau territoire.

Le 5 mai, jour de départ, vers dix heures du matin, ils montèrent dans les vieux camions qui les attendaient ; provisions, bagages et chevaux suivaient dans trois autres véhicules. Ils quittaient leur paroisse pour en fonder une autre au nord du lac Saint-Jean et qui porta le nom de Saint-Élizabeth de Proulx à partir du 8 juillet 1931.

L'arrivée de ces pionniers dans la colonie fut semblable à celle de leurs ancêtres. Logés dans des tentes en attendant que soient terminés les deux milles de chemin encore à faire, ils leur fallut attendre le 10 juin pour être hébergés dans deux cabanes de planches. Une première messe fut alors célébrée et ils se mirent à l'oeuvre défrichant et construisant ce qui allait devenir leur nouvelle paroisse.

---

13 avril 1931   **Pluie de boue**

« Une eau encore plus sale que celle que nous buvons tombe au cours d'un orage » sous-titra l'Action Catholique. Grand émoi à Chicoutimi face à un curieux phénomène. En effet, passant à travers des nuages, gorgés de fumée et de poussière, la pluie s'était soudainement transformée en boue avant même d'atteindre le sol.

Il était à peine une heure de l'après-midi, le *13 avril 1931,* quand les gens de Chicoutimi virent le ciel prendre une teinte inhabituelle. Serait-ce la menace d'une tornade, se demanda-t-on ? L'atmosphère lourde, le temps sombre au point de rendre nécessaire l'usage des ampoules électriques, inquiétèrent la population. Peu après, une pluie fine commença à tomber : c'était de la boue.

« Peu après, les feutres étaient tous tachés à la grande joie des nettoyeurs de chapeaux, rapportèrent les journaux du lendemain. Les automobilistes constatèrent la présence de longues traces de boue sur la capote de leur machine ; et les ménagères qui avaient laissé quelques pièces de linge blanc sur la corde durent se convaincre que leur travail était à recommencer ».

Expliquer le phénomène n'était pas facile pour les reporters qui supposèrent tout de même qu'il pouvait y avoir une relation entre cette pluie de boue et de forts incendies sur les territoires américains. « La fumée que dégage un tel brasier peut fort bien atteindre notre région avec un vent favorable et quelques-uns sont portés à croire que la pluie mêlée à ces nuages peut être devenue ainsi boueuse ».

14 avril 1946	**Club des journalistes**

Le dimanche 14 avril, les journalistes de la région du Saguenay-Lac-Saint-Jean participèrent à une importante assemblée. Là, décision devait être prise sur l'opportunité de fonder une association.

Un comité, formé quelques semaines plus tôt, avait formulé les termes possibles de ce regroupement et voulait soumettre à l'assemblée le projet d'une constitution.

Pour cette assemblée spéciale, la présidence fut confiée à J.-G. Lamontagne, secondé par Antoine Joly comme secrétaire. Le président résuma donc le travail fait par le comité provisoire et soumit le nom du futur organisme : Club de presse du Saguenay. Ce nom fut sujet à de longs débats sans parvenir à un accord. L'assemblée décida finalement de laisser la décision au bureau de direction élu pour cette association.

Ce bureau de direction se composa de Lucien Lemay, président, Paul Tremblay, vice-président, Antoine Joly, secrétaire, Henri Tremblay, trésorier et des directeurs : Fernand Tremblay, Laval Raymond et le Dr Paul Lacroix de Dolbeau.

Le bureau de direction adopta le nom officiel du groupe : « Le Club des journalistes du Saguenay ».

L'assemblée se termina par des projets multiples et un dîner que l'on dit fort joyeux.

15 avril 1910	**Explosion et éboulis**

Occupé à scier du bois, un résident de Bagotville assista à un terrible éboulis, occasionné par une explosion, provoquée par un ingénieur de la ligne ferrovière Roberval-Saguenay. Cet après-midi du *15 avril 1910* allait être tragique pour plusieurs personnes.

Pour éviter de longs et pénibles travaux, un ingénieur eut l'idée de faire sauter la montagne à travers laquelle devait passer la ligne de chemin de fer. L'idée fut acceptée et, pendant plusieurs semaines, des ouvriers creusèrent, dans le flanc de la montagne, des trous mesurant plusieurs pieds de profondeur qui, une fois terminés, furent remplis de poudre que l'on fit sauter. Le témoin raconta plus tard l'histoire de cet accident.

« Une immense masse de terre fut projetée en l'air et elle retomba sur le flanc de la montagne et, là, elle se mit à rouler. Chez Simon Larouche, eux, avaient une croix juste en avant de la maison, par conséquent, entre l'éboulis qui s'avançait et la maison. Lorsque la terre fut arrivée au pied de la croix elle s'arrêta net et en fit le tour ; ainsi elle se trouva à préserver l'étable et la maison. Mais d'autres malheureux, des Polocks, étaient blessés et tués. Il y avait deux campes en bas de la montagne, à environ deux arpents de la mine. Là dormait une gang d'hommes, ceux qui travaillaient la nuit. Ils étaient bien une vingtaine. Lorsque cette avalanche de terre partit, en passant elle poussa les campes, les écrasa et les brisa. Un seul homme s'en échappa. Il était le seul catholique du groupe. Le grand foreman a été tué aussi ; on l'a retrouvé deux trois jours après. On a bien retrouvé quelques corps ; mais le plus grand nombre est resté là. La terre a fait au moins six arpents avant de s'arrêter.

---

16 avril 1926 | **École à Saint-Félicien**

Les enfants grandissaient et, pour leur donner toutes les chances possibles d'améliorer leurs conditions de vie, la population souhaitait pour eux des écoles et un enseignement suivi. En 1924, les démarches en vue d'obtenir la collaboration des frères éducateurs, étaient restées sans réponse positive.

Le chanoine Simon Bluteau, avec les membres de la Commission scolaire, le notaire Flavien Coulombe, Charles Laprise, Joseph Dufresne, François Tremblay, Joseph Bernard, Harry Dumas, fit parvenir une requête officielle au Frère Gabriel-Marie, provincial d'Iberville, le *16 avril 1926*. Il offrait à cette communauté la direction de l'école de Saint-Félicien.

Le 22 août, c'est avec enthousiasme que la population accueillit les frères Gervasi, Léon-Alfred, Cyprien-Isidore, Louis-Gérard et Donat-Louis. Le frère Gervasi devint le directeur.

Le curé Simon Bluteau devint propriétaire de l'hôtel Chibougamau, construit en 1906. En 1921, le bâtiment fut acquis par la commission scolaire et transformé en une école. L'école Marie-Immaculée fut bénite le 3 octobre 1926.

L'école eut à subir plusieurs incendies. Jugée dangereuse et trop petite pour les besoins des élèves de plus en plus nombreux, on décida de la démolir et un permis en ce sens fut accordé le 6 septembre 1943.

Une nouvelle école fut construite et livrée le 8 décembre 1944.

| 17 avril 1941 | La guerre, un bienfait? |

La guerre a creusé bien des tombes et l'on peut s'étonner qu'elle puisse avoir été considérée comme un bienfait pour lequel on sollicita la collaboratin de toute une population qui avait besoin des emplois qu'elle procurait. Annonçant l'inventaire des possibilités de production de la région, le Progrès du Saguenay du *17 avril 1941* lança un appel aux manufacturiers, les incitant à agir de telle sorte qu'ils attirent le plus grand nombre de commandes pour la guerre.

Chaque province avait été divisée en zones régionales. Ici on dénombrait les comtés du Lac-Saint-Jean, de Roberval, de Chicoutimi et du Saguenay.

« L'importance de cet inventaire, écrivit le journal, ne peut trop se souligner parce que la coopération vigoureuse et enthousiaste de l'industrie, petite et grande, fournira au gouvernement les renseignements nécessaires à l'introduction de la politique dite pièces et sous-assemblages adoptée en Grande-Bretagne et aux États-Unis. Des sous-contrats seront accordés par les entrepreneurs généraux de façon à utiliser à leur plein rendement les ressources industrielles de tout le pays. L'inventaire permettra donc au département des Munitions et Approvisionnements de connaître et d'utiliser les ressources industrielles de la région. Cela donnera de l'ouvrage aux industries locales qui ont tout intérêt à faire connaître pleinement leurs capacités de façon à s'attirer le plus grand nombre de commandes pour la guerre ».

| 18 avril 1928 | Arrivée des Acadiens |

Apprenant les besoins pressants de main-d'oeuvre de la compagnie Price à Kénogami, les Acadiens, installés sur la Côte-Nord, vinrent nombreux au Saguenay.

La compagnie Price Brothers avait choisi Kénogami pour y implanter une nouvelle usine de pulpe et de papier. Les énormes réserves de bois de la région, ses pouvoirs hydro-électriques, l'accès facile en haute mer, la proximité des grands centres urbains, faisaient de l'usine de Kénogami une des plus prometteuses dans le domaine du papier-journal.

La guerre de 1914-1918 avait provoqué une rareté de la main-d'oeuvre. Il fallut attirer des étrangers. Des ouvriers commencèrent à arriver de différentes régions du Québec, particulièrement des Iles-de-la-Madeleine et de la Côte-Nord, où il y avait beaucoup d'Acadiens à la recherche « d'une terre promise ».

Le premier Acadien inscrit dans les registres de la paroisse Sainte-Famille fut Julien (Henry) Richard, époux de Lucie Pelletier et père d'une petite fille née Albertine, le 11 mai 1913.

Un second flot d'immigration se fit vers les années 1925, lors de l'implantation de l'usine d'aluminium à Arvida. Les registres révèlent à nouveau la trace des Acadiens. Edmond Gaudet, fils de Jos et de Christine Bourgeois d'Anticosti qui épousa, le *18 avril 1928,* Aurélie Leblanc dont les parents originaient des Iles-de-la-Madeleine.

---

19 avril 1694   **Frère Malherbe**

À Métabetchouan, une petite poudrière subsiste là où se sont élevées successivement plusieurs chapelles et, dans l'une d'elles, fut déposée la dépouille du frère Malherbe, mort le *19 avril 1694.*

Né en France en 1624, il fut envoyé comme missionnaire au pays des Hurons. Il y était déjà lors du martyre des pères Brébeuf et Lallemand. Le frère Malherbe était parmi ceux qui allèrent à la recherche des corps de deux suppliciés, abandonnés par les Iroquois au village Saint-Louis. Il porta lui-même les corps mutilés et rôtis » des deux pères sur une distance de deux lieues, soit de la bourgade de Saint-Louis à la principale mission de Sainte-Marie.

En 1680, le frère Malherbe fut envoyé à la mission de Chicoutimi. Traversant la forêt en plein hiver 1686, alors qu'il se rendait du Lac Saint-Jean à Chicoutimi rejoindre le père de Crépieul, le frère succomba au froid. On le retrouva à demi-mort, pieds et mains gelés. Malgré les soins, il perdit deux doigts des mains et des pieds, après de cruelles souffrances qu'il endura, dit-on « avec une patience et une douceur angélique ».

Il oeuvra à la mission de Chicoutimi jusqu'à ce que la maladie l'abatte. Il subit une attaque de grands maux d'estomac et une fluxion de poitrine le 12 octobre 1693. Ce qui ne l'empêcha pas de continuer les exercices religieux et la lecture spirituelle pour les Français de la mission. Le 19 avril 1694, il s'éteignit après quarante-deux ans de vie consacrés à la religion.

---

20 avril 1944   **Distillerie clandestine**

La dive bouteille ne manqua jamais de fidèles et la contrebande occupa les forces policières à la recherche de producteurs clandestins. Sans nous dire si leur whisky était bon, « les polices des liqueurs » de la région mirent la main sur une distillerie en activité, le *20 avril 1944.*

Ils étaient trois agents que les soupçons conduisirent dans le rang 9 de Saint-Fulgence. Suivant une piste « significative », ils parcoururent trois milles en voiture dans des chemins difficiles et plus d'un mille à pied dans la neige épaisse, sans raquettes et sans guide.

Promenade profitable, puisqu'ils aperçurent finalement un camp d'aspect misérable. Par la porte entrouverte, ils virent deux hommes armés de carabine en train de distiller du whisky.

Les compères furent arrêtés et les policiers saisirent l'alambic, une dizaine de gallons de whisky. Il détruisirent le matériel et les produits restant, quantité suffisante pour fabriquer encore 250 autres gallons : poêle, moût, sucre, blé, oranges, pommes et autres. Ils saisirent aussi trois carabines additionnelles.

Deux colons de Saint-Fulgence furent poursuivis pour avoir distillé le whisky. Ils plaidèrent coupables et furent condamnés chacun à 100 $ d'amende plus les frais.

---

21 avril 1946   # Caisse populaire

« Nous ne saurions donc trop recommander à nos lecteurs d'aller puiser là plus ferme confiance en ce qu'on regarde déjà comme un élément de l'armature économique de notre petit peuple qui veut grandir et s'affirmer de plus en plus » déclara Antoni Joly, éditorialiste au Progrès du Saguenay. Ce dernier soulignait l'importance des caisses populaires. Celles-ci préparaient leur congrès annuel qui devait se tenir à Saint-Jérôme le *21 avril 1946,* date choisie afin de na pas nuire aux travaux du moment : jardinage, récoltes et autres.

Évêques et sociologues étaient les premiers à louer l'apport des caisses populaires, encourageant ce mouvement, reprenant les propos du cardinal Villeneuve du diocèse de Québec et primat de l'Église canadienne : « La caisse populaire est une oeuvre de rédemption sociale. À côté de l'église et de l'école, il faut la caisse populaire, source de richesse et d'économie ». Le clergé reprenait également les propos de plusieurs papes à l'égard des caisses et de leur oeuvre au sein de la masse : « Ainsi sa sainteté Pie IX n'y pense-t-elle pas quand elle souhaite le relèvement du prolétariat par l'accession à la propriété, puisque c'est l'un des objectifs des caisses populaires que de vouloir collaborer au succès de ceux qui veulent améliorer leur situation matérielle ».

Par ces propos, on voulait inciter toute la population à s'informer des objectifs des caisses et à y adhérer comme à un vaste mouvement de solidarité économique de toute la population.

---

22 avril 1940   # La petite poudrière

Le *22 avril 1940* fut publié le mémoire de Mgr Victor Tremblay concernant le site historique de Métabetchouan, adressé au juge Édouard Fabre-Surveyer afin que soient préservés et restaurés les derniers vestiges.

Il existait encore une poudrière là où avait été situé l'ancien poste de traite et de mission. Lieu privilégié de l'histoire, bien des événements s'y sont passés. C'était un des plus importants lieux de réunion des tribus indiennes. Le père Albanel affirma y avoir vu vingt nations rassemblées pour y faire le commerce de la fourrure.

La petite poudrière s'élevait à côté d'une croix, double vestige de la vie spirituelle et matérielle de l'endroit. Cette fameuse croix avait été érigée avant même la venue du tout premier missionnaire, le père Jean de Quen. C'est là aussi que le père de Crépieul fonda la mission Saint-Charles, résidence principale des Jésuites pendant vingt-cinq ans. En même temps, Pierre Bécard de Grandville y installa un poste permanent pour la traite des fourrures avec logements, magasins et dépendances.

C'est également là que repose la dépouille du frère François Malherbe, ce religieux qui porta sur ses épaules les corps mutilés et brûlés des pères Brébeuf et Lallemand.

« Ce site, déclarait alors le réputé historien, était l'un des anneaux les plus importants de l'antique chaîne commerciale qui allait de Tadoussac à la Baie d'Hudson ».

---

23 avril 1951   # André Laliberté

Le *23 avril 1951*, à l'âge de cinquante-huit ans et huit mois, décédait l'abbé André Laliberté, directeur diocésain de l'oeuvre de Saint-Pierre apôtre et ancien journaliste au Progrès du Saguenay, où il travailla pendant dix-huit ans comme journaliste et directeur.

« Radio-Canada annonce pour demain beau temps et plus chaud. C'est sa façon d'avertir que chacun prenne son parapluie car il va mouiller. Nous sommes des drôles de gens et notre temps fleure le bon sens. Le père Noël arrive en novembre. Les almanachs paraissent en été. Les calendriers sont prêts en juillet, les femmes portent les chapeaux de paille en février. Les autos, modèle 38, se promènent en 1937, les inventaires se font avant la fin de l'automne. Décembre devient le mois des réductions. On se souhaite la bonne année quinze jours avant le jour de l'an, on avance l'heure et on meurt avant le temps ». C'est ce qu'écrivait l'abbé Laliberté au temps où il était journaliste.

Natif de Normandin, il était le fils de premier défricheur de ce village du Lac-Saint-Jean. Élève brillant, il fut académicien en 1908, devint président de cette société en 1910.

Il fut ordonné prêtre le 23 mai 1915 par Mgr Labrecque dans la chapelle du Séminaire de Chicoutimi. Il devenait ainsi le premier prêtre originaire de Normandin.

---

24 avril 1896   ## Association athlétique

« Nous avons appris avec plaisir que nos jeunes gens ont formé un club de jeux et amusements de tout genre sous le nom d'Association athlétique des amateurs de Chicoutimi ». La vie ne devait pas être que du labeur, poursuivait le journal, certains plaisirs devaient trouver leur place dans le temps, surtout le sport, derrière lequel se profilait l'espoir de compétition.

La première assemblée du nouveau club devait se tenir le *24 avril 1896* dans la salle du Conseil, prêtée pour l'occasion. Il devait y être question de la location d'un terrain, appartenant au notaire Maltais et situé sur les hauteurs de la ville.

« Nous sommes heureux de voir que l'ère de progrès que traverse la ville ne les a pas laissés indifférents et qu'ils n'ont pas voulu rester en arrière des villes du Canada sous le rapport du sport », poursuivait le rédacteur.

« Nous sommes convaincus que Chicoutimi peut fournir tous les éléments nécessaires à la formation d'un club athlétique de première force. Nos jeunes gens, en général, sont bâtis en athlètes et sont d'une agilité et d'une souplesse peu ordinaires. D'ailleurs, pour preuve de ce que nous avançons, qui ne se rappelle les exploits sportifs de nos volontaires au camp de Lévis, il y a quelques années ? »

Le manque de loisirs pour les jeunes allait trouver une solution par l'existence de ce club et tous les garçons furent invités à y adhérer.

---

25 avril 1936   ## Les chandelles

Il suffit aujourd'hui d'une légère pression sur un bouton pour que jaillisse la lumière voulue. Cela ne fut pas toujours si simple comme le racontait l'abbé Albert Gravel dans un article publié par Le Devoir le *25 avril 1936*. S'éclairer demandait de l'astuce et, bien avant la lampe à pétrole apparue au Canada en 1860, nos ancêtres surent voir clair.

Il y eut diverses sortes de chandelles utilisées : la chandelle moulée que nous connaissons encore et la chandelle à l'eau ou à la baguette dont la fabrication faisait partie des tâches domestiques. La fabrication annuelle se faisait en une journée pendant laquelle amis et voisins venaient partager le travail et les réjouissances.

« Le suif était préparé à l'avance, explique l'abbé Gravel, détaché de la carcasse de l'animal, haché et fondu, entièrement débarassé des membranes qui servaient à la fabrication du savon de ménage. Le suif refroidi devait, le moment venu, être placé sur le feu. Amis et maître de maison préparaient les accessoires pour la coulée. Installation qui consistait à placer deux tringles de bois de deux pouces carrés sur des trétaux de deux pieds de haut et espacés de huit pieds. Les tringles étaient espacées de vingt pouces et supportaient les baguettes de bois léger, longues de vingt-cinq pouces et d'un demi pouce de diamètre. Chaque baguette portait des brins de coton à mèche doublés et enflés, tordus, coupés et noués. Cela fait, chacun se chargeait d'une baguette, la plongeait dans le suif en voie de solidification et la reposait sur la tringle. Huit à dix immersions étaient nécessaires pour chaque chandelle ».

Il y eut aussi le fanal troué laissant passer la lueur d'une chandelle, utilisé chez les pauvres pour se rendre aux granges la nuit.

---

26 avril 1934   # Nancy Wabano

La vie religieuse n'attira pas que les Canadiennes françaises, mais aussi certaines Indiennes, comme Nancy Wabano, qui devint soeur Marie-Raphaël des soeurs de Notre-Dame du Bon Conseil à Chicoutimi.

Native de la Baie-James, de la nation des Cris, la jeune Nancy se révéla très pieuse dès sa plus tendre enfance. Elle travailla comme ménagère pour la mission d'Attawapiskat, dirigée par le père Boisseau. Dévouée à ce dernier, la jeune Indienne décida de le suivre quand il alla fonder la rude mission de Fort-George.

La vie religieuse l'attirait et, lorsqu'elle se décida à prendre le voile, le père Décarie de Pointe-Bleue, qui l'avait remarquée à la Baie-James, fit les démarches nécessaires pour préparer son entrée chez les soeurs du Bon-Conseil.

Nancy Wabano entra au postulat en 1933 et prit l'habit religieux le *26 avril 1934.* Pour cette occasion, le père Décarie prêcha en français et en cri.

Le 5 août 1935, soeur Marie-Raphaël fit sa profession religieuse et reçut son obédience comme missionnaire à Pointe-Bleue. Depuis vingt-cinq ans, les soeurs du Bon-Conseil dirigeaient l'école de la mission et enseignaient dans cette réserve.

---

27 avril 1980   **Prier dans la boulangerie**

Mme Jeannine Lavoie, responsable du comité du jubilé d'argent de la paroisse Saint-Albert-le-Grand annonça, le *27 avril 1980,* l'intention des paroissiens de célébrer le trentième anniversaire de la paroisse.

Fondée le 14 août 1955 par Mgr Mélançon, pour servir trois mille deux cent personnes, cette paroisse se retrouvait, en 1980, avec sept cents paroissiens.

L'histoire de l'église de cette paroisse est marquée par les difficultés financières de la population. En 1955, le lieu de culte, comme le nomme Mme Lavoie, était situé dans un garage de la rue St-François, propriété de M. Stanley Tremblay. Deux ans plus tard, les paroissiens inauguraient le presbytère et les débuts de leur église. Celle-ci ne fut jamais terminée et les cérémonies furent tenues dans le sous-sol, couvert d'un toit et surmonté d'un clocher.

En 1975, l'ancien local de la boulangerie Francis Bouchard devient le lieu de prière. Le presbytère et l'église furent démolis. Enfin, en 1976, les nouveaux locaux de cette paroisse étaient situés à l'intérieur du centre commercial et fut nommé Le Parvis.

---

28 avril 1914   **Mgr Bégin**

La mort du premier évêque de Chicoutimi, Mgr Dominique Racine, avait plongé la population dans la consternation. Choisir un successeur à cet homme n'était pas facile. Dominique Racine avait traversé, avec les gens de son diocèse, les épreuves successives qui avaient marqué son histoire. Présent et actif, il avait créé une image à laquelle les paroissiens tenaient beaucoup.

Plusieurs requêtes furent envoyées à l'Archevêque de Québec et au Préfet de la Sacrée congrégation de la Promenade à Rome afin que le futur évêque de Chicoutimi soit choisi parmi les curés oeuvrant déjà dans le diocèse. La politique épiscopale favorisait plutôt les professeurs les plus brillants des petits et grands séminaires.

Ce fut Louis-Nazaire Bégin qui fut nommé à Chicoutimi pour succéder à Mgr Racine. Ce choix suscitait chez les uns et les autres, surprise, déception et joie. On s'interrogeait à son sujet, comme le relate le père Jean-Claude Drolet : « Ce deuxième évêque formé si longuement dans les universités européennes peut-il comprendre les nombreux problèmes d'un jeune diocèse à peine formé, d'un diocèse de colonisation ? Peut-il s'adapter et aux gens et aux méthodes d'apostolat de paroisses rurales ? »

Mgr Bégin fut sacré évêque le 28 octobre et arriva à Chicoutimi en novembre 1888. Trois ans plus tard, soit le 17 décembre 1891, il était promu archevêque titulaire de Cyrène et coadjuteur du cardinal Taschereau, archevêque de Québec. Et le *28 avril 1914,* on annonçait sa nomination comme cardinal. La procalamation officielle eut lieu le 25 mai suivant. Le souvenir qu'il laissa à Chicoutimi fut celui d'un homme intelligent et actif qui continua l'oeuvre de Dominique Racine.

---

29 avril 1932   **Feu au moulin**

Après seize mois d'arrêt, les moulins de la Canada Power s'apprêtèrent à rouvrir les portes. La population de Port-Alfred se réjouissait de retrouver du travail. Sous ses yeux, il y avait 250 000 cordes de bois couvrant une surface de quatre cent mille pieds qui ne demandaient qu'à servir. Tout s'annonçait bien jusqu'à 15 h, le *29 avril 1932,* alors qu'un incendie commença à ravager le bois.

L'alarme, donnée aussitôt, les pompiers de la ville furent très vite sur les lieux, aidés des employés de la compagnie. Les cordes atteignaient cent vingt-cinq pieds de hauteur. Les jets d'eau n'étaient pas assez puissants pour être efficaces au sommet de ce « volcan » sur lequel soufflait un vent violent venant du sud.

Les pompiers de Bagotville, ceux de Grande-Baie, puis ceux de Chicoutimi et, finalement, de Québec vinrent prêter main forte. Trois cents hommes luttèrent sans relâche contre le feu qui dévorait le bois.

Le 2 mai, les flammes continuaient leur ravage. Quarante jets déversaient six cent mille gallons d'eau par heure. Le 7 mai, un vent poussa la fumée vers le village. Il restait encore trente mille cordes de bois.

Le 10 mai, les pompiers de Québec repartaient. La compagnie envoya deux cent quarante hommes, tous de Port-Alfred, à la Rivière-à-Mars, pour y faire la drave. Cette décision rassura la population qui comprit que la compagnie avait l'intention de garder les moulins ouverts et de remplacer le bois perdu.

La population de Saint-Félicien décida d'améliorer les communications avec les villages voisins. Il fallait pour cela construire un pont sur la rivière qui les séparait des paroisses du nord.

Un premier pont fut construit à trois milles du village ; il mesurait huit cents pieds de longueur et avait été réalisé par le gouvernement de Québec au coût de 14 000 $. Inauguré en 1894, il fut détruit par le feu la nuit du 31 octobre 1908.

Le village de Saint-Félicien eut tôt fait de relever le pont de ses cendres. En fait, un nouveau pont fut construit. Pont de bois, situé cette fois, en face du village et mesurant mille cent pieds de longueur à partir des avant-pont.

Inauguré en 1909, ce pont reçut le nom du député Charbonneau.

Ce deuxième pont était couvert. Il en existe encore quelques-uns dans la région, monuments historiques et curiosités qui attirent les touristes. Le pont de Saint-Félicien impressionnait par sa longueur. Malheureusement, il fut emporté par la débâcle le *30 avril 1942*, peut-on déduire par des recoupements faits à partir de diverses sources. En effet, un journal d'époque parle de la débâcle qui emporta le pont Charbonneau, datant de 1909. Et, dans le livre « Saint-Félicien, cent ans d'histoire », on y raconte la construction d'un pont portant le même nom, sans d'autres liens entre les deux documents.

Glissement de terrain à Saint-Jean-Vianney.

Roberval a sa charte

Allégresse à Roberval ! La loi constituant la ville de Roberval en corporation a été sanctionnée le 15 avril par le lieutenant gouverneur, Louis-Amable Litle. Le maire Bilodeau proclama le *1er mai 1903* jour de congé et jour de fête, date de mise en vigueur de la nouvelle charte.

Des réjouissances furent prévues pour marquer l'événement et rendre hommage à la vaillance de la population qui avait pour devise : « À coeur vaillant, rien d'impossible ».

La journée commença par une grand-messe à l'église paroissiale, célébrée par le curé Paradis avec diacre et sous-diacre revêtus des nouveaux ornements de drap d'or, cadeau de la Ville.

Lorsqu'il fallut décider du sceau de la Ville, le maire Bilodeau suggéra de rechercher les armoiries du Sieur de Roberval, Jean-François de la Rocque de Roberval, premier lieutenant général du roi. Le bureau des terres de la Couronne avait donné son nom à Roberval en souvenir de son voyage au Saguenay. Les armoiries, une fois trouvées, furent légèrement modifiées pour symboliser la ville par des créneaux.

En cette aube de la nouvelle ville de Roberval, chacun ne formulait que des propos ambitieux pour l'avenir, convaincu qu'elle deviendrait prospère et jouerait un rôle politique, économique et éducatif important dans la région.

Le trésor du père

Y aurait-il un trésor caché sur une des îles de la rivière Péribonka ? On le croyait encore le *2 mai 1946*, alors que le journal Le Soleil publiait un écrit sur la légende qui entourait ce trésor.

Une nuit, au petit poste établi à Métabetchouan, près de la rivière Mistassini, arrivèrent les Iroquois. Descendus par la rivière des Iroquois qui se jette dans le lac Saint-Jean, les guerriers attaquèrent la population du poste Piékouagami, nom originel du Lac-Saint-Jean. Quelques Français y dormaient sans méfiance ainsi que des Indiens et un missionnaire. Presque tous furent tués.

Le père réussit à s'échapper avec quelques Indiens. Ils lancèrent un canot à l'eau et s'enfuirent vers la rivière Péribonka croyant, sans doute, pouvoir ainsi rejoindre Chicoutimi par la rivière des Terres-Rompues (Shipshaw).

Se sachant poursuivi par les Iroquois, le missionnaire chercha un endroit sûr pour y cacher les ornements sacerdotaux qu'il avait pu sauver, afin de les protéger des mains impies. Alors que le canot atteignait la proximité d'une île, non loin de l'embouchure de la Grande-Rivière, il débarqua, creusa un trou sur l'île et y enterra ses accessoires et les vases sacrés.

L'histoire ne dit pas quel sort fut réservé aux fugitifs. Quelques-uns parvinrent sûrement à se sauver puisqu'on a pu savoir ce que le père avait fait. Ce dernier, semble-t-il, n'alla jamais rechercher ce qu'il avait enterré sur l'île du père (ainsi nommé après cette aventure) ou l'île au trésor. Difficile d'accès en raison des rapides, la petite île conserva le trésor enfoui.

---

3 mai 1987   ## La fiction devient réalité

« L'esprit malin d'Inca Capac rôde dans les couloirs du Séminaire » déclarait le Progrès-Dimanche, dans son édition du *3 mai 1987*.

Alors que le Musée du Saguenay–Lac-Saint-Jean présentait une exposition de la collection de François et Denys Hébert de Québec, « Le monde de Tintin », un incident inusité mit en cause la momie Inca Rascar Capac, personnage créé par Hergé dans l'aventure « Les sept boules de cristal ».

« En effet, la réalité a étrangement rejoint la fiction, dimanche dernier, durant l'exposition de la collection de Tintin, alors que la cage de verre abritant Rascar Capac s'est cassée, tout comme dans la bande dessinée. Cependant, contrairement à une boule de feu mystérieuse provenant d'un orage électrique, la cause de cet accident est cette fois un mur qui s'est non moins mystérieusement abattu sur la cage de verre, brisant en mille morceaux la momie, faite en terre cuite. »

La coïncidence était remarquable, d'autant plus que rien ne permettait d'expliquer comment ni pourquoi le mur de deux cents livres avait pu tomber sur la momie.

Les deux collectionneurs, amusés de cette histoire, remplacèrent la momie (d'une valeur de 500 $) par un autre exemplaire de Capac, se promettant bien d'utiliser l'anecdote lors d'expositions ultérieures.

« En attendant, les employés du Musée du Saguenay–Lac-Saint-Jean attendent impatiemment l'arrivée du 24 mai qui marquera le départ de Chicoutimi de la petite statue qui semble avoir un pouvoir d'attraction maléfique. »

---

4 mai 1971   ## Glissement de terrain

« Soudainement, dans la nuit du *4 mai 1971*, un affaissement extraordinaire du sol se produisait, engloutissant quarante maisons et trente et une personnes, amenant comme conséquence la suppression de l'entité municipale de Saint-Jean-Vianney et affectant d'autant la localité de Shipshaw et la paroisse. Celles-ci sont cependant en état de se maintenir en dépit de la forte réduction de la population qui tombe à un millier de personnes, le site d'une nouvelle église étant déjà fixé sur le lot trente-deux du rang IV, trois milles plus haut que le lieu de l'ancienne. »

Les événements tragiques qui viennent de mettre fin à un village sont aussitôt suivis par l'intention de survivre. Shipshaw, située au nord de la rivière Saguenay, traversée par la rivière Shipshaw, a bien l'intention de ne pas disparaître comme sa voisine. Pourtant, ce village aussi est bâti sur ces lieux désignés autrefois par le nom de Terres-Rompues. Déjà, dans les notes du père de Crépieul, en 1673, on parle de ces terres nées de ruptures et glissements de terrain produits par un tremblement de terre en 1663.

Shipshaw est née en 1868 sous les coups de hache des colons Alexandre Murdock (ancêtre des familles Murdock de Chicoutimi), Jean Tremblay, Abel Boulianne, Pierre Blackburn, Joseph Gravel. Le 2 septembre 1935, un premier curé était nommé pour s'occuper de cette paroisse : l'abbé Basile Néron, qui eut tôt fait de fonder un comité pour discuter de la construction de l'église. Elle fut construite par les paroissiens qui donnèrent matériaux et main-d'oeuvre.

---

5 mai 1898   ## Manufacture de laine

Savait-on que la région avait déjà eu sa propre manufacture de laine ? Fondée le *5 mai 1898* par messieurs Talbot et Girard, cette entreprise débuta avec un important contrat de couvertures destinées au Château Saguenay.

Le vrai départ de la manufacture avait, en fait, eut lieu en 1879. Paul Couture de Laterrière, établi sur une ferme, envisagea de développer tout ce qui pouvait être relié à l'agriculture : fabrication du beurre, fromage et laine. Pour ce dernier projet, il avait recueilli des fonds et, avec les deux frères Wells comme associés, construisit une manufacture actionnée par l'eau, située près du pont couvert de la rivière.

Le 22 février 1887, Paul Couture devint député à la Chambre des Communes. Les rivalités étaient très fortes à cette époque et Paul Couture connut quelques difficultés financières, relatent les historiens. Il vendit la manufacture à Louis Aubin qui céda ses parts aux associés Talbot et Girard.

Les nouveaux propriétaires déménagèrent la manufacture sur la rue du Havre. Ils installèrent l'électricité, réorganisèrent tout le fonctionnement et réussirent à la rendre active pendant douze années avant de faire faillite. Les journaux de l'époque ne précisent pas les causes de la fermeture de cette entreprise régionale.

Que feraient les amoureux séparés sans facteur ? Au début de la colonisation, il n'y avait ni téléphone, ni service postal pour combler les distances. Lorsqu'ils s'établirent au Saguenay, les pionniers eurent tôt fait de s'ennuyer des parents et amis de Charlevoix. Ils avaient tant à raconter. Mais comment faire ? La mise en vente des premiers timbres-poste, le *6 mai 1840*, était peu utile en l'absence d'un service postal.

L'hiver de l'année 1842, les colons réunis trouvèrent une solution. Deux hommes allaient se rendre à La Malbaie, chacun partageant les frais du voyage, pour donner des nouvelles des pionniers et savoir ce qui se passait au pays depuis leur départ. Les deux postillons improvisés partirent, sac au dos, remplis de messages à livrer. Ils revinrent tout aussi chargés des lettres de la parenté, de journaux que les gens avaient conservés pour eux. Le voyage dura cinq jours.

L'expérience plut aux colons qui décidèrent de faire régulièrement cet échange de courrier en attendant que le gouvernement ne développe son propre service postal.

Le 6 janvier 1850, un hôtel des postes ouvrit à Chicoutimi. Le 9 janvier, arrivait de La Malbaie, le premier courrier officiel. Le 8 février 1881, passant par Stoneham, venait au Lac-Saint-Jean le premier postillon en provenance de Québec. Les lettres étaient transportées du Lac-Saint-Jean à Chicoutimi en canot. Le 10 mars 1888, le courrier fut livré par chemin de fer de Québec à Chambord.

Voilà que le ciel de Chicoutimi est l'objet d'une attention particulière de la population. Un phénomène étrange s'y passe, dans la soirée du *7 mai 1928*. Plusieurs personnes y voient un objet non identifié. Quelques jours plus tard, les journaux en font grand état, titrant : « Quelque chose d'extraordinaire dans le firmament » ou encore « Un phénomène, des lueurs étranges ».

Dans Le Soleil du 8 mai, on peut lire : « Le Soleil qui, pour la première fois de l'année, hier soir, se couchait dans la beauté radieuse d'un soir d'été, a souligné l'événement en le faisant accompagner d'un phénomène qui a fort intrigué ceux qui en furent les témoins occulaires ». L'auteur du texte, M. Guay, professeur au Séminaire et en relation étroite avec l'abbé Simard, professeur d'astronomie, fut témoin d'un phénomène qu'il décrivit ainsi : « Il s'agit d'une boule de feu énorme, d'un bolide autrement dit, qui a traversé l'atmosphère dans la direction nord-ouest s'élevant jusqu'à vingt-trois degrés au-dessus de l'horizon, au début du phénomène, et décrivant une verticale pour se transformer peu à peu en spirales ou serpents et s'aplatir graduellement avant de devenir une simple lueur et disparaître définitivement ».

« Ce bolide a très probablement été accompagné de la chute d'une aérolithe, laquelle a pu tomber dans l'un de nos bois du nord. Reste à savoir quel heureux explorateur aura la chance de se trouver un jour dans les parages pour le retrouver, ce qui donnera lieu à de très intéressantes études. »

---

8 mai 1906   Paul-Horace Dumais

Né à Saint-Georges de Cacouna, le 27 août 1837, Paul-Horace Dumais arriva au Lac-Saint-Jean en 1851, en compagnie du curé Hébert. Il obtint son diplôme d'ingénieur en 1857.

Il se rendit à Hébertville pour arpenter les lots acquis de la Société de colonisation de l'Islet et Kamouraska dont son père était le principal actionnaire. Il se partageait entre sa profession et la culture des terres qu'il arrachait, petit à petit, à la forêt vierge. Il défricha plusieurs lots à Hébertville, Chambord, Dablon, Normandin et sur l'île Sainte-Hélène (nommée plus tard l'île Dumais). Une fois marié avec Marie-Thérèse Tremblay, dite Dorval, il s'installa sur cette île dont le nom, écrivit Arthur Buies, aurait été celui d'une de ses anciennes « blondes ».

Ami intime et admirateur de ce personnage, Arthur Buies le décrivit comme un être qui possède les sciences par intuition, « seul dans une région sauvage, sans livre pendant de longs mois de l'année, il a réfléchi et observé au milieu de la vaste nature ; il a questionné ce grand volume toujours ouvert où s'ajoutent sans cesse des pages nouvelles à des pages impérissables. Aussi a-t-il découvert de nombreux secrets de géologie et, explique-t-il, comme s'il l'avait vue se faire, la formation de cette étrange, gigantesque et fantastique région du Saguenay qui ne ressemble à rien de ce qui existe ».

Comme arpenteur, Paul-Horace Dumais a fait le premier tracé de la ligne de chemin de fer de Québec au Lac-Saint-Jean adoptée sur presque tout le parcours.

M. Dumais mourut à Chambord le *8 mai 1906*.

---

9 mai 1894   L'orphelinat

L'orphelinat Saint-Antoine pour filles ouvrit ses portes le *9 mai 1894* à l'Hôtel-Dieu Saint-Vallier de Chicoutimi. Il avait été fondé par les religieuses hospitalières à la demande de l'abbé Delamare. Les orphelines furent d'abord logées à l'Hôpital, puis, une nouvelle aile fut construite, destinée à l'hébergement des enfants et à l'école ménagère.

Au cours de l'hiver 1903, une statue de Saint-Antoine fut placée au sommet de la tourelle, cadeau d'un ami de saint Antoine et oeuvre réalisée par Louis Jobin de Sainte-Anne-de-Beaupré.

Le nombre d'orphelines logées dans cette institution alla croissant avec les années. Elles étaient une dizaine en 1895, trente-six en 1896, soixante en 1904, cent quarante-deux en 1909 et cent vingt-cinq en 1910. Lorsque l'orphelinat ferma, en 1926, mille trois cent vingt-huit orphelines y avaient été hébergées.

Les enfants suivaient des cours à l'école ménagère, cours de filage, de tissage, de tricot, de cuisine, de lavage, de repassage, de raccommodage, travail de laiterie, entretien d'une basse-cour, d'un jardin potager.

Pour subsister, l'orphelinat comptait sur une subvention du gouvernement qui s'était engagé à donner 200 $ par an. À partir de 1903, l'orphelinat reçut la même somme que celle donnée à toutes les écoles ménagères. En 1904, Mgr Labrecque décida de verser à l'orphelinat l'aumône du carême, sommes auxquelles s'ajoutaient les dons des mécènes et les recettes des concerts de piano donnés par Berthe Roy.

---

10 mai 1923 | # Paroisse Sacré-Coeur

L'histoire du Saguenay, pendant plus de deux siècles, n'est guère autre chose que celle des missions, constate-t-on dans le livre du centenaire du diocèse. Il y eut d'abord les Jésuites de 1641 à 1782, puis les prêtres séculiers et les Oblats. Là où les Jésuites avaient construit la première chapelle de Chicoutimi se développa une paroisse connue sous le nom de Bassin. Cette paroisse donna plusieurs prêtres au diocèse. Le premier fut l'abbé Jean-Baptiste Tremblay ordonné le *10 mai 1923*. L'abbé Tremblay fut choisi par Mgr Labrecque comme secrétaire de l'évêché et comme aumônier de l'oeuvre des syndicats catholiques de Chicoutimi.

En 1892, Mgr Labrecque, trouvant que les fidèles résidant au Bassin étaient quelque peu laissés à eux-mêmes, fit construire une nouvelle chapelle à la place même où avaient été érigées les deux premières chapelles destinées aux piétés des Montagnais et des explorateurs. Les services religieux y furent assurés par les prêtres de l'évêché.

La population augmenta tant qu'il fallut faire appel à d'autres prêtres. Le 6 janvier 1903 arrivèrent deux pères Eudistes, Louis Ledoré et Édouard Trovert. Ils séjournèrent quelques mois à l'évêché, puis sur la rue Racine jusqu'au 18 septembre 1903, date à laquelle ils s'installèrent dans une maison du Bassin appartenant à Edmond Desbiens. Le 16 septembre, Mgr Labrecque avait érigé le Bassin en paroisse sous le nom de la paroisse du Sacré-Coeur.

Folie événementielle

« Le congrès qui se déroulera à Chicoutimi c'est la rencontre de scientifiques francophones la plus importante au monde, déclarèrent les organisateurs du 53e congrès de l'Association canadienne-française pour l'avancement des sciences (ACFAS), le *11 mai 1985*. »

Quatre mille congressistes, mille cinq cents communications, plus d'une centaine de conférenciers, provenant de différents pays dont la France, la Belgique, la Finlande, les États-Unis, mille cinq cents chercheurs francophones, pour échanger sur divers sujets à caractère scientifique, du 20 au 24 mai, à l'Université du Québec à Chicoutimi. Une rencontre exceptionnelle que le recteur de l'Université, Alphonse Riverin, résuma en disant : « Toute cette affaire prend maintenant la forme d'une folie événementielle ».

Ce congrès annuel se déroulait pour la première fois dans la région. Et le nombre de participants dépasse celui de l'année précédente. Pour Alphonse Riverin, la tenue et le succès de ce congrès à Chicoutimi affirmait la crédibilité de cette institution universitaire régionale.

Robert Bergeron, président du congrès, parla d'un événement unique révélant le professionnalisme des régionaux. Le directeur général de l'ACFAS, Guy Arbour a déclaré : « Le nombre et la qualité des communications ont été impressionnants. Nous pouvons affirmer que la fine fleur des chercheurs francophones s'est retrouvée à Chicoutimi cette année ».

Costume du centenaire

Les fêtes du centenaire approchaient. Pour l'événement, les dames saguenéennes furent priées de porter un costume spécialement conçu pour exprimer le caractère de la région. Un seul modèle fut accepté pour les trois comtés, Chicoutimi, Saguenay et Lac-Saint-Jean, avec cependant une différence dans la juxtaposition des couleurs pour chacune des soixante-douze paroisses de la région. Un avertissement sévère fut adressé à la gente féminine le *12 mai 1938* afin que nulle ne se permette de fantaisie. « Il vaudrait mieux s'abstenir de porter la toilette prescrite que de détruire, par quelques fantaisies personnelles, la simplicité et l'harmonie du modèle. Un costume réglementaire est un uniforme et non vêtement de mascarade. » Même les personnes en deuil furent autorisées à porter le costume aux couleurs joyeuses.

Le costume devait arborer les couleurs symboliques du Saguenay : le vert feuille, le jaune doré, le gris argent et le rouge vif. Chaque couleur avait sa signification. Le vert feuille c'est le Saguenay antique recouvert de forêts. Elles alimentèrent, abritèrent les ancêtres, furent la première richesse naturelle. Le vert était aussi la couleur de la jeunesse, du printemps, de l'espoir. Couleur des moissons mûres, le jaune doré symbolisait l'agriculture, trait fondamental de la région. Le jaune c'était aussi la gloire, la magnificence, la noblesse. Le gris argent évoquait l'industrie et le commerce, l'effort et le courage. Le rouge vif : la foi, l'ardeur, l'amour de la patrie.

13 mai 1732   Frontières au Domaine du roi

Quittant Québec le *13 mai 1732*, J.-L. Normandin arriva au poste de traite de Chicoutimi après quatorze jours de navigation, voyage long et périlleux. L'intendant Hocquart l'avait désigné pour une mission qui devait, en compagnie de Sieur Laganière, le conduire du lac Kénogami au lac Saint-Jean pour s'engager dans la rivière Ashuapmouchouan, suivre la rivière Chigoubiche, le lac Askatiche, le lac Nekoubau, remonter la rivière Ouistchouan jusqu'à sa source, redescendre la Métabetchouan et retourner à Québec en passant par Chicoutimi.

Le but de ce voyage était de délimiter la frontière ouest du territoire des Montagnais et de graver les arbres dans les sentiers, à la source des eaux provenant du lac Saint-Jean. Les peuplades étrangères qui franchiraient ces marques seraient sévèrement punies, par ordre du roi.

Louis XIV avait compris que la vraie richesse du Royaume du Saguenay était la fourrure plus que le cuivre. Il détacha une large portion du royaume et en fit le Domaine du roi, s'attribuant personnellement les revenus de la traite. Exemple que suivit Louis XV qui exploita le Domaine à l'aide de régisseurs.

Vers les années 1732, la traite s'avéra de moins en moins profitable. Plusieurs postes furent fermés, excepté celui de l'Ashuapmouchouan. On prétendit que les Indiens de Trois-Rivières étaient responsables de la situation parce qu'ils venaient faire du trafic, chasser et s'approprier les plus belles fourrures. C'est alors que l'intendant décida de défendre à tout Indien autre que Montagnais, de franchir les limites du Domaine du roi.

14 mai 1932   Le Progrès du Saguenay

La crise économique qui sévit dans les années trente eut de graves conséquences : chômage, faillites, pauvreté, la liste pourrait être longue. Parmi les pertes, il fallut temporairement compter celle du quotidien local qui, le *14 mai 1932*, annonça sa fermeture. Hebdomadaire à ses débuts, le Progrès du Saguenay était publié quotidiennement depuis 1926. Il était un des trois seuls journaux indépendants de la province.

Journal catholique, le Progrès du Saguenay avait une haute idée de sa mission : « Ce n'est point peu de chose, il nous semble, qu'un journal catholique aille chaque jour porter dans des milliers de familles la bonne parole, la parole honnête, sûre d'elle-même quand elle est simplement l'écho des enseignements de notre mère l'Église. Sincère et loyale quand, sur des questions libres, elle exprime des opinions ou porte des jugements que n'inspirent ou ne dictent ni l'intérêt privé, ni la passion, ni les exigences changeantes des partis politiques. Nous avons tâché, dans la limite de nos moyens, d'apporter notre concours à toutes les oeuvres que l'Église patronne, encourage ou souhaite : aux oeuvres sociales qui sont particulièrement proches de son coeur. C'est pour cela que nous existons. Mais dans l'insécurité du moment qui est l'insécurité angoissante de tout Chicoutimi, nous pourrions dire de toute la région, il est prudent de suspendre la publication pour un mois ».

Le 22 juin, le journal publia un numéro pour rappeler son existence et annoncer la reprise de ses activités dans quelques semaines. Le Progrès du Saguenay redevint un hebdomadaire et prit le nom de Progrès-Dimanche. Plusieurs propriétaires se sont succédés dont, en 1973, Jacques Francoeur de Montréal et, en 1987, le groupe Hollinger présidé par Conrad Black. Depuis 1981, le tirage du Progrès-Dimanche dépasse les cinquante mille copies.

---

15 mai 1889   **Inondation au Lac**

Devant la menace d'une nouvelle inondation, le *15 mai 1889*, provoquée par la montée du niveau du lac Saint-Jean, en raison des écluses et barrages de la Petite-Décharge, les riverains se préparèrent à voir disparaître les vingt-cinq mille acres de terre, noyés chaque année.

Ce devait être la dernière fois. Sir Hector Langevin, par son intervention, avait obtenu la promesse de la démolition des barrages et écluses, construits avant l'établissement des colons, lors de l'exploitation des premiers chantiers, dans le but de faciliter le passage des billots dans la décharge. Maintenant inutiles, ces écluses maintenaient élevé le niveau de l'eau, et ce, du 15 mai au 15 juillet. Convaincu qu'elles n'aidaient en rien la navigation, argument des opposants à la démolition, le ministre des Travaux publics chargea Horace Dumais de démolir les écluses. Depuis plus de trente ans, elles causaient des dommages aux terres fertiles du Lac-Saint-Jean, soit plus de vingt-cinq mille acres de terre riche, perdue lors des semailles à cause des inondations.

Le 20 février, une lettre adressée au journal local remerciait le ministre Hector Langevin pour « cet acte de justice et de bonne administration ».

Libérées des eaux, les terres furent mises en valeur par les cultivateurs. Ceux-ci allaient de nouveau les perdre, trente-cinq ans plus tard, lorsque le niveau du lac fut remonté pour des besoins énergétiques.

Lorsque la première partie du Collège de Jonquière fut terminée, les autorités demandèrent à Mgr Mélançon, évêque de Chicoutimi, de bien vouloir procéder à la bénédiction de l'établissement.

Attendant la visite du cardinal Paul-Émile Léger, Mgr Mélançon exprima son désir de laisser à l'éminent visiteur, le soin de présider la cérémonie. Le *16 mai 1957*, le Collège de Jonquière fut béni par le cardinal Léger. La cérémonie eut lieu dans le gymnase, en compagnie des hauts dignitaires ecclésiastiques, des étudiants, du corps enseignant, des parents et de plusieurs personnalités politiques.

Lors de sa visite, le cardinal Léger se dit étonné de l'architecture. Il en profita pour dire à quel point l'enseignement classique était un bienfait de l'éducation, non seulement pour l'instruction donnée aux jeunes, mais parce qu'il s'agissait d'une formation totale.

Le cardinal compara les richesses naturelles de la région, principalement les ressources hydrauliques, à l'Église, qu'il définit comme une centrale d'énergie.

La veille de la cérémonie, Le Réveil, hebdomadaire de Jonquière, avait publié un numéro spécial sur le collège, décrivant les réalisations et les projets de cette maison d'enseignement.

L'ouverture officielle du Musée du Saguenay–Lac-Saint-Jean eut lieu le *17 mai 1975*. Parmi les personnalités présentes, il y avait Mgr Marius Paré, le ministre Gérald Harvey, le président de la corporation du Musée, Marcel Lapointe, et plusieurs députés. Cette ouverture était l'aboutissement des démarches entreprises deux ans plus tôt par la corporation.

La Société historique du Saguenay fut à l'origine du Musée. Elle avait été fondée en 1934 par Mgr Victor Tremblay au Petit Séminaire de Chicoutimi. Les membres de cette société avaient recueilli de nombreux documents et archives ainsi que des objets anciens dans le but de préserver notre patrimoine régional.

Un premier Musée du Saguenay avait été inauguré en 1954. Il avait été installé dans une petite salle de l'hôtel de ville de Chicoutimi. Dix ans plus tard, il dut fermer ses portes. La collection comprenait alors plus de dix mille objets qui furent placés dans des boîtes et entreposés dans les caves du Petit Séminaire.

En novembre 1972, la corporation du Musée du Saguenay fut créée, bien déterminée à faire revivre le musée régional. Des démarches furent entreprises jusqu'à l'aboutissement final en 1975. Le Musée du Saguenay devint le Musée du Saguenay–Lac-Saint-Jean en mai 1979, affirmant par là sa vocation régionale. Il est logé dans l'ancienne chapelle du Petit Séminaire réaménagée à cette fin. Ce lieu a été loué par le Cégep de Chicoutimi pour vingt ans au prix de 1 $ selon un protocole d'entente signé avec la Cité de Chicoutimi.

18 mai 1939	Narcisse Brisson

Narcisse Brisson est né à Chicoutimi le 30 mars 1854 et baptisé le lendemain par le curé J.-B. Gagnon. Alexandre Maltais fut son parrain et Dorothée Desbiens, sa marraine. Mort le *18 mai 1939*, à l'âge de quatre-vingt-cinq ans, il fut un défricheur toute sa vie. On a peu parlé de lui. Comme la plupart de nos ancêtres, il a travaillé dans l'ombre et, dans cette ombre, il a fait son bout de chemin. C'est ce qu'il raconta, en octobre 1934, à Mgr Victor Tremblay qui a conservé son témoignage.

Parti de Chicoutimi pour s'installer aux Petites Îles, il voulait, avec sa femme Exère Bolduc, y élever ses enfants. « Il n'y avait pas de chemin ; on est descendu sur la glace et on est venu nous abriter dans un petit campe de bois rond. Pendant des années on a travaillé au défrichement de nos terres. Il a fallu cogner pour gagner le pain de nos familles. La vie était dure, mais elle n'était pas la même qu'aujourd'hui. On savait se contenter de peu ; on ne connaissait pas les bons petits plats d'aujourd'hui. Le bon pain noir d'habitant, les fêves au lard et la sempiternelle soupe aux pois étaient nos plats favoris. C'était pareil pour le vêtement. La mode n'était pas notre règle de conduite. On s'habillait selon nos moyens. L'étoffe du pays était le principal matériel. »

« Je disais tantôt qu'il n'y avait pas de chemin pour sortir d'ici. Pendant douze ans nous n'avons pas eu d'autre route que la grève. Il fallait choisir le temps de la marée basse parce qu'à marée haute il y avait des endroits où il n'y avait pas de place pour chasser. C'est moi qui ai ouvert le chemin pour aller à Saint-Fulgence. On a ouvert sept milles de chemin, ce qu'on appelle le portage. Ce portage permettait de passer en charette. Avant l'ouverture de ce portage on ne voyageait que par eau. »

19 mai 1870	Le grand feu

Ennemi juré des colons, le feu a multiplié ses dommages dans la région. Il en est un, des plus tragiques, identifié aujourd'hui par le seul nom de « grand feu », et qui ravagea toute la région. Dans le livre « Histoire de Saint-Félicien » on y raconte le début de cet incendie dans ce village, si terrible que le soir du *19 mai 1870* il n'y avait plus que deux seuls « campes » debout à Saint-Félicien, celui de Barthélémi Tremblay et de Eusèbe. C'était la fin d'une journée qui n'avait été qu'un immense brasier.

« Par une magnifique journée, comme il s'en voyait peu en ce coin de colonisation, les gens voulaient débarrasser la terre pour les prochaines semailles et étaient à brûler les derniers débris d'abattis. Malheureusement, le vent, lui aussi, avait décidé de faire le ménage printannier et, se levant aussi violemment que brusquement, il transporta le feu dans la forêt adjacente. »

Pour les colons ce fut la terreur, la fin du monde. Ils n'eurent que le temps de se réfugier dans les caves ou de se jeter à la rivière.

Quand la journée prit fin, on compta quatre-vingt habitants sans abris, désespérés, sans nourriture. Des secours arrivèrent le lendemain dans des chaloupes apportant un quart de lard, deux quarts de farine, un quart de biscuits. Plus tard, plusieurs colons allèrent en canot chercher des vivres à Roberval et à Saint-Fulgence.

« Comme consolation de ce désastre, les colons virent leur grande forêt débarrassée et leurs terres purifiées. Une terre qui pour se faire pardonner leur offrit, après les semailles de juin, une récolte abondante. »

Cette version de l'origine du feu est consacrée par la tradition mais, de nouvelles découvertes, qui permettent d'en savoir davantage sur cet incendie, nous apprennent qu'il a plutôt commencé à la rivière-du-Chef à environ quatre-vingts milles de Saint-Félicien.

---

20 mai 1934   **Société historique**

Après quelques années de silence, la Société historique du Saguenay se remit à l'ouvrage accueillie avec taquinerie par la presse locale : « Il ne s'agit pas d'une naissance mais d'une renaissance car, il y a quelques années, vivait et travaillait une Société historique du Saguenay. Un soir de 1925, elle tenait gravement séance ; mais ce soir était celui du 28 février du fameux tremblement de terre ! La jeune société fut si violemment secouée qu'il lui a fallu neuf ans pour se remettre... »

La Société historique du Saguenay reprit ses activités en commençant par choisir son conseil d'administration. Le président fut l'abbé Victor Tremblay, alors professeur d'histoire au Séminaire, le vice-président fut Jean-Charles Gagné, le secrétaire-correspondant, l'abbé Lorenzo Angers, le secrétaire-trésorier, Omer Lapointe notaire et l'archiviste, l'abbé René Bélanger.

Les buts de la Société étaient de recueillir des documents, de former une bibliothèque d'histoire régionale, de faire connaître et aimer notre histoire, publier des études et même des volumes. Elle s'occupa de faire reconnaître les sites historiques. Elle lança un appel à la population pour qu'on ne détruise pas les vieux papiers mais qu'on les lui remette ou l'autorise à en prendre copie.

Le *20 mai 1934*, la Société historique du Saguenay fit ses débuts devant le public qui remplissait la salle du théâtre Capitol. Mgr Lamarche était le président d'honneur et l'abbé Victor Tremblay, le conférencier. La rencontre se termina par une parole de Mgr Lamarche : « Le progrès c'est la tradition en marche ».

---

21 mai 1940   Mgr **Mélançon**

Mgr Mélançon fut le cinquième évêque du diocèse de Chicoutimi. Il fut nommé le *21 mai 1940* et sacré le 23 juillet à la cathédrale de Chicoutimi par le cardinal Jean-Marie-Rodrigue Villeneuve, archevêque de Québec. Sa devise était « Adveniat regnum tuum », que ton règne arrive, précisant par là l'orientation de sa vie épiscopale.

Au cours des vingt années pendant lesquelles il fut évêque de Chicoutimi, Mgr Mélançon fonda vingt-huit paroisses et ordonna cent soixante prêtres pour son diocèse. Il fit construire le quatrième évêché, bénit solennellement le 13 août 1957.

Ses priorités étaient l'éducation et le recrutement sacerdotal. Pour cela, il fit du Grand Séminaire une institution autonome, fonda le Séminaire Marie-Reine-du-Clergé à Métabetchouan et innova dans l'éducation en créant un collège classique pour jeunes filles dont il confia la direction aux Soeurs du Bon-Pasteur en 1947.

Parmi ses autres réalisations, on retrouve également la fondation de plusieurs hôpitaux, afin de faciliter l'accès aux soins pour les malades. Il encouragea la fondation de foyers pour personnes âgées. Il s'occupa activement de l'Action catholique, de l'Action rurale et du mouvement syndical ouvrier.

Il donna sa démission le 19 février 1961. Il reçut le titre d'Archevêque titulaire d'Esbo et se retira à l'évêché de Chicoutimi.

---

22 mai 1975   **Mouvement Cancer**

Atteinte d'un cancer, Blanche Paradis, institutrice de La Doré, se retrouve, le *22 mai 1975*, au Pavillon Murdock à Chicoutimi. Contrainte de subir une grave opération, elle bénéficie de cette hôtellerie, destinée à héberger les patients victimes du cancer, soignés à l'Hôpital Chicoutimi par l'unique radiothérapeute.

C'est là que cette femme combative réalisa ce que c'est que de vivre dans une région éloignée, lors de circonstances graves. À peine remise de son opération, elle fonda le Mouvement Cancer dont le but était de maintenir ouvert le Pavillon Murdock, envers et contre la décision de technocrates, et de préserver le service de radiothérapie de Chicoutimi, afin d'éviter aux patients la double épreuve de la maladie et de l'éloignement.

Menant une campagne de sensibilisation, Blanche Paradis réussit à obtenir, pour sa cause, quatre cent mille signatures au bas d'une pétition. En 1977, le ministre des Affaires sociales assurait le maintien des services de radiothérapie à Chicoutimi. La fermeture du Pavillon allait être retardée jusqu'à ce que les patients puissent être relogés adéquatement à l'hôpital. Depuis, l'Hôpital Chicoutimi a eu, plusieurs fois, l'occasion de combler le poste en radiothérapie, mais a finalement obtenu le statut d'hôpital d'ultra spécialités.

Blanche Paradis, née à La Doré, a enseigné pendant quarante-cinq ans. Décorée de nombreuses fois pour ses mérites comme enseignante et comme personne engagée socialement, elle préconisait la méthode active. Elle affirmait que les difficultés scolaires découlaient davantage de l'uniformité d'un système et adaptait son enseignement aux capacités de chaque enfant.

---

23 mai 1627   **La foi du ventre**

Ce que les sermons ne réussissaient pas, les bons repas le faisaient avec succès. En fait, c'est ce que l'on pourrait conclure de l'histoire du baptême du petit Naneogaouachit racontée dans la revue Saguenayensia de juillet 1969. L'histoire commence par cette introduction : « Après cinquante jours de lutte terrible, Naneogaouachit était sorti vainqueur ; il avait résisté victorieusement aux assauts de son père, du sorcier et du démon ; il avait gagné son baptême. La cérémonie eut lieu le jour de la Pentecôte, le *23 mai 1627* »

La réticence de ses proches n'ayant pas entamé la détermination du jeune Indien, les pères Récollets décidèrent de commencer la cérémonie. Comme le raconte leur historien, c'est le samedi de la Pentecôte. Le père Joseph était accompagné du petit Naneogaouachit et de Pierre-Antoine, alias Pastedechouan. Ensemble, ils allèrent aux cabanes des Indiens pour les inviter à la cérémonie du baptême. Celle-ci devait se faire en public et un festin était prévu auquel tous étaient conviés. Le but de ce festin était surtout d'attirer les autochtones, plus sensibles au signe concret d'un bon repas qu'à celui du baptême.

C'est le père Lallemant qui célébra la messe. À la fin, il fit venir le futur baptisé tout vêtu de blanc. Celui-ci, interrogé sur sa volonté de devenir chrétien, répondit affirmativement. Le père Joseph Le Caron baptisa l'enfant qui eut pour parrain le Sieur de Champlain et comme marraine la dame Hébert, première habitante du Canada. Il fut prénommé Louis.

Le festin qui suivit était composé de canards, de sarcelles, d'outardes et autres gibiers en abondance. Les Indiens rassasiés emportèrent ce qui restait disant qu'ils voudraient bien un baptême semblable tous les jours.

---

24 mai 1850   ## Thiboutot contre McLeod

C'est en 1850 que fut établie la Cour de circuit à Chicoutimi. Le premier juge appelé à la présider fut le juge David Roy qui s'installa au village de Chicoutimi avec sa famille.

Réputé pour être un homme de sciences et de lettres, il était particulièrement humble et timide. Il avait été nommé juge de la Cour de circuit du Bas-Canada, le 24 décembre 1849, par Lord Elgin, gouverneur général de toutes les provinces de l'Amérique du Nord. Sir Hypolite Lafontaine était alors solliciteur général du Canada.

Le 2 janvier 1850, David Roy prêta le serment d'office et, le *24 mai* suivant, il présida pour la première fois la Cour de circuit de Chicoutimi. Le palais de justice n'était pas encore construit et la Cour siégeait dans la maison de Joseph Asselin.

La première cause entendue par le juge Roy fut celle d'un nommé Thiboutot qui poursuivait Peter McLeod pour assaut et coups. Peter McLeod avait la réputation de régler tous ses différends avec les poings, méthode qui n'était pas toujours à l'avantage de l'adversaire. L'action de Thiboutot fut cependant rejetée.

David Roy demeura à Chicoutimi jusqu'en 1858 puis fut nommé à la Cour supérieure pour le district de Saguenay et il s'installa à La Malbaie. Il prit sa retraite le 7 janvier 1871 et mourut le 31 juillet 1880 à l'âge de soixante-treize ans.

---

25 mai 1938   ## Antonio Talbot

Prenant naissance à la rue Jacques-Cartier de Chicoutimi, le boulevard Talbot s'étire en ligne droite entre les restaurants, hôtels et centres commerciaux, longe des terrains destinés au commerce, traverse Laterrière, pénètre dans la réserve faunique des Laurentides et va jusqu'à proximité de

Québec. Cette route vitale pour la région porte le nom d'un politicien bien connu : Antonio Talbot.

Né le 29 mai 1900, à Saint-Pierre-de-la-rivière-du-Sud, M. Antonio Talbot fut élu député de l'Union nationale à l'Assemblée législative dans la circonscription de Chicoutimi lors des élections partielles du *25 mai 1938*. Il fut réélu aux élections successives de 1939 à 1962 jusqu'à ce qu'il démissionne le 6 août 1965. Il fut ministre de la Voirie dans le cabinet de MM. Duplessis, de Sauvé et de Barrette, du 30 août 1944 au 5 juillet 1960, puis chef de l'Opposition en 1961.

Antonio Talbot avait été admis au Barreau de la province de Québec le 12 janvier 1925. Il fut docteur en droit Honoris Causa de l'université de Montréal en 1945 et de l'université Laval en 1947.

Le 26 octobre 1949, dans la chapelle universitaire de Paris, il épousa Geneviève Gagnon, alors étudiante en musique à Paris. Pour ce mariage, Mgr Georges Mélançon, évêque de Chicoutimi, se rendit à Paris, bénir l'union des deux nouveaux époux.

Antonio Talbot a été président de l'Association canadienne des bonnes routes de 1947 à 1949 et de 1955 à 1958. Il fut aussi membre fondateur du Cercle universitaire de Québec, membre universitaire du cercle de Montréal, du Club de la Garnison, du Club Renaissance et du Quebec Winter Club.

---

26 mai 1953   # École des parents

« L'École des parents de Chicoutimi inaugurée sous de bons auspices » titrait le journal Le Soleil, le *26 mai 1953*. La soirée inaugurale de cette école avait eu lieu le dimanche précédant avec, pour conférencier, Mgr Ovide-Dolor Simard. Le titre de son exposé était : la spiritualité conjugale.

La thèse développée, raconte le journal, était la suivante : « Le mariage est un sacrement et ne peut avoir d'autre but que la sanctification des âmes : celle des époux et celle des enfants. La vie conjugale règle dans l'ordre la transmission de la vie ».

Plus loin le conférencier interroge son auditoire : « quels sont les mariages heureux ? Nous savons très bien que ce sont ceux où Dieu est le maître, où la vertu est la foi, le ciel est le but. Quand on pénètre dans un foyer pleinement chrétien, on y respire un parfum de paradis terrestre. On peut y trouver des gens qui souffrent, on n'en voit pas qui sont malheureux ».

Il dit encore : « La vie conjugale vécue selon le plan de Dieu est une usine où on fabrique des élus ».

Et le journaliste termine son article se disant convaincu que cette école des parents connaîtra un bel avenir à Chicoutimi.

Sur les bords du Saguenay, dans un lieu nommé Pointe-aux-Alouettes, lieu historique où le Séminaire de Chicoutimi avait établi une maison de repos, fut signé le premier traité d'alliance entre Français et Indiens. C'était le *27 mai 1603*. Les Montagnais y célébraient avec leurs alliés les Algonquins et les Etchemins une victoire remportée contre les Iroquois. Dupont-Gravé et Champlain allèrent à leur rencontre et, fumant le calumet, scellèrent un traité d'amitié.

Champlain lui-même raconta cet événement : « Ayant mis pied à terre, nous fûmes à la cabane de leur grand Dagamo qui s'appelle Anadabijou où nous le trouvâmes avec quelques quatre-vingt ou cent compagnons qui faisaient tabagie, lequel nous reçut fort bien selon la coutume du pays et nous fit asseoir auprès de lui, et tous les sauvages rangés les uns auprès des autres des deux côtés de la dite cabane. L'un des sauvages que nous avions amenés comme ça à faire sa harangue de la bonne réception que leur avait faite le roi, et le bon traitement qu'ils avaient reçus en France, et qu'ils assurassent que sa dite Majesté leur voulait du bien et désirait peupler leur terre, et faire la paix avec leurs ennemis ou leur envoyer des forces pour les vaincre ; en leur contant aussi les beaux châteaux, palais, maisons et peuples qu'ils avaient vus, et notre façon de vivre, il fut entendu avec un silence si grand qu'il ne se peut dire plus. Or après qu'il eut achevé sa harangue, le dit grand Sagamo Anadabijou l'ayant attentivement ouï, il commença à prendre du petum et en donner au dit Sieur Dupont-Gravé de Saint-Malo et à moi et à quelques autres Sagamos qui étaient auprès de lui. (...) Il dit qu'il était fort aise que sa Majesté peuplât leur terre et fit la guerre à leurs ennemis ; qu'il n'y avait nation au monde à qui ils voulussent plus de bien qu'aux Français ; enfin il leur fit entendre à tous le bien et l'utilité qu'ils pourraient recevoir de sa dite Majesté. »

Le *28 mai 1878*, le diocèse de Chicoutimi était proclamé par le pape Léon XIII. Les évêques de la province avaient déclaré qu'il y aurait avantage à doter la région du Saguenay et de Charlevoix d'un diocèse propre. Léon XIII, après avoir demandé l'avis de ses conseillers, reconnut le bien fondé de la requête et érigea le nouveau diocèse, comprenant les comtés de Chicoutimi et de Charlevoix et la partie du comté de Saguenay située à l'ouest de la rivière Portneuf. Il fixa le siège diosésain à Chicoutimi, ajoutant : « Nous voulons que ce nouveau diocèse profite de tous les honneurs, droits et privilèges dont sont dotés tous les autres diocèses de l'Église ».

Annonçant sa décision, le pape Léon XIII avait commencé son discours comme suit : « Par un mystérieux dessein de la Divine Providence, nous avons été placé sur cette chaire du bienheureux Pierre comme sur un haut lieu d'observation, d'où nous tournons de préférence notre esprit vers les parties du troupeau du Seigneur, vers les contrées par delà les mers qui sont très éloignées de ce centre de foi catholique ».

Le 28 mai 1978, le diocèse de Chicoutimi célébrait son centenaire et publiait un volume intitulé « Évocations et témoignages, diocèse de Chicoutimi 1878-1978 ». Mgr Marius Paré en fit la préface soulignant que les grandes âmes n'avaient pas manqué à l'Église centenaire de Chicoutimi. Il compara les artisans du volume présenté aux hommes et femmes parfois héroïques dont il raconte la vie et les belles actions. « Prenons, lisons et... emboitons le pas car c'est maintenant notre tour » conclut l'évêque du diocèse de Chicoutimi.

---

29 mai 1859　　　　　　　　　　　# L'Institut de Chicoutimi

Les restrictions budgétaires ne datent pas d'aujourd'hui. Nos grands-pères en subirent, eux aussi. En effet, à sa deuxième année d'existence, l'Institut de Chicoutimi, qui regroupait une « élite » intellectuelle, vit suspendre ses subventions.

Le nouvel organisme, incorporé le 27 décembre 1858, avait reçu pour ses débuts une part de l'octroi décrété par le gouvernement fédéral, soit 20 000 $ à partager entre les divers instituts de la province de Québec. Geste qui ne se renouvela pas l'année suivante, remettant en cause, croyait-on, la survie de la société. À tort, puisque le *29 mai 1859*, le trésorier était autorisé à louer pour dix louis par an la maison de Jean Harvey.

Le premier exécutif de l'Institut, élu le 1er janvier 1859, se composait de Jean-Baptiste Gagnon, président, Alexis Gagnon, vice-président, Ovide Bossé, secrétaire, Méron Tremblay, trésorier, et Th.-Z. Cloutier, bibliothécaire.

Faisant part des restrictions budgétaires du gouvernement, David E. Price écrivit : « J'ai fait la demande accoutumée pour l'octroi annuel. On m'a répondu, bien que ce ne soit pas les ministres, que c'est l'intention du gouvernement, étant donné la dureté des temps et l'état présent des finances, de s'abstenir de donner aucun octroi à l'agriculture et aux Instituts. Pour ces deux items seulement, il y aura économie de 125 000 $ ».

Cela n'empêcha pas l'Institut de Chicoutimi de se doter d'une bibliothèque comprenant des volumes variés. Des classiques : Corneille, Racine, Boileau, Lafontaine. Des romantiques : Lamartine, Chateaubriand. Des livres sur l'histoire de France, d'Angleterre, d'Espagne, de Russie. Des livres traitant de science : physique, chimie, astronomie. Des manuels d'arts et métiers sur les bottiers, les boulangers, les bonnetiers, les chaudronniers et les cordiers.

Comme un animal indomptable, le lac Saint-Jean ne se laissa pas impunément imposer la volonté humaine. Les barrages furent parfois la cause du gonflement des eaux ayant pour conséquence des inondations. C'est ce qui arriva le *30 mai 1876*. La pression des eaux saccagea un barrage et une glissoire pour les billots, construite sur la Petite-Décharge. Un vent du nord-ouest souleva d'énormes vagues qui vinrent lécher les marches de l'église. La grand'messe se transforma en messe basse et le curé Delâge autorisa ses paroissiens à travailler ce dimanche pour sauver ce qui pouvait l'être.

Le bilan fut tragique pour plusieurs familles. « La maison d'Ephrem Brassard, voisine de l'église, se trouva dans un îlot, raconte le livre « Histoire de Roberval », celle de Ferdinand Harvey, bâtie pièce sur pièce, s'écroula sous son toit. Les jardins étaient faits. Chez Télesphore Pilote, on se hâta d'arracher les échalotes pour ne pas les perdre et de transporter le stock de pelleteries dans une bâtisse plus éloignée. Pilote commerçait la fourrure avec Eucher Otis. Des billots allaient à la dérive. »

« Chez Augustin Girard, le four fut emporté avec le pain qui cuisait, puis la maison elle-même, durant la nuit du 30 mai. Tandis qu'on sortait les meubles par les fenêtres, les vagues entraient dans les bâtiments avec des billots. »

L'inondation détruisit la route principale. Un requête fut adressée au gouvernement pour qu'il vienne en aide aux colons, préparée et plaidée par le curé Delâge, le député fédéral Ernest Cimon et le sénateur D.-E. Dubuc qui se rendirent à Québec défendre leur cause avec succès.

Deux mille citoyens de Chicoutimi se prononcèrent massivement contre la conscription. Dans l'édition du Progrès du Saguenay du *31 mai 1917*, on pouvait lire le compte rendu de cette assemblée qui s'était opposée au projet de loi proposé par le premier ministre du Canada, destiné à enrôler les Canadiens pour le service outre-mer.

Cette réunion fut perçue comme un mouvement spontané de la population qui refusait l'adoption d'une loi en faveur de la conscription sans un appel au peuple. Les citoyens protestèrent contre la Chambre des Communes qui voulait imposer, sans mandat, le service militaire obligatoire et contre l'incurie administrative responsable du coût élevé des choses nécessaires à la vie.

L'assemblée discuta principalement de la promesse faite par le premier ministre du Canada à l'Angleterre. Promesse par laquelle il s'engageait à envoyer cinq cent mille hommes dont quatre cent mille volontaires étaient déjà partis. Il fut aussi question de la situation économique compromise par la levée des troupes et de l'importance, pour la population, de concentrer ses énergies vers l'agriculture et l'industrie.

Les citoyens votèrent plusieurs résolutions, réaffirmant leur attachement à la couronne britannique et à la constitution mais protestant contre toute mesure de coercition ayant pour effet d'enrôler, sans consultation populaire, des hommes destinés au service outre-mer.

Malgré tout, la loi pour la conscription fut sanctionnée à Ottawa le 29 août 1917.

Rivière Péribonka.

(Photo: Archives nationales du Québec)

Succession de malheurs

La vie des pionniers ne fut pas toujours facile. Le feu, la maladie et la mort n'épargnèrent aucune famille. Cependant, les épreuves semblèrent s'acharner cruellement sur la famille d'Isaïe Tremblay du rang Saint-Martin, à Saint-Alphonse. Entre 1894 et 1898, le malheur ne leur laissa pas beaucoup de répit.

La première épreuve fut la maladie de Léonide, fils d'Isaïe Tremblay. Fortement affaibli, il dut se contraindre à une longue convalescence pendant laquelle il ne put assurer le pain à sa femme et à ses quatre enfants. Une année plus tard, en l'espace de treize jours, Léonide vit mourir sa femme et un de ses enfants. Ce double deuil affecta la famille qui continua malgré tout à lutter contre le sort.

Afin de sortir du marasme et de la pauvreté, Léonide, bien que de santé chancelante, décida de trouver du travail. Engagé sur un «steamer», dès le premier jour, il se cassa une jambe. Comble de malchance, il fut mal soigné par un «ramancheur» et, non seulement resta boiteux toute sa vie, mais encore dut subir une constante douleur.

Un nouveau drame frappa encore une fois cette famille le *1er juin 1898*. Les hommes étaient partis à la messe à Saint-Fulgence. Madame Tremblay était à l'étable pour soigner les chevaux. Un voisin raconta avoir vu des flammes et madame Tremblay qui tentait de sauver les bêtes. Elle réussit à détacher la jument de six ans, retourna à l'intérieur du brasier pour libérer les autres. Elle périt dans le feu qui consuma les étables, les granges, un cheval, les jeunes animaux, le foin et le grain ainsi que tous les instruments agricoles et les voitures.

Chemin des poteaux

Chaque route qui relie la région à l'extérieur a une histoire. Celle qu'on appela à l'origine «le chemin des poteaux» ne fit pas exception. Elle était importante puisqu'elle allait enfin établir un lien direct entre le Saguenay–Lac-Saint-Jean et Québec. Le tracé quittait la capitale et passait par Stoneham. Le *2 juin 1869*, les travaux débutèrent sur le chemin du Lac-Saint-Jean à son point de jonction avec celui de Stoneham. Il était tracé depuis deux ans en chemin d'hiver sur tout son parcours. En 1866, quarante-cinq arpents avaient été faits en chemin à un endroit appelé la coulée.

Dans le Courrier du Canada, on y raconte la vaillance des hommes qui travaillaient à cette route.

« L'entrée de ce chemin, qu'on n'avait pas encore entrepris de déblayer à cause des cailloux énormes dont elle était obstruée sur un espace d'environ un mille, est maintenant convertie en superbe chemin de roulage. Deux ponts assez considérables ont été construits sur la rivière à la Petite Chute ; le nouveau chemin a rejoint celui d'il y a deux ans et les travailleurs ont pris des lots depuis quelques années le long du tracé ; ils y ont marqué leurs noms et ils espèrent pouvoir, quand le chemin sera rendu auprès, commencer quelques défrichements le matin avant d'aller à l'ouvrage et le soir après la journée faite. Vraiment, on ne peut s'empêcher d'être ému devant tant de courage ; ces pauvres gens donnent pour gagner leur pain, dix heures du travail le plus dur et ils trouveront encore, à travers cela, des moments de loisir pour commencer à défricher un petit coin de terre. »

---

3 juin 1928   **35 000 acres sous l'eau**

À l'affût d'une nouvelle, un journaliste du Progrès du Saguenay se retrouve à Saint-Méthode le *3 juin 1928*. Le village était inondé par les eaux du lac Saint-Jean. Pour y arriver, il dut changer plusieurs fois de véhicule, la route étant recouverte d'eau de Saint-Jérôme à Roberval. Il avait été précédé d'un autre visiteur, Mgr Eugène Lapointe qui raconte la tragédie dans une lettre adressée à ses paroissiens :

« Pour atteindre l'église paroissiale entourée de toutes parts, j'ai dû franchir une distance de près de trois milles sur un mauvais radeau remorqué par un petit chaland d'une quinzaine de pieds de largeur. Les hommes qui m'accompagnaient m'ont tout de suite fait observer que c'est avec ces primitives embarcations et quelques canots de planches brutes, fabriqués d'urgence de leurs propres mains, qu'ils ont réussi à sauver d'un péril imminent, de jour et de nuit, en deux fois vingt-quatre heures, quarante familles, avec tout le bétail qui leur appartenait. Et pendant que nous avancions lentement dans cette plaine inondée de tous les côtés, si loin que pouvait porter mon regard c'était la mer, de laquelle émergeaient, comme des navires échoués, toutes ces belles maisons d'habitants et ces superbes bâtiments qui bordaient la rivière Ticouabe. Au milieu du village dont pas une maison n'est à sec, apparaît de loin le clocher de l'église, semblable à un phare, en d'autres temps, signe de joyeuse espérance, en ce moment témoin tragique d'un désastre sans nom. Le radeau nous dépose au seuil même du presbytère dont on peut faire le tour en canot. Une dizaine d'hommes m'attendent. Pas une femme, pas un enfant. »

Il y eut plus de 35 000 acres sous l'eau, pendant plusieurs jours, lors de la hausse du niveau du lac qui atteignit plus de 25 pieds le soir du 31 mars 1928.

Les débuts d'un zoo

Le *4 juin 1961* était inauguré officiellement le zoo de Saint-Félicien. Ce jour concrétisait un rêve des plus captivants et qui n'a pas encore atteint sa limite.

L'aventure avait commencé avec une brave corneille du nom de Philomène. Gilles Gagnon, son jeune propriétaire, avait décidé de la confier à une jeune association désireuse de mettre sur pied un jardin zoologique. Peu après, un hibou, capturé par le père de Gilles, Ghislain Gagnon, vint tenir compagnie à Philomène. Des résidents de Pointe-Bleue offrirent quelques loups auxquels s'ajoutèrent un ours, un lama, une marmote et divers animaux de la faune régionale.

Pour loger sa marmaille, le directeur du zoo, Ghislain Gagnon, en appela à la compréhension d'Aldège Laflamme, homme d'affaires qui accepta de mettre à sa disposition un enclos à renard situé à l'entrée de la ville. Les premiers visiteurs purent admirer les trente spécimens réunis. La folle équipée des promoteurs de ce projet paraissait moins utopique que ne l'avaient cru les gens prudents.

En janvier 1961, la Société zoologique de Saint-Félicien fut fondée. Décision fut prise de loger le zoo sur une île de la rivière-aux-Saumons, l'île Bernard que son propriétaire céda pour la somme de douze mille dollars, y compris un vaste terrain entre la rivière et la route nationale.

Depuis, le zoo de Saint-Félicien n'a cessé de prendre de l'ampleur. Son sentier de la nature, parcours où les visiteurs en cage admirent les animaux en liberté, est un enchantement. Ce zoo accueille annuellement une moyenne de trois cent cinquante mille visiteurs.

Début du syndicalisme

Le Conseil central national des métiers du district de Chicoutimi fut fondé le dimanche *5 juin 1927*. L'assemblée avait eu lieu au 77, rue Bossé, en compagnie de Pierre Boulé, président de la Confédération des travailleurs catholiques du Canada, de l'abbé Maxime Fortin et de l'abbé Alphonse Tremblay.

Ce Conseil regroupait les briqueleurs, les maçons, les manoeuvres, les employés de la pulpe, les imprimeurs, les charpentiers-menuisiers, divers groupes de professionnels et le Syndicat des employés de chemin de fer Roberval-Saguenay.

Le 14 juin, divers comités étaient formés et chargés d'étudier l'ensemble des questions municipales, fédérales et provinciales, compte tenu de la protection des ouvriers.

Deux ans plus tard, le Cercle d'étude Bégin était fondé dans le but de préparer des syndiqués à devenir des chefs, de les inciter à étudier les relations entre le capitalisme et le travail et d'analyser les questions d'ordre social et ouvrier.

En 1930, le nombre de chômeurs allait croissant. En 1931, on en comptait plus de mille enregistrés à la Ville. Pour tenter d'en diminuer le nombre, le Conseil central demanda que les coupes de bois se fassent en hiver plutôt qu'en été et recommanda de favoriser l'établissement des « sans-travail » sur des terres de la colonisation. Le 16 juin 1931, quarante chômeurs décidèrent de devenir colons, suivis, peu après, par vingt-cinq autres.

---

6 juin 1894   ## Le pique-nique

Les mots ont cette magie qu'ils peuvent nous ouvrir la porte sur le passé, et, par l'évocation d'une journée d'été, permettre au lecteur d'y être à son tour. Pourquoi ne pas y croire et vivre, par la plume de Lionel-D. Lemieux, le joyeux pique-nique des élèves du Grand et Petit Séminaire du *6 juin 1894*.

Accompagnés de leurs maîtres, les élèves vont vers le lac Saint-Jean où une croisière est prévue sur le bateau Mistassini. « En rang et quatre de front, nous nous rendons à l'église où nous saluons du chant de l'Ave Maris Stella, Notre-Dame du Lac Saint-Jean. Puis, après de courts arrêts en face du presbytère et du couvent des Ursulines, nous prenons la rue qui conduit au quai. Aux chants joyeux que nous faisons entendre, aux sons de la fanfare, tout le monde apparut aux portes et aux fenêtres. Bientôt, nous foulions le pont du superbe bateau à vapeur le Mistassini (...) Le bateau se détachant du quai, longea le rivage jusqu'à la Pointe-Bleue, puis se dirigea vers le large. Le spectacle était vraiment féérique. Roberval, orgueilleux de soutenir sa renommée semblait vouloir étaler en cette circonstance toute la beauté de son site... L'Hôtel Roberval, avec ses nombreuses tourelles, étalait sa gracieuse structure, sa vaste étendue. Plus loin paraissaient les grandes scieries à vapeur. Plus près de nous, sur une pointe qui s'avance dans le lac, se trouve une manufacture dont les travailleurs saluèrent notre passage en nous envoyant des bravos sur les ailes du vent. Le bateau répondit. (...) En ce moment, on nous signale les îles de la Grande Décharge. Ce sont de véritables nids de fleurs perdus au milieu des flots. L'ancre fut jetée un instant au milieu de cette Venise de verdure. (...) »

Le lendemain du feu

Dans la région du Saguenay, on a beaucoup parlé du grand feu de 1870 qui dévasta une grande partie du territoire. Ce qui est moins connu, c'est le courage dont ont dû faire preuve les victimes et comment elles ont surmonté l'épreuve.

Le *7 juin 1870*, dix-neuf jours après la dévastation, un journal décrivit la situation. Il y avait cinq mille incendiés manquant de tout. « Profitant du beau temps ils se sont tous remis à l'ouvrage et ceux qui ont reçu du grain ensemencent leur terre de nouveau. Mais leur position est encore des plus pénibles. Le feu ayant dévasté la forêt, ils se trouvent sans bois pour reconstruire leur maison. Prenant des troncs d'arbre à demi calcinés ils se sont construit des huttes que des sauvages ne voudraient pas habiter. D'autres séjournent dans des caves creusées dans le flanc des côteaux. Privés de lits, ils couchent sur le sol brûlé, ceux qui ont pu se procurer des branches d'arbre s'estiment heureux. C'est du luxe d'avoir un lit de branches de sapin. (...) Ils manquent aussi de vêtements. Hommes, femmes et enfants ne portent que des haillons. Ajoutez à cela l'absence de vivres et vous aurez le tableau presque complet de leur position. »

Pourtant, ils surent encore se réjouir. L'été fut très beau. Les filets de pêche débordaient de poissons. Les récoltes furent abondantes et, fait extraordinaire, il y eut des bandes nombreuses de tourtes, oiseaux comestibles, qui apparurent après le grand feu. Les sinistrés y virent un secours direct de la Providence. Ils ne se privèrent pas pour autant de chasser la tourte même le dimanche, manquant de préférence la messe que le gibier.

Sonne la victoire

Bien que la dernière guerre mondiale se déroulait en Europe, elle avait des répercussions sur le sol saguenéen. De nombreux garçons étaient partis se battre de l'autre côté de l'océan, laissant au pays leur famille inquiète.

Engagés volontaires ou jeunes recrutés lors de la conscription, ils étaient devenus les combattants anonymes, dans un conflit où ils n'avaient rien eu à dire.

Mais voilà que, le *8 juin 1945*, sonnèrent les cloches de la victoire. Dans tous les coins de la région, les clochers des églises résonnèrent, provoquant une explosion de joie dans la population. Des drapeaux furent hissés sur tous les édifices importants et, pour souligner l'heureux événement, un jour de congé fut décrété.

Pendant que bien des mères fondaient en larmes en réalisant que leurs fils ne couraient plus de risque, les écoliers se réjouissaient de la fermeture des écoles.

Les cloches de la cathédrale de Chicoutimi sonnèrent longuement. Le maire Smith, Mgr Léon Maurice, vicaire général du diocèse, s'adressèrent à la population à partir du poste CBJ de Radio-Canada.

À Arvida, la journée fut soulignée par une messe solennelle, suivie d'une parade, d'un concert, avec fanfare et feux d'artifice.

---

9 juin 1971   # Soeurs fermières

Dans le but de procurer aux malades de l'hôpital Hôtel-Dieu Saint-Vallier une saine nourriture, les soeurs hospitalières avaient fondé une ferme en 1884. Elles voulaient également assurer aux malades des aliments en quantité suffisante et de qualité supérieure et mettre à la disposition des cultivateurs progressifs des nouveaux moyens de production, afin de faire rayonner l'agriculture du Saguenay, de développer, autant que possible, la mécanisation et obtenir de la terre le maximum de rendement.

Les soeurs possédaient le plus important troupeau de vaches laitières au Québec, le deuxième au Canada. La politique laitière, appliquée par le gouvernement, provoqua la vente des deux cent cinquante et une vaches Ayrshire de la ferme des soeurs hospitalières. La vente à l'encan eut lieu le *9 juin 1971*, à la ferme de la communauté, à Laterrière.

Soeur Marguerite Robin, économe de la communauté, expliqua que cette décision était la conséquence de la surpopulation laitière au Québec, ajoutant que leur production risquait de nuire à la réussite des agriculteurs du Saguenay–Lac-Saint-Jean. Les religieuses envisageaient de vendre leur quota de lait nature, qui était de mille cinq cent quatre-vingt-cinq livres par jour, ainsi que celui des deux cent dix-huit mille sept cent soixante-quatorze livres annuelles de lait pour la transformation.

La ferme n'allait pas fermer pour autant. Le jardinage et la culture maraîchère allaient leur permettre de produire du blé d'Inde, des fraises, des salades et des gourganes, produits écoulés sur le marché saguenéen.

---

10 juin 1972   # Une première assemblée

Parce que le regroupement des villes de Jonquière, Kénogami et Arvida avait provoqué bien des remous, les contribuables croyaient que la première assemblée du Conseil de la nouvelle ville de Jonquière serait mémorable.

Ils furent nombreux à y assister, mais, selon le rapport des médias, la séance fut longue et ennuyeuse.

Le 11 mars 1974, la paroisse de Jonquière et la municipalité de Kénogami votèrent une résolution visant à obtenir du ministère des Affaires municipales, la collaboration de spécialistes de la Commission afin de finaliser le rapport SNC. Rapport qui devait permettre la présentation d'une requête commune de regroupement de la part des municipalités comprises dans le secteur JAK, secteur décrété le *10 juin 1972*.

Pendant ce temps, la ville d'Arvida continuait de protester vivement contre la fusion. Un référendum, tenu le 3 mars 1974, avait démontré que plus de quatre-vingt-neuf pour cent de la population de cette ville refusaient la fusion avec Jonquière et Kénogami. La loi, sans tenir compte de l'opinion populaire, entra en vigueur le 1er janvier 1975. La fusion contrainte réunissait les trois villes en une seule : Jonquière.

La première séance publique de la nouvelle ville eut lieu le 13 janvier. Plus de quatre cent cinquante personnes étaient venues assister à ce « spectacle » qui, finalement, consista en la lecture de plusieurs procès-verbaux. Seuls, quelques citoyens animèrent cette assemblée en profitant de l'occasion pour faire part de leurs commentaires.

---

11 juin 1838   # Location de sièges

L'ingénieux Alexis Simard, premier colon du Saguenay, trouva le moyen de contourner la pauvreté des paroissiens. Pour amasser l'argent nécessaire à la construction de la première chapelle, il mit en vente les places assises de sa maison. Lieu de rencontre des colons, tant pour les soirées que pour les prières du dimanche, la maison d'Alexis devint source de profits. Le grand banc, la chaise berçante (la place la plus chère), la huche, le banc des seaux, les petits bancs, les bouts de madrier, les billes de pin, tout fut mis à prix. Il accumula ainsi la somme de 180 $.

Alexis Simard avait quitté La Malbaie avec vingt compagnons pour s'établir dans la région du Saguenay. Il était né à Cap-à-l'Aigle et débarqua sur les rives de la Baie des Ha! Ha!, le *11 juin 1838*. Les deux premières années, il fit la coupe du bois de commerce, la construction d'écluses et de moulins à scie. Il se choisit une terre où il bâtit sa maison. L'entreprise des Vingt-et-Un était à caractère commercial et industriel, mais, au printemps 1840, Alexis Simard défricha et ensemença un coin de terrain sur lequel il récolta cent minots de blé. Il abandonna l'exploitation forestière pour se consacrer entièrement à la terre, devenant le tout premier colon du Saguenay, en compagnie de sa femme Elisabeth Tremblay, venue le rejoindre avec leurs enfants l'automne de son arrivée à La Baie.

Premier défricheur, premier semeur et premier moisonneur, Alexis Simard mourut à l'âge de soixante et dix ans. Il fit don de sa terre à la Fabrique qui y bâtit le presbytère et l'église actuelle de Saint-Alexis.

---

12 juin 1938   Un fait remarquable

Alors que les Fêtes du centenaire de Chicoutimi battent leur plein, un fait surprenant fait la manchette des journaux : le frère du fondateur de la ville est présent aux cérémonies du *12 juin 1938*.

« La survivance, écrit-on alors, a réalisé à Chicoutimi un fait remarquable, vraiment extraordinaire et que l'histoire paraît n'avoir jamais signalé encore : qu'une localité ait, au centenaire de sa fondation, un frère de son fondateur. »

Le fondateur de Chicoutimi, Peter McLeod, mourut prématurément en 1852. À ce moment, son père était téjà remarié en troisièmes noces avec Marguerite Savard. Ils eurent trois filles et un fils que l'on prénomma Pierre, en souvenir du fils premier né. Le père de Peter McLeod, qui ne s'était jamais consolé de la mort de son aîné, voulait ainsi redonner vie au nom du défunt ou, comme il disait : « relever le nom du disparu ».

Baptisé le 11 juin 1854, Pierre hérita très vite du surnom de Peter, ou, plus souvent, de celui de « Pitre ». Pendant plusieurs années, Pierre McLeod revint chaque semaine à Chicoutimi, visiter les membres de sa famille installés au Saguenay.

Lors des Fêtes du centenaire de Chicoutimi, Pierre était le dernier survivant des dix-sept frères et soeurs du fondateur de la ville.

---

13 juin 1947   Ouragan à Saint-Prime

Des granges détruites, un homme et des chevaux blessés, des débris emportés par le vent à une distance d'un mille, voilà le triste bilan de l'ouragan qui s'est abattu sur Saint-Prime le 11 juin 1947.

Deux jours plus tard, le *13 juin 1947*, tous les journaux décrivaient le pénible spectacle qu'offrait la région sinistrée après le passage de l'ouragan. Le Soleil publia un article résumant l'événement qui affectait gravement la communauté de Saint-Prime.

« Un fort vent s'est soudain mis à souffler sur la région, atteignant une vitesse de quatre-vingts milles à l'heure. Une pluie torrentielle a suivi et, en cinq minutes à peine, il y avait plus de cinq pouces d'eau sur les routes. »

Dans le grand rang, entre Saint-Prime et Saint-Félicien, le cyclone emporta une dizaine de granges et d'étables. Des témoins déclarèrent avoir vu voler une carriole par-dessus le toit d'une grange, ajoutant qu'elle resta suspendue un moment, à vingt-cinq pieds de hauteur.

Dans le troisième rang, sept à huit granges furent jetées à terre par la violence du vent et les débris furent transportés à plus d'un mille de distance. Des poteaux furent arrachés.

Heureusement, la population de Saint-Prime ne déplora aucune perte de vie, bien qu'un homme ait été blessé ainsi que plusieurs chevaux.

---

14 juin 1910   **Un article virulant**

Les archives d'une société font parfois office de miroir et ce que l'on y voit n'est pas toujours flatteur. Les étrangers ont été l'objet d'articles virulents dans la presse régionale et la population catholique fut souvent alimentée par des écrits comme celui du Progrès du Saguenay publié le *14 juin 1910*, sujet traité pendant plusieurs semaines et concernant les Juifs.

« Nous ne pouvons pas dire : l'ennemi est à nos portes, les Juifs nous menacent. Il faut dire : le Juif a pénétré chez nous. C'est un fléau contre lequel nous n'avons pas voulu prendre les mesures préventives qui l'eussent écarté. Nous sommes déjà, par notre faute, victimes de cette peste qui ronge, qui décompose et qui tue les peuples chrétiens. Le problème juif s'impose à notre attention. Jusqu'à ces dernières années, nous avions si peu de Juifs dans notre province de Québec que nous étions bien excusables de ne rien savoir, ou à peu près, et sur leur compte et sur nos devoirs de catholiques par rapport à eux. Mais les choses ont bien changé. »

« (...) Dans toutes nos petites villes, à Chicoutimi autant qu'ailleurs, on en trouve des groupes de plus en plus nombreux qui grandissent vite si l'on n'y met pas de holà promptement et résolument. On nous en annonce mille qui viendront dans le cours de la saison qui s'ouvre. Pauvre province de Québec, si bonne jusqu'ici, prends garde à toi, c'est le virus de la décomposition et de la mort qui s'insinue en toi. Notre gouvernement, loin de nous protéger contre ce fléau détestable, nous livre à lui et le déchaîne sur nous. Les influences occultes, ici comme en Europe, font leur oeuvre sourde. Les ouvriers serviles et les coupables ministres ne leur manquent pas. »

---

15 juin 1939   **La savonnerie**

Qui veut se laver avec « Maria Chapdelaine » ? Cette interrogation aurait pu faire l'objet d'une publicité bien orchestrée pour annoncer les savons fabriqués dans la région auxquels le nom de l'héroïne de Louis Hémon fut donné.

La savonnerie du Lac-Saint-Jean avait ouvert ses portes le *15 juin 1939* dans l'ancienne bâtisse de la manufacture de canots de Roberval. Les propriétaires étaient Léonce Lévesque et Napoléon Caron.

Le capital investi avait été de vingt-cinq mille dollars. Avec une production de quatre mille livres de savon par jour, cette petite entreprise s'annonçait florissante. Sa capacité aurait pu atteindre un volume de trente mille livres par jour. Dès le début, une douzaine d'employés y travaillaient en permanence.

La manufacture comprenait le lieu de fabrication équipé d'une bouilloire géante, une salle d'assèchement et d'emballage, un entrepôt ainsi que les bureaux d'administration. En plus du savon, l'entreprise offrait à la population un produit spécial pour nettoyer les mains.

Les produits étaient écoulés principalement dans la région, mais aussi à Montréal et dans la Beauce. La savonnerie semblait vouée à un bel avenir, succès dû en grande partie à l'entente et à la collaboration qui existaient entre les propriétaires et leurs employés. Malheureusement, pour diverses raisons d'ordre économique, la savonnerie dut cesser ses opérations.

---

16 juin 1904 | **L'Hôtel Roberval**

Américain d'origine, Horace-Jansen Beemer ne manquait pas d'initiative ni d'ambition. Pendant qu'il construisait le chemin de fer au Lac-Saint-Jean, il mijotait déjà les plans d'un futur hôtel conçu pour attirer les gens fortunés en mal d'air champêtre.

Avec son associé B.-A. Scott, il fit construire un hôtel par l'entrepreneur Simon Peters. La bâtisse devait avoir trois étages, entourée de larges galeries et surmontée de trois tourelles. Il la nomma l'Hôtel Roberval.

La réputation de cet établissement ne tarda pas à se faire. À Québec, on ne jurait plus que par le Lac-Saint-Jean. Pour y loger une nuit, il fallait débourser deux dollars cinquante pour une chambre avec vue sur le lac.

Dans le livre « Histoire de Roberval », l'auteur décrit l'ambiance de l'hôtel : « Une trentaine d'hôtes séjournèrent à l'Hôtel Roberval durant la première semaine. Les fins de semaine de 1888 furent toutes consacrées à de grands galas. Toute la gente distinguée du Saguenay allait respirer les odeurs de la richesse, venue en train à vapeur, et côtoyer les étrangers. La moyenne des clients du Roberval était très riche. Et nos Robervalois, ils étaient bien aises de voir arriver, à chaque printemps, un flot d'étrangers avec de lourdes valises et parfois leurs valets de pied et leurs dames de compagnie ».

Le *16 juin 1904*, le journal Le Lac-St-Jean écrivait : « Multimillionnaires, rentiers et citadins en quête de chevauchées à travers le souffle large de la mer ou des champs vont aller d'un pas allègre chercher, de-ci, de-là, un coin de sol tranquille. (...) Ouvrons toutes grandes aux étrangers, à ces assoiffés de calme, la porte de nos paradis saguenéens ».

17 juin 1937	Quatre frères se marient

L'histoire ne dit pas si les frères Lavoie avaient trouvé le meilleur moyen d'éviter la jalousie ou l'impatience. Quoi qu'il en fût, ils se marièrent tous les quatre le même jour. La cérémonie fut considérée comme un événement inusité dans la petite histoire régionale et fut l'objet d'une manchette dans la presse.

« C'est arrivé hier, raconte le Progrès du Saguenay dans son édition du *17 juin 1937*. Un événement rare au Québec et peut-être même un précédent. »

Non contents d'être tous aussi pressés, les frères Lavoie étaient, en plus, particulièrement matinaux. La messe de leur mariage fut célébrée à cinq heures trente du matin par l'abbé Ernest Bergeron, curé de Saint-Félix. L'église était pleine de parents et amis venus pour la circonstance.

Le prêtre, pour sa part, fit d'une pierre quatre coups en bénissant les huit conjoints en même temps, procédant aux quatre mariages par une seule cérémonie.

Les quatre frères étaient les fils d'Edgar Lavoie de Grande-Baie. Rodolphe a épousé Cécile Dufour. Henri-Paul a choisi Gabrielle Gagnon. Raymond a épousé Maria Samuelson et Ernest, Blanche Gagnon. Les deux premiers couples se sont installés à la Grande-Baie, le troisième à Port-Alfred et le quatrième à Bagotville.

Aujourd'hui, ces trois villes n'en forment qu'une seule : Ville de La Baie.

18 juin 1909	Consécration d'une chapelle

Sir Charles Fitzpatrick, juge en chef du Canada, vint à Chicoutimi pour assister à un événement inusité qui rendait la communauté religieuse de Chicoutimi particulièrement fière. Il s'agissait de la consécration solennelle de la chapelle du Saint-Sacrement.

Un tel événement était une primeur dans le diocèse. Et pour cause. Pour mériter cet honneur, une église devait être totalement libre de toute dette. On n'en comptait que quelques-unes dans la province de Québec et la chapelle des Servantes du Saint-Sacrement était la première à être consacrée dans la région.

La présence de soeur Marie-Thomas, fille d'une riche famille de New York, parmi les religieuses, n'était pas étrangère à la bonne fortune de la communauté. La famille McGuire avait recommandé à sa succession de donner les sommes nécessaires à la construction de la chapelle. Don auquel deux des héritiers avaient ajouté un autel de marbre d'une valeur de trois mille cinq cents dollars et un ostensoir évalué à quatre mille cinq cents dollars. Mademoiselle McGuire avait été la première novice à prononcer ses voeux perpétuels dans ce temple.

La consécration de la chapelle des Servantes du Saint-Sacrement eut lieu le *18 juin 1909* sous la présidence de l'évêque du diocèse de Chicoutimi.

---

19 juin 1928　　　　　　　　　　**En route vers Québec**

Pour démontrer, une fois de plus, la pertinence d'une route entre Québec et le Lac-Saint-Jean, six résidents de Saint-Jérôme entreprirent de se rendre à Québec en automobile.

J.-H. Tremblay, marchand, Louis Tremblay, cultivateur, René Harvey, mécanicien, Antoine Gauthier et Léon Laliberté, commerçants, et Joseph Dufour, hôtelier, partirent à l'aube du *19 juin 1928* en direction de Québec.

Leur but était de démontrer la possibilité d'ouvrir une route carrossable entre Québec et le Lac-Saint-Jean, débouchant à Saint-Jérôme. Une partie de cette route existait déjà, faisant le lien entre les chantiers de la compagnie Price. D'autres chemins allaient bientôt être tracés par la compagnie, en prévision de la ligne de transmission d'électricité de l'Isle-Maligne à Québec.

Ils voulaient faire le trajet en une seule journée. Diverses avaries les contraignirent à abandonner une des voitures le long de la route. Mais ils arrivèrent à Québec à la nuit où ils furent accueillis par le maire, monsieur Samson, qui se montrait favorable au projet de route.

Des représentants de la Chambre de commerce, des membres du Conseil de ville et quelques délégués parlementaires les reçurent au Château Frontenac.

Forts de l'appui de tout ce monde rencontré à Québec, les porte-parole de Saint-Jérôme reprirent le chemin du retour et le voyage se fit sans encombre.

« Les hommes réfléchis, les maris sérieux recherchent ces femmes d'élite. » « Ils les attendent de nos maisons d'éducation. » Ainsi s'exprimait Mme Alphonse Desilets lors du cinquantième anniversaire de l'éducation ménagère agricole dont la célébration eut lieu le *20 juin 1932*. Au cours de ce demi-siècle, des milliers de jeunes filles avaient été formées à l'École ménagère agricole du Lac-Saint-Jean, dirigée par les Ursulines. On disait de ces élèves qu'elles étaient femmes « munies des connaissances requises en économie domestique qui peuvent figurer avec autant d'avantages à la cuisine qu'au salon, à la machine à coudre qu'au piano, à la lingerie qu'à la salle de banquet ».

La recette d'un foyer paisible et heureux ? Une femme consciente de tous ses devoirs. Le secret des familles nombreuses pour éviter la misère ? « Des mères et filles ingénieuses, averties, travaillantes et actives. Des femmes instruites dans les écoles ménagères, sachant coudre, cuisiner, laver, repriser. Des femmes parfaitement renseignées sur la conduite du ménage, sachant prévoir, choisir, dont le travail manuel est rémunérateur et économique. » Pour assurer aux jeunes filles un tel enseignement, le Département de l'instruction publique de Québec traça un programme d'économie domestique et rendit obligatoire l'enseignement ménager dans tous les couvents et académies de jeunes filles.

La première École ménagère agricole fut ouverte à Roberval par Mère Saint-Raphaël qui avait, pour cela, quitté Québec en 1882 avec six autres Ursulines. Elle voulait répondre à un besoin urgent : « la formation de femmes instruites de leurs devoirs d'épouses, de mères de famille, de ménagères parfaites et de collaboratrices utiles aux travaux du colon, du cultivateur et de l'ouvrier ».

---

21 juin 1893   **J.-E.-A. Dubuc**

« Un royaume dans un royaume » c'est ce que connurent les gens de la région au début du siècle. Le monarque en était J.-E.-A. Dubuc, surnommé alors roi de la pulpe au Saguenay.

Aussi, quand il tomba, toute la région se sentit déchue et il semble parfois qu'elle ne s'en est pas encore consolée.

Né le 21 janvier 1871, J.-E.-A. Dubuc fit ses études commerciales à Sherbrooke. À seize ans, à l'âge où nos jeunes fréquentent les écoles secondaires, il entrait comme commis à la Banque nationale. À vingt et un ans, il fut chargé d'organiser la succursale de Chicoutimi.

Il fut l'un des promoteurs de la compagnie de pulpe à Chicoutimi. Dès son arrivée, il se mit activement à la vie économique et sociale prenant à coeur le développement de la région.

Lorsqu'il s'intéressa à la compagnie de pulpe, il quitta son emploi à la Banque nationale pour se consacrer uniquement à son nouveau projet. Mais la faillite d'une compagnie de Londres eut des répercussions néfastes sur la jeune industrie qui, faute de capital, ne put pas traverser l'épreuve. La compagnie de pulpe de Chicoutimi ferma ses portes en 1923.

Dubuc avait épousé Anne-Marie Polardy de Saint-Hugues le *21 juin 1893*. Ils eurent quinze enfants dont seulement cinq vécurent. Élu député fédéral en 1926, il s'intéressa à la compagnie de téléphone Saguenay-Canada, à la société d'éclairage et d'énergie électrique du Saguenay et à des entreprises de construction.

---

22 juin 1673   **Nicolas Peltier**

Personnage original, Nicolas Peltier vécut au Saguenay dans un lieu qui conserva son nom. En effet, sur la carte de la partie du Domaine des postes du Roy, visitée en 1732 par l'arpenteur Joseph-Laurent Normandin, on indique qu'à 183 milles du lac Saint-Jean se situe l'établissement de M. Peltier. Cette présence intrigua Arthur Buies qui s'imagina un personnage fantastique : « Était-ce un coureur des bois, un philosophe ou un ermite ? Aucune tradition ne nous éclaire à ce sujet, contentons-nous d'admirer l'audace et le courage d'un homme qui pouvait vivre un pareil exil, entouré de tous les dangers et capable de les braver également tous. »

Nicolas Peltier ne suscita pas la même admiration chez tout le monde. Mgr Amédée Gosselin se fit même sévère pour celui-ci : « Il n'était ni un philosophe, ni un ermite, mais un coureur des bois, un commis de messieurs les intéressés et, ce qui est plus grave, un Canadien français de naissance, devenu sauvage de moeurs. Et il n'était pas un colon comme le supposait Ouistchouan en 1903 ».

Né au Canada, Nicolas Peltier fut baptisé le 2 mai 1649 à Sillery. En 1673, il épousa une Indienne montagnaise après avoir obtenu une autorisation spéciale de l'autorité religieuse qui lui fut accordée par Mgr de Laval le 22 juin 1673. Cette permission fut transmise par la voix de l'abbé Jean Dugaugt en ces termes : « (...) avons permis à Nicolas Peltier, fils de Nicolas Pelletier et de Jeanne Vaussey, d'épouser en face de l'Église Madeleine de Caussez, sauvagesse Montagnaise, veuve de défunt Augustin à condition qu'il résidera avec sa femme non dans les bois parmy les sauvages mais en son habitation avec les Français et que leurs enfants seront élevés dans les moeurs et la langue française. (...) »

Le père Honorat

Pour libérer les colons de la dépendance dans laquelle les maintenait une grosse compagnie de Grande-Baie, le curé Honorat eut l'idée d'implanter des familles à Laterrière, sous forme d'une colonie agricole libre, inspirée de modèles européens. Le *23 juin 1849*, le père Honorat écrivait : « l'oeuvre est achevée ».

Une grande plaine s'étendait entre la rivière du moulin et la rivière Chicoutimi, à une douzaine de milles de la rivière Saguenay. Un feu avait ravagé tout ce qui était sur son chemin et ce lieu avait été appelé le Grand-brûlé. Il ne restait plus qu'à labourer.

Un colon avait tenté l'expérience d'y semer six minots de blé. Il récolta plus de deux cent treize minot. Devinant que cette terre était prometteuse, quelques colons s'y installèrent en 1845. Mars Simard, pionnier de Bagotville, fut le premier à choisir six à sept lots. L'année suivante, le père Honorat y amena tout un groupe provenant de Grande-Baie.

Le père fit construire un moulin à scie qui fonctionna si bien que, le 8 janvier 1847, se profilait la perspective de faire un moulin à farine. Ce moulin était avantageux pour les colons qui purent construire leur maison sans débourser d'argent, payant en bois les frais de sciage.

« Ils étaient donc exempts de toute dépendance envers les rois du bois, Peter McLeod et William Price », écrivit le père Honorat qui favorisa ensuite la construction d'un moulin à farine et d'un chemin praticable pour aller à Bagotville.

« J'ai la consolation d'avoir fait vivre là, l'hiver dernier, cette population, avec le travail de notre moulin, le seul peut-être qui ait marché cet hiver au Canada pour l'intérêt des pauvres. »

Le père Honorat se fit des ennemis qui attaquèrent sa réputation, l'accusant de créer la zizanie et d'enseigner le communisme. À la fin de juillet 1849, il dut s'exiler.

Côteau-du-Portage

Le Côteau-du-Portage fut témoin de la naissance de la région du Saguenay. Avant la colonisation, les missionnaires et les commerçants passaient à cet endroit pour le commerce des fourrures et l'évangélisation des Indiens. Pendant cent cinquante ans, il fut le siège d'un poste de commerce et d'une mission. Deux chapelles y furent construites bien avant l'arrivée des colons. La première dura cinquante ans, la seconde, construite sur les ruines de la chapelle précédente, dura cent trente ans.

Vu l'importance historique de ce lieu, la Société historique du Saguenay proposa, lors d'une assemblée, d'ériger un monument au Côteau-du-
Portage et de le dévoiler le *24 juin 1937*. Ce monument aurait pour mission
de commémorer l'oeuvre accomplie par les missionnaires, les traiteurs et les
colons.

Parmi les personnages à honorer, il y avait le père Jean de Quen,
découvreur du lac Saint-Jean et premier blanc à s'aventurer jusqu'à Chicoutimi. Il y avait aussi le père Albanel, Denis de Saint-Simon, Aubert de la Che-
naye, organisateur du commerce des fourrures, Charles Bazire, constructeur
des premiers postes de Chicoutimi et de Métabetchouan.

La population n'oublia pas non plus le père de Crépieul qui resta près
des Montagnais pendant trente et un ans et qui fit construire la première chapelle de Chicoutimi.

---

25 juin 1880   # L'exode

Pour mettre fin à l'exode des Canadiens français vers les États-Unis
et raviver la colonisation, il fallut provoquer un mouvement de masse afin
de mettre fin à l'inertie du gouvernement. Un grand congrès de la colonisation fut convoqué pour le *25 juin 1880*, auquel se prépara le Saguenay–Lac-
Saint-Jean.

Vers 1879, le mouvement de la colonisation était au ralenti. Sur les
75 sociétés reconnues officiellement par l'État, deux ou trois seulement étaient
encore actives. Les colons, individuellement, tentaient bien leur chance mais
ce n'était pas suffisant. «Les défenseurs de la colonisation s'en rendaient
bien compte, lit-on dans Économie régionale du Saguenay–Lac-Saint-Jean
et ils se scandalisaient de l'entêtement du gouvernement à soutenir ces sociétés moribondes».

Le Parti de la colonisation invita la Société nationale des Canadiens
français à épouser leur cause «de la conquête du sol». Un grand congrès
fut prévu pour les 25 et 26 juin 1880, dans la capitale. À cette occasion, plusieurs résolutions furent votées dont l'arrêt, par tous les moyens, de l'exode
des jeunes vers les États-Unis et même d'envisager leur rapatriement au
Canada. Tâche qui fut confiée aux gouvernements fédéral et provincial, au
clergé et à certaines compagnies.

Le gel de la manne bleue

Malgré le tort considérable causé aux producteurs de bleuets par des gelées tardives, la population de Mistassini célébra la « manne bleue ». La presse locale publia le programme de la 26e édition du Festival du bleuet de Mistassini dans son édition du *26 juin 1986*.

Sous le thème « Le Bleuet maître chez nous », le festival allait axer ses activités sur la connaissance et la promotion du bleuet. Quatre jeunes filles tentèrent leur chance pour devenir la Fée du bleuet. Et tout fut mis en branle pour que, du 3 au 10 août, les concours populaires du mangeur de tarte, du portageur de boîtes, puissent prendre un élan régional.

La tenue de ce 26e festival démontrait la ténacité d'une population qui refusait d'abandonner la partie, malgré les difficultés engendrées par le gel.

« Les gelées tardives du mois de juin ont compromis presque totalement la saison de cueillette des bleuets au Lac-Saint-Jean. Les pertes sont considérables et elles se chiffrent par plus de deux millions de dollars. »

« La région sera privée de sa manne bleue, écrivait le 11 juin 1986, l'éditorialiste du Quotidien, Bertrand Tremblay. Une catastrophe frappe le Lac-Saint-Jean. Les fluctuations brutales de la température, la semaine dernière, ont détruit l'essentiel de la récolte. La perte est énorme. Elle se traduit par un manque à gagner important chez les cueilleurs et les exploitants. L'accident atmosphérique, qui a fait passer la région, en quelques heures, des douceurs de la Floride aux rigueurs du cercle polaire, étouffe aussi, l'espace d'un été, la fête de la cueillette. Il ne restera, cette année, que le Festival de Mistassini. »

Premier téléphone

Le téléphone est arrivé ! Émerveillement au Saguenay où la population attend impatiemment l'installation des lignes. Le *27 juin 1895*, le Progrès du Saguenay qui, comme le téléphone, appartient aux Guay annonce la bonne nouvelle : « La compagnie du téléphone du Lac-Saint-Jean, formée depuis quelques semaines est à faire l'installation de ses instruments. P.-A. Guay sera rendu la semaine prochaine à Hébertville avec sa ligne téléphonique. S'il y a connection, toutes les paroisses des deux comtés seront reliées entre elles ».

Trois ans après l'invention et la première démonstration du premier appareil de téléphone, un essai fut tenté à Chicoutimi, comme le racontent les annales du Séminaire : « 1879, avril 30, mercredi. Sur la façade du Séminaire qui se trouve du côté du Saguenay, on voit de nombreuses lignes de fil de fer et de cuivre qui vont de la chambre de M. Roberge à celle de M. Dufresne en envoyant des embranchements à la chambre de M. Huart. Que signifie tout cela ? C'est une ligne télégraphique et téléphonique. Lundi matin avait lieu la première expérience, avec un téléphone construit par M. Roberge, entre sa chambre et celle de M. Huart ».

M. Roberge et M. Dufresne s'étaient associés pour acquérir un appareil américain devant permettre la communication à une distance d'un mille. Près d'un millier de ces appareils furent vendus en moins de trois mois. « La merveille arriva escortée de notables frais d'express, de douane et de poste ».

Les pionniers du téléphone persistèrent et, le 16 septembre 1886, le Réveil confirmait l'existence d'une communication téléphonique entre le Séminaire et les principaux édifices de Chicoutimi.

---

28 juin 1892   **Ludger Alain**

En 1885, alors qu'il était clerc-avocat, Me Ludger Alain partit avec Edmond Savard faire la campagne du Nord-Ouest contre les Indiens, dans le rang du 9e bataillon de Québec. De retour le 29 juillet 1885, ils furent reçus comme des héros : feu d'artifice lancé en leur honneur, pyramide élevée avec des planches et des barils vides de goudron avec des branches résineuses pour faire un imposant brasier, feux de joie allumés sur les heuteurs de Sainte-Anne en réponse aux feux de Chicoutimi, acclamations, processions, fusillade, cannonade.

Il ne manquait que la fanfare pour cette mascarade... Il en a fondé une un peu plus tard, en juin 1888 : l'Union musicale dont il fut le premier directeur musical. Il avait acheté vingt-cinq instruments de musique provenant directement de Paris. Ils avaient été exposés plusieurs jours dans la maison Bernard et Allaire de Québec avant d'aboutir entre les mains des musiciens de l'Union musicale.

Né en 1865, Me Ludger Alain épousa Marie-Maude Chaperon de La Malbaie le *28 juin 1892*. Ils eurent quatorze enfants dont la plupart moururent en bas âge.

Décédé à Québec le 11 juin 1922, les funérailles de Me Alain eurent lieu à la cathédrale de Chicoutimi en présence des plus hautes autorités de la magistrature.

---

29 juin 1900   **Transporter une chapelle**

Pour avoir leur propre chapelle, les Indiens de la réserve de Pointe-Bleue n'hésitèrent pas à s'approprier celle du poste de Métabetchouan et à la transporter sur les glaces du lac Saint-Jean. Elle fut restaurée en **1899**, munie d'un clocher et bénite solennellement par Mgr Labrecque le *29 juin 1900*.

La réserve de Pointe-Bleue fut créée le 6 septembre 1856. Jusqu'en 1875, la mission demeura au poste de Métabetchouan sous la direction des Oblats de Marie-Immaculée. Pendant quatorze ans, les missionnaires n'y vinrent donner qu'un service saisonnier. Entre-temps les Indiens relevaient du curé de Notre-Dame du Lac.

Il fallut attendre le 9 septembre 1889 pour que les Oblats s'y installent en permanence, sous la direction du père Charles Arnaud. La paroisse existait sans statut officiel.

Le nom de Saint-Charles Borromée fut donné à la chapelle de Métabetchouan en l'honneur d'un bienfaiteur du nom de Sieur Charles Bazire. Lorsque les Indiens s'installèrent à Pointe-Bleue, Sieur Bazire en fit autant.

---

30 juin 1898   # Le passage des Doukhobors

Les terres du Lac-Saint-Jean intéressèrent fortement des délégués des Doukhobors venus visiter la région avant de poursuivre leur voyage vers l'Ouest canadien. Le *30 juin 1898*, ils rencontrèrent le ministre de la Colonisation pour obtenir des terres au Lac-Saint-Jean à des conditions meilleures que celles faites aux autres colons. Le ministre refusa d'accorder ces terres et suggéra aux Doukhobors de tenter de les acquérir aux conditions habituelles. Cette requête ne manqua pas d'inquiéter l'éditorialiste du Progrès du Saguenay qui écrivit les propos suivants : « La demande est fort prétentieuse. Il nous semble que c'est déjà assez de les faire venir à grands frais au pays sans qu'on leur fasse des conditions plus faciles ».

Reconnaissant que les délégués des Doukhobors avaient créé une bonne impression chez les pères Trappistes de Mistassini et qu'ils avaient de l'expérience en agriculture, le rédacteur se demanda si, malgré tout, la présence de ces Russes était dans l'intérêt du pays.

« Ces gens prétendent n'avoir jamais rien vu d'aussi beau pour l'agriculture que la vallée du Lac-Saint-Jean. Ils veulent rester au Québec plutôt que de continuer vers l'Ouest. Nous sommes convaincus que l'établissement de ces immigrants au milieu de nous serait extrêmement mal vu de nos populations chrétiennes. »

Le journaliste leur reprochait, entre autres, leur religion, leur vie communautaire, leur refus de porter les armes même pour défendre leur pays contre des agresseurs et le fait qu'ils se baignaient tous ensemble « hommes, femmes et enfants in naturalibus ».

.

Le pont d'aluminium, le premier au monde à être ainsi construit. Il fut inauguré par le premier ministre du Québec, Maurice Duplessis.

(Photo: Le Quotidien)

Le chômage et Léa

Le premier chèque d'assurance-chômage, émis par le bureau nouvellement installé à Chicoutimi, fut donné à Léa Gagné. Pour la circonstance, E.-C. Desormaux, secrétaire de la Commission d'assurance-chômage à Ottawa, était présent. Il remit le chèque à Léa Gagné en présence de M.-P. Grenier, directeur du personnel du bureau local de placement et de réclamation.

La remise de ce chèque marquait, dans la région, le début de ce qu'on appelait la deuxième phase du plan d'assurance-chômage. La première phase, la perception des contributions, avait commencé le *1er juillet 1941*.

La loi prescrivait qu'un ouvrier devait avoir contribué pendant cent quatre-vingt jours avant de toucher des prestations. Ce qu'avait fait Léa Gagné, remplissant également les autres conditions prévues par la loi de l'assurance-chômage. Dès ce jour, les réclamations de prestations étaient reçues dans toutes les parties du Canada.

Léa Gagné eut l'occasion d'être doublement félicitée par E.-C. Desormaux car elle avait réussi à trouver un nouvel emploi par l'intermédiaire du bureau de Chicoutimi.

À cette époque, la caisse de l'assurance-chômage comptait trente-trois millions de dollars. Sa bonne situation financière lui permit même de prêter dix millions de dollars à la Victoire.

Des trottoirs

Reconnaissant que les piétons éprouvaient certaines difficultés en saison pluvieuse, le Conseil de la Ville de Chicoutimi décréta la construction de son tout premier trottoir, le *2 juillet 1860*. Ce trottoir devait longer le chemin décrété, le 19 juin 1851, soit neuf ans après l'installation à Chicoutimi de colons, d'industriels et de marchands.

Pour décider de la construction de ce chemin, il y eut une séance du Conseil de comté à Grande-Baie. John Guay y fit la proposition suivante :

« Ce chemin serait fait à partir de la rivière Chicoutimi près du moulin à farine, suivra le plus possible le bord du Bassin jusqu'à la rue située à deux acres du Saguenay. Là, le chemin joindra la rue, la suivra jusqu'à la ligne entre Louis Morel et Peter Blackburn, montera le côteau qui la voisine, ira jusqu'au bout nord-est de l'église, joindra le chemin de communication actuel, suivra jusqu'à vis-à-vis la maison de F.-X. de Sales Laterrière et continuera aussi droit que possible pour aborder le chemin des Dallaire sur l'écore de la rivière Saguenay jusqu'à la rivière du Moulin, débouchera aussi près que possible du hangar à foin de Peter McLeod, vis-à-vis du chemin demandé par M. Lachance. »

Plus tard, ce chemin allait être mieux connu sous les noms de rue Racine, rue Price, rue Montcalm et boulevard de Rivière-du-Moulin.

3 juillet 1948   Boulevard Talbot

On peut facilement deviner l'impatience de la population à l'approche de la fin des travaux de construction du boulevard Talbot. Cette route devait permettre aux automobilistes de se rendre à Québec en deux fois moins de temps qu'il ne le fallait par Saint-Urbain. Le *3 juillet 1948*, quatre cents membres des Chambres de commerce de la région visitèrent les travaux en compagnie du ministre de la Voirie, Antonio Talbot.

L'ouverture de la route était prévue pour l'automne. En attendant, ce fut le ministre lui-même qui expliqua aux visiteurs les différentes phases de la construction et la marche des travaux. Le 26 octobre, bien que la route ne soit pas officiellement ouverte à la circulation, on pouvait se rendre sans encombre jusqu'à Québec.

Il y avait trois départs quotidiens en direction de Québec. Ce n'est qu'en 1952 qu'un départ pour Chicoutimi-Montréal fut annoncé.

4 juillet 1836   John Kane

L'arrivée des colons en 1838 à la Grande-Baie, ne tarda pas à mettre le gouvernement dans l'obligation d'envoyer un agent des terres dans la région. Ce fut John Kane, notaire aux Éboulements, qui fut choisi comme premier titulaire de cette charge. Il arriva à Grande-Baie en 1842.

John Kane était le fils d'un immigrant d'origine irlandaise. À la mort de son père, il avait été adopté par Pierre Gagnon de l'Île-aux-Coudres qui veilla à le faire instruire. Le *4 juillet 1836*, John devenait notaire. Il s'installa aux Éboulements et y demeura jusqu'à ce qu'il soit nommé agent des terres du Saguenay.

La tâche qui l'attendait dans sa nouvelle région était ardue. Tout était à faire, à commencer par rassembler des personnes compétentes pour occuper les fonctions de premier plan. John Kane, par sa double fonction de notaire et d'agent des terres, fut choisi par la population pour figurer en première place dans l'organisation municipale, judiciaire, politique et agricole. Il fut élu maire de Bagotville peu après la fondation du conseil de la municipalité de comté et préfet de la région à l'assemblée du 1er août 1855.

En 1858, John Kane devint le premier maire de la nouvelle municipalité de Grande-Baie. Il fut également le premier président de la Société d'agriculture du Saguenay.

---

5 juillet 1924   # Éloge et monument

Propos d'hier empreints d'émotion, ils n'en sont pas moins le reflet de la pensée d'une époque pas si lointaine où la population se sentait fière de ses ancêtres et de leur détermination, comme en témoigne un texte recueilli parmi d'autres, daté du *5 juillet 1924* et concernant le monument des Vingt-et-Un.

« Le monument des Vingt-et-Un s'élève maintenant à l'endroit où fut récolté le premier blé de notre région. (...) Je n'ai pas fouillé les journaux du temps mais je serais fort surpris qu'un seul eût simplement annoncé que vingt et un citoyens d'une vieille paroisse de Charlevoix partaient pour aller coloniser le Royaume du Saguenay. Ce journal là eût annoncé la nouvelle la plus importante, je ne dirai pas de l'année, mais de tout le siècle dernier. »

« (...) Lorsque les vingt et un quittèrent leur maison paternelle, nul d'entre eux ne songea qu'il donnait à sa patrie le meilleur de son territoire, qu'il était un conquérant. Oh ! pas dans le sens admis généralement, car on appelle conquérant celui qui détruit plus qu'il n'édifie, qui vole ce qu'il donne, qui torture un peuple pour en faire jouir un autre. C'est la force de l'incendie, de la tempête. Je préfère ces humbles héros qui laissent l'abondance derrière eux, qui loin de chasser les peuples devant eux leur ouvrent la voie. »

Lors de la bénédiction du monument, on fit l'appel des vingt et un. Pour chaque nom cité, un des descendants répondit « présent ».

---

6 juillet 1926   # Le monument Hébert

Antoine Hudon, dernier pionnier vivant d'Hébertville, dévoila le monument Hébert érigé en hommage au curé fondateur de cette paroisse, le *6 juillet 1926*. Quatorze petits garçons déposèrent chacun une couronne au pied du monument en souvenir des premiers colons qui passèrent l'hiver 1850-1851 au Lac-Saint-Jean. Antoine Hudon, dernier survivant, devait mourir à son tour, le 10 novembre 1932, à l'âge de cent ans.

C'est l'abbé Jérémie Gagnon qui, en 1923, lança l'idée d'un monument à la mémoire du curé Hébert et des pionniers. Un comité fut formé incluant le ministre provincial Émile Moreau et les maires Arthur Tremblay et Gaudiose Guérard. Une campagne de souscription fut organisée pour recueillir les fonds nécessaires à la réalisation du projet.

Le monument Hébert fut élevé au village d'Hébertville, le long de la route régionale. Il repose sur un socle de granite bleu et porte l'inscription suivante : « Au Rév. N.-T. Hébert. La région du Lac-Saint-Jean reconnaissante ». Une gerbe de blé a été sculptée dans la pierre ainsi qu'une croix et une faucille. Un piédestal de granite rouge supporte la statue de bronze qui représente l'abbé Hébert montrant à un colon qui l'accompagne les vastes champs qui s'offrent à lui.

---

7 juillet 1909   Ovide Bossé

Le shériff Ovide Bossé, un des fondateurs de la ville de Chicoutimi, décéda le *7 juillet 1909*, à l'âge de quatre-vingts ans et onze mois. Au cours de son existence, il cumula de nombreuses fonctions : premier laïc à occuper le poste de président de la Commission scolaire de Chicoutimi, deuxième maître des postes, premier shériff du district judiciaire de Chicoutimi, premier gérant de banque en exercice à Chicoutimi, sans compter les diverses associations culturelles dont il fit partie à titre de secrétaire ou de président.

Né le 24 août 1828, à Sainte-Anne-de-la-Pocatière, Ovide Bossé était le fils de Maurice Bossé et de Restitue Ouellet. Il eut pour frère Mgr F.-X. Bossé, premier préfet apostolique du golfe Saint-Laurent et pour soeur, Soeur Saint-Joseph, première recrue saguenéenne chez les Filles de la Miséricorde de Jésus et administratrice réputée de l'Hôtel-Dieu Saint-Vallier devenu l'Hôpital Chicoutimi.

Notaire depuis le 5 novembre 1850, Ovide Bossé, dressa son premier acte le 19 novembre 1849 à Chicoutimi, où il était venu pour un court séjour. Le 23 mai 1850, il s'installa définitivement au Saguenay et construisit sa maison dans un des quartiers où s'élèvent aujourd'hui la cathédrale, le palais épiscopal, le séminaire, le Couvent du Bon-Pasteur et l'Hôpital Chicoutimi.

Le 11 novembre 1850, Ovide Bossé était nommé Grand voyer pour la municipalité numéro 2 du comté de Saguenay, au début d'une brillante carrière.

---

8 juillet 1862   Désiré Côté offre ses services

La bonne volonté ne suffit pas toujours. Désiré Côté pouvait bien proposer aux passagers du Magnet de les conduire à Chicoutimi, à Terres-

Rompues ou au Lac-Saint-Jean, les chroniqueurs s'amusaient à lui faire remarquer l'absence de route pour aller à ces divers endroits. Aussi, en s'adressant aux passagers du vapeur, le *8 juillet 1862*, pour offrir ses services, il anticipait quelque peu. Un bon chemin existait bien entre Bagotville et le Grand-Brûlé (Laterrière), mais pour venir à Chicoutimi et à Hébertville les calèches n'avaient guère d'endroits où poser la roue.

Comme dit un chroniqueur des années trente : « Il ne faudrait pas penser que ce sont les calèches de Désiré Côté qui ont tué les poules de nos grands-mères sur les chemins du Roi et sur les routes du pays saguenéen. Les chemins d'alors ne se prêtaient guère aux excès de vitesse, lors même qu'ils permettaient de circuler en calèche ».

En fait, on ne se rendait pas aux Terres-Rompues en voiture, le pont étant encore un rêve lointain et, pour atteindre le Lac-Saint-Jean, il n'y avait que « le chemin des chiens », sentier de portage à peine bon pour les voitures d'hiver. De plus, les rivières n'avaient pas de pont et les colons de Pointe-Bleue (Roberval), de Pointe-aux-Trembles (Chambord), du Poste (Desbiens), de la rivière Coushpaiganish (Saint-Jérôme) voyageaient par les rivières et les lacs.

9 juillet 1903	**Mort d'un enfant**

Lors d'un procès pour négligence criminelle, le père et la mère de la petite victime ne furent pas tenus également responsables. Le jugement rendu à Chicoutimi, le *9 juillet 1903*, fut plus sévère à l'égard de la mère que du père, même si tous les deux avaient été en état d'ébriété lors de l'accident qui causa la mort de leur enfant.

Le Progrès du Saguenay relata l'événement dans son édition du 10 juillet 1903. Mathias et sa femme Philomène, deux Amérindiens résidents à Sainte-Anne, avaient, écrit-on, un fort penchant pour l'eau de feu. Conduits par le charretier François Gagnon, ils étaient en route vers le bois, accompagnés de leurs deux enfants, une fillette de cinq ans et un bébé de quelques semaines.

Ils étaient arrivés à Saint-Fulgence lorsque le charretier constata que le bébé n'était plus dans les bras de sa mère. Regardant vers l'arrière, il vit le corps de l'enfant sur la route ; les deux parents, ivres tous les deux, ne s'étaient pas rendu compte de sa chute. M. Gagnon rebroussa chemin mais le petit était déjà mort.

Les parents furent arrêtés quelques mois plus tard. Au premier jour du procès, ils n'étaient représentés par aucun avocat. Au second jour, ce fut Me Belley qui assura leur défense. Le jugement rendu fut différent pour le père et la mère. Le père fut libéré sur le champ « vu qu'il n'y avait contre lui aucune preuve de négligence coupable ». La mère fut condamnée à subir son procès aux assises criminelles. Elle ne put retrouver sa liberté faute de trouver les mille dollars exigés comme caution.

---

10 juillet 1904   # Épiphane Gagnon

Pour son ingéniosité, son courage et sa générosité, Épiphane Gagnon fut un des personnages marquants de la petite histoire du Saguenay. Passeur attitré pour les gens de Chicoutimi et de Sainte-Anne, il se distingua aussi par ses exploits, notamment lorsqu'il se porta au secours de deux hommes sur la glace encore fragile de la rivière Saguenay. Acte pour lequel la Ville de Chicoutimi lui décerna une médaille de bronze le *10 juillet 1904*. Épiphane Gagnon était père de dix enfants qu'ils avaient adoptés et qu'il fit instruire.

C'est cependant comme passeur qu'il se fit surtout connaître. Aucun pont ne reliant la rive nord à la rive sud du Saguenay, il conçut un « horse-boat » de fortune à partir d'un vulgaire chaland. Un quai de fortune avait été construit à deux cents pas du rivage. Pour atteindre ce quai, simple pilier d'environ quarante pas, Épiphane avait fabriqué un pont flottant fait de madriers attachés ensemble. Ainsi équipé, il s'occupa de la « traverse » du Saguenay jusqu'en 1896.

Pour améliorer le service, Épiphane acquit un superbe bateau, le « Marie-Louise », grâce auquel le Conseil de ville lui accorda le contrat de la traverse jusqu'en 1908.

---

11 juillet 1914   # La terre promise

La maison du Conservatoire de musique de Chicoutimi avait initialement une autre vocation. Le Séminaire avait pris l'initiative de faire construire ce bâtiment pour y loger les religieuses chargées du soin des prêtres. Le 25 mai 1913, Mgr Eugène Lapointe, supérieur du Séminaire, avait remis le croquis de la future maison à l'architecte René Lemay de Québec. La bâtisse, réalisée par l'entrepreneur Morissette, fut en partie payée par des dons.

Le *11 juillet 1914*, les religieuses prenaient possession de leur nouvelle résidence qu'elles appelèrent « la terre promise ». Ce terme ne manqua pas d'inspirer à leur aumônier, l'abbé Simon Bluteau, une réplique dont il leur fit part le lendemain : « Pour vous mes soeurs, les deux années passées sans monastère représentent les quarante années des Israélites dans le désert. Maintenant rendues chez vous, il vous reste à combattre les Cananéens qui sont les ouvriers et les tas de planches çà et là ».

Le 2 août 1934, les religieuses quittèrent cette maison, mettant fin à la première carrière de cet édifice.

Cette maison devint le Conservatoire de musique, sous l'instigation de l'honorable Jean-Noël Tremblay, député de l'Union nationale et ministre des Affaires culturelles.

---

12 juillet 1853   ## Deuil pour Ovide Bossé

Figure dominante dans l'histoire de Chicoutimi, Ovide Bossé multiplia les fonctions de premier plan dans la vie économique, sociale et judiciaire de la région. Arrivé à Chicoutimi le 23 mai 1850, après un premier séjour qui avait su le convaincre des possibilités de cette nouvelle région, Ovide Bossé épousa une fille de Grande-Baie, Delphine Rousseau, le *12 juillet 1853*. Ce mariage allait être suivi de deux autres, mais laissons un historien de la région, Léonidas Bélanger, raconter ce passage de la vie du shériff, en reprenant un extrait de Saguenayensia de janvier 1968.

« Penser aux autres c'est se dévouer, mais le notaire, en homme pratique, pensa aussi un peu à lui et le 12 juillet 1853, il épousa à Grande-Baie Mlle Delphine Rousseau qui mourut le 22 avril 1855 en mettant au monde son deuxième enfant, Louis-Ovide Jean, qui ne vécut que deux mois. Rousseau n'avait que vingt-six ans. »

« Le jeune notaire fut profondément affecté par cette mort, d'autant plus qu'il restait seul et loin de sa famille. De plus, ses nombreuses occupations le tenaient éloigné de son foyer et sa maison, privée du concours d'une épouse fidèle, soucieuse de son bien-être, était assez négligée. Cela le força à se remarier assez tôt et, dès le 20 mai 1956, il épousait à Chicoutimi Mlle Sophie Fraser, fille du lieutenant-colonel de milice Hubert Fraser et de feue Elisabeth Dubord de l'Isle-Verte. Sa femme était alors institutrice à Chicoutimi. De cette union il eut douze enfants. Sophie Fraser décéda à Chicoutimi le 8 octobre 1874. Elle était âgée de quarante-quatre ans. Le 17 octobre 1876, le notaire Bossé épousait en troisième noces, Henriette-Nathalie Fraser. »

---

13 juillet 1950   ## Propos de Duplessis

Annoncée par le journal Le Lingot, le *13 juillet 1950*, l'inauguration du premier pont d'aluminium au monde eut lieu en présence du premier ministre du Québec, Maurice Duplessis, accompagné de nombreux députés et représentants des villes. Une foule de cinq mille personnes était massée aux abords du pont d'aluminium d'Arvida construit dans un décor féérique.

Un service d'ordre veillait à diriger la circulation aux approches du pont où, précédé d'une fanfare d'Arvida, Maurice Duplessis devait s'adresser à la population venue partager ce moment historique. Il en profita pour faire appel au patriotisme désintéressé du peuple au profit de la province.

« Destiné à relier deux rives dont il contribua au développement par les communications faciles qu'il établit entre elles, le pont est également un symbole de la coopération qui devrait exister entre les deux races, entre les diverses religions existantes dans notre pays, entre le patron et l'ouvrier, entre le capital et le travail. Il symbolise admirablement ce lien nécessaire à la prospérité d'une région, d'une province, d'une nation. Il indique qu'il faut s'élever au-dessus des intérêts partisans et travailler dans un commun accord d'esprit et d'effort pour assurer la survivance de notre race et la prospérité de la province dont l'intérêt doit primer. »

---

14 juillet 1873   ## Condamnation à Chicoutimi

Le *14 juillet 1873*, Josephte Tremblay, accusée du meurtre de Joseph-Félix Dufresne, fut déclarée non coupable par les jurés. Ce n'était pas le premier procès pour meurtre à la Cour de Chicoutimi qui se soldait par un verdict de non-culpabilité, cette cour acquittant plus souvent qu'elle ne condamnait.

La Cour supérieure du district de Chicoutimi fut présidée pour la première fois le 13 février 1862 par Juge David Roy. Certaines causes eurent un impact plus retentissant que d'autres, comme celle d'un cultivateur de Saint-Fulgence accusé du meurtre de Joseph Laforest. La Cour était présidée par le juge J.-A. Gagné, la Couronne était représentée par Me Ludger Alain et la défense par Me Belley qui présenta un plaidoyer de légitime défense. Après des délibérations de trois quarts d'heure, les jurés rendirent un verdict de non-culpabilité.

Une seule fois à Chicoutimi, un verdict entraîna la mise à mort. Il s'agissait de Pepitone Gaetano, accusé du meurtre de John McNally. La Couronne était représentée par Me Adjutor Boulianne et Me Valmore Bienvenue. L'accusé était défendu par Me Elzear Lévesque et Me Alleyn Taschereau. C'est le juge Ernest Roy qui présida les assises. Condamné à mort, Gaetano fit appel mais le verdict fut maintenu. Il monta à l'échafaud le 11 janvier 1920 à 5 h 30 du matin.

Un seul autre procès pour meurtre commis dans la région, entraîna la peine de mort. Cependant, les trois accusés furent pendus à Québec. Enfin, en 1981, une cause devenue célèbre, aboutit à la condamnation à perpétuité de l'avocat Michel Dunn, accusé d'avoir assassiné son associé, Me McNicoll.

Dʳ Roch Boivin

La première municipalité de Sainte-Anne fut incorporée le *15 juillet 1855*. Plus tard, près de cent ans passés, un de ses fils, le Dʳ Roch Boivin, entreprenait une carrière médicale et politique bien remplie.

Né à Sainte-Anne le 14 octobre 1912, fils de Charles-François-Xavier Boivin, marchand, et d'Anna Simard, il fit ses études au collège Saint-Raymond de Portneuf, puis au Séminaire de Chicoutimi. Après deux ans de travail au magasin paternel, il poursuivit des études à la Faculté de médecine de l'Université Laval. Reçu en 1941, il persévéra pour finalement être diplômé en anesthésie en 1955.

Pour exercer sa profession, il choisit l'Hôtel-Dieu Saint-Vallier où il débuta en 1941. L'année suivante, il épousa Marie-Paule Bordeleau, institutrice, fille de Joseph-Eugène et de Flore Harvey. Il fut secrétaire du bureau médical de l'Hôtel-Dieu de 1948 à 1958 et vice-président pendant trois ans.

En 1949 et jusqu'en 1972, il fut maire de Chicoutimi-Nord. Élu député de l'Union nationale à l'Assemblée législative aux élections de 1966, il fut nommé ministre sans portefeuille à la santé. Réélu en 1970, il était défait en 1973.

Le Dʳ Boivin travailla comme médecin à l'Institut Roland-Saucier de 1974 à sa mort. Il fonda la Chambre de commerce de Chicoutimi, fonda la Ligue des propriétaires dont il fut président pendant deux ans et fonda le cercle Lacordaire de Chicoutimi-Nord. Il mourut le 17 janvier 1979 à l'âge de soixante-six ans.

Découverte du lac Saint-Jean

Le lac Saint-Jean que les Indiens montagnais appelaient Piékouagami, signifiant lac plat, fut découvert le *16 juillet 1647* par le père Jean de Quen. Ce lac a une superficie de quatre cent milles carrés.

Dans l'Action catholique du 2 juillet 1947, Mᵍʳ Victor Tremblay raconta l'arrivée du père de Quen en ces termes : « Parti de Tadoussac en canot d'écorce le 11 juillet, c'est après avoir, cinq jours durant, depuis le point du jour jusqu'au soleil couché, ramé contre les courants et les torrents et franchi dix sauts et dix portages, qu'il atteignit le lac Piékouagami. En arrivant à l'embouchure de la rivière Métabetchouan il a la surprise et la joie d'y voir une grande croix arborée par les Montagnais chrétiens pour y aller faire leur dévotions ».

Le père Jean de Quen passa trois jours en compagnie des Indiens. Il donna au lac le nom de saint Jean, son patron.

En 1652, le père de Quen établit une mission tout près de la rivière Métabetchouan. Vingt-cinq ans plus tard, en 1676, cette mission devenait le poste central et la résidence des missionnaires de cet immense territoire que l'on appelait aussi « Domaine du roi ».

La colonisation des terres entourant le lac Saint-Jean commença en 1849.

---

17 juillet 1855   # La croix de Sainte-Anne

Une croix monumentale en acier, élevée sur le plus haut cap de Sainte-Anne à Chicoutimi-Nord, domine la ville qui s'étend à ses pieds. Cette croix commémore un souvenir cher à cette paroisse qui remonte à l'époque du grand feu de 1870.

Alors que le brasier détruisait maison après maison, village après village, le curé Delâge de la paroisse Sainte-Anne ne put se résigner à voir son village ravagé par les flammes et menacé d'une ruine complète. Il quitta la chapelle emportant le saint Sacrement et, accompagné de quelques clercs, se rendit à la limite du village de Sainte-Anne. Là, élevant l'ostensoir, il ordonna à l'ennemi destructeur de s'arrêter. La paroisse fut épargnée. Pour ne pas oublier ce moment, une croix géante fut dressée sur le cap.

Cette paroisse avait pris naissance à l'arrivée de dix-huit colons bien déterminés à développer ces lots situés en face de Chicoutimi, sur la rive nord du Saguenay. Le premier conseil municipal fut élu le *17 juillet 1855*. En 1859 une autre chapelle fut construite, affirmant l'existence de la paroisse future qui allait être placée sous la protection de sainte Anne.

Le village de Sainte-Anne était relié à Chicoutimi par le traversier géré par Épiphane Gagnon. Il y eut le « Marie-Louise », suivi du vapeur « Sainte-Anne » et du « Tremblay ». Puis, en 1933, un pont unissait enfin les deux rives.

---

18 juillet 1934   # Thomas Coulombe

En 1862, Thomas Coulombe, dix-neuf ans, arriva au coeur de la forêt qui allait devenir le village de Saint-Jérôme. Il se trouvait là pour avoir voulu accompagner son frère et travailler aux chantiers du Lac-Saint-Jean.

Il se choisit un lot de terre sur les bords de la Belle-Rivière où il avait hiverné. Thomas Coulombe séjourna sous une tente d'écorce qu'il enfumait pendant des heures pour chasser les moustiques. Il défricha et cultiva sa terre où il demeura pendant soixante-douze ans, soit jusqu'à sa mort, le *18 juillet 1934*.

Quatre ans après son établissement, Thomas Coulombe avait épousé Georgianna Gagnon, fille de François Gagnon. Pour se marier, en ce temps-là, il fallait attendre la venue du missionnaire d'Hébertville qui s'occupait d'enseigner le catéchisme aux enfants. Un rendez-vous fut pris. Comme il n'y avait pas de chemin pour se rendre à Hébertville, les futurs mariés firent le trajet, d'une part en canot, d'autre part en voiture avec le cheval de José Larouche qui, dit-on, lorgnait vers la moindre touffe d'herbe. Le couple compléta le trajet en traversant à pied les abattis brûlés. La cérémonie du mariage eut lieu à l'ombre d'un arbre.

Le couple connut toutes les difficultés des premiers colons : le dur labeur, les privations, l'absence de secours, l'isolement, les moustiques et le grand feu de 1870 qui épargna leur maison devenue le refuge des sinistrés du canton.

Thomas Coulombe et Georgianna Gagnon eurent douze enfants.

---

19 juillet 1973   # Croisière sur le Saguenay

Depuis la venue de Jacques Cartier, bien des bateaux ont sillonné le Saguenay. Les bateaux de croisière ont amené des passagers curieux de découvrir une région qui ne laissait personne indifférent et, quand ils quittaient le port, ils emportaient avec eux toutes sortes de rêves : ceux des aventuriers aspirant à de longs voyages, ceux des cités rêvant de touristes nombreux et peu pressés. C'est pour cela, qu'en 1973, la région se réjouit des projets du comité des croisières qui négocia avec une compagnie maritime pour faire venir un bateau, capable de séjourner ici plusieurs jours.

Il y avait bien l'Alexandre Puskin qui apportait son flot de visiteurs mais dont on déplorait la courte escale. La perspective de la venue de bateaux plus modestes consola quelque peu du départ définitif du magnifique Richelieu qui, jusque là, était venu au Saguenay chaque semaine.

C'est le *19 juillet 1973*, lors d'une réception offerte par le commandant du Puskin, que le maire de Bagotville exprima son désir de voir venir des bateaux moins imposants, lesquels, en prolongeant leur escale, seraient plus intéressants pour l'industrie touristique régionale. Tous les maires de la région étaient invités à cette réception qui avait commencé sous un soleil radieux pour se terminer sous la pluie. Les passagers, qui étaient descendus à terre pour une visite de reconnaissance, se retrouvèrent sous l'orage au cours de leur trajet en vedette, distance d'un mille entre le quai de Bagotville et le paquebot russe.

Et, depuis, la région continue d'espérer en un véritable développement touristique sur les eaux du Saguenay !

La croix du chemin

En certains endroits de la région subsiste le rappel d'une coutume ancienne qui trouva sa source dans les premiers temps de l'arrivée des missionnaires : la croix de chemin.

Le symbolisme de cette croix de chemin a été très vite adopté par les Indiens chrétiens. Si bien que le père Jean de Quen, premier missionnaire à atteindre le Lac-Saint-Jean, eut la surprise de trouver une croix de chemin plantée par les Indiens, près de la rivière Métabetchouan.

Le missionnaire resta quelque temps auprès des Indiens et fonda une mission. Pour rappeler son passage, bien des années plus tard, une croix de chemin fut dressée là où il s'était arrêté pour consoler et bénir les Indiens.

Le *20 juillet 1926*, il fut question de restaurer la croix du poste de Métabetchouan et d'y organiser un pélerinage. Non seulement cette croix fut réparée, mais toutes les croix de chemin de chacun des rangs du Lac-Saint-Jean furent aussi décorées avec des fleurs et de la verdure.

Plus de deux mille personnes participèrent au pélerinage à la croix du poste de Métabetchouan. Ce fut le début d'une neuvaine au cours de laquelle la population alla, chaque soir, prier et chanter au pied d'une croix de chemin.

Procès pour diffamation

En 1874, un procès pour diffamation tourna à l'avantage du Séminaire. Les personnes en cause étaient l'avocat John O'Farrell et Eucher Lemieux, forgeron à Chicoutimi.

L'avocat Farrell avait la réputation d'être à la fois brillant, habile, retors et d'une conscience plus ou moins large dans le choix des moyens à prendre. Il n'accepta pas pour autant les propos qui lui furent rapportés, attribués à Eucher Lemieux.

Le forgeron aurait affirmé que l'avocat « O'Farrell était un chicanier qui devait être chassé de la place, qu'il était une rogne, une canaille, un polisson, un malfaiteur, un criminel et un voleur ; qu'il était parjure et suborneur de parjure ; qu'en plaidant à Québec il s'entourait et se faisait suivre d'une bande de vauriens et de meurtriers, d'assassins, de malfaiteurs et de parjures à qui il faisait jurer ce qu'il voulait ».

O'Farrell intenta une action en dommages et intérêts de dix mille dollars contre Eucher Lemieux. La cause fut entendue. On jugea que les paroles de Limieux avaient été rapportées avec exagération. Le *21 juillet 1874*, un règlement écrit fut convenu entre les deux parties par lequel le défendeur payait les frais de l'action plus une somme de cinquante dollars. Cette somme devait être remise au Grand Vicaire, Dominique Racine, pour venir en aide à la construction du Séminaire de Chicoutimi.

22 juillet 1863	**Le village d'Éléoza**

Éléoza-Mathilde Fafard-Lacasse, auteure du livre intitulé : « Récits et Légendes » doit d'avoir été rappelée à notre souvenir à Raymond Desgagnés qui rédigea sur elle un article publié en mai 1964 dans la revue Saguenayensia.

Éléoza-Mathilde Fafard, née le *22 juillet 1863* à Saint-Alphonse de Bagotville, était la fille de Louis Ferdinand et de Séraphine Simard. Dans son livre, « Récits et Légendes », elle évoque son village natal qu'elle a quitté à neuf ans.

« Je me rappelle très bien ce petit village isolé dans les montagnes et les brumes du Saguenay. Il comptait environ six à huit cent âmes. Je rêvais de sa jolie petite église aux murs de pierre grise et son intérieur coquet qui m'avait accueillie sur les fonds baptismaux. Fait étrange pour une enfant de mon âge, je n'aimais pas mon village natal. Je détestais les chemins de terre, la glaise épaisse qui s'attachait à mes pieds et les alourdissait ; j'avais horreur de ses côtes inaccessibles et rocailleuses et de la monotonie austère de ce petit village de campagne où tout était cependant si calme et si tranquille. »

L'abbé Desgagnés releva une autre page du livre de madame Fafard décrivant son souvenir d'une danse indienne.

« Un vieux sauvage caché dans le coin le plus obscur de la maison, abrité derrière un rideau noir, accompagné d'un tambour, laissait entendre un chant plaintif et toujours sur la même note. Ce chant était le récit de tous les faits récents du passé ; des succès au nom de chasse, des événements gais ou tristes, tout se chantait sur le même ton. Des danseurs, placés en cercle, tournaient en frappant du pied en cadence, dans un seul mouvement du corps, unissant leur voix à celle du musicien improvisateur. Pas un sourire n'éclairait la physionomie de ces danseurs qui avaient plutôt l'air d'assister à une sombre cérémonie.

23 juillet 1930	**Détournement du Saguenay**

Un spectacle inusité allait se dérouler sous les yeux d'une foule immense rassemblée le *23 juillet 1930* pour voir l'incroyable. Ou du moins l'oeuvre herculéenne accomplie pour détourner le cours du Saguenay.

153

« On a bien des fois endigué des rivières en y jetant des cages de bois que l'on remplissait de roches, écrit le Progrès du Saguenay le lendemain de l'événement. Jamais croyons-nous, l'on avait, d'un seul coup, fermé la porte à un fleuve en lui disant : tu ne passeras plus ici. »

Dressant un barrage là où passait le Saguenay, la rivière fut détournée de son cours habituel. « Auparavant le Saguenay partageait ses eaux entre les deux chenaux qui viennent au barrage en construction de Chûte-à-Caron. Il y a là une espèce d'île allongée sur laquelle s'appuie la construction du barrage. À l'entrée de l'îlot ainsi formé se tenait debout, presque droit, la gigantesque masse restangulaire qui devait changer le cours du Saguenay. Cette masse qu'on appelait l'obélisque à Chûte-à-Caron mesurait à sa base quarante à quarante-cinq pieds de largeur. Elle atteignait une hauteur de quatre-vingt-douze pieds et contenait cinq mille quatre cents verges cubes de béton que traversaient des câbles d'acier destinés à empêcher la brisure et la désagrégation. C'est cette porte de onze mille tonnes qu'il fallait faire tourner sur ses charnières pour refuser le passage au Saguenay. »

Cela fut fait en cinq secondes et demie.

---

24 juillet 1941   # Enquête sur une grève

M. C. D. Howe, ministre des Approvisionnements, porta une accusation de sabotage, lors de la grève qui débuta le *24 juillet 1941* à l'usine de la Compagnie d'aluminium à Arvida. La presse locale protesta vivement contre cette accusation qui entraîna une enquête royale.

L'enquête royale fut décrétée, lorsque le ministre des Approvisionnements se plaignit d'une rumeur qui voulait que la grève ait été provoquée par des personnes d'origine étrangère. Rumeur que contredit formellement le directeur de l'embauche.

« Au 1er juillet 1941, dans la division de l'Aluminium qui comprend les salles de cuves et deux salles auxiliaires il y avait, sur deux mille cent cinquante-huit employés, quatre-vingt-quinze pour cent de Canadiens français, sept Américains et trente-deux personnes d'origine autre qu'américaine ou britannique. Il ajouta qu'aucune influence extérieure, aucun saboteur, aucune personne aux idées subversives n'avait eu quelque rapport que ce soit avec la grève. »

Les juges L. Létourneau et Bon de la Cour d'appel présidèrent l'enquête royale. Me Aimé Jeoffrion représenta la compagnie et Gérard Picard, secrétaire général de la CTCC, ainsi qu'Alexis Dares, président du syndicat, défendirent les grévistes. L'enquête royale lava les grévistes de tout soupçon.

Aqueduc à Chicoutimi

Ce ne fut pas une mince affaire que de convaincre le conseil de ville d'accepter la construction d'un réseau d'aqueduc. L'idée avait été lancée par William Warren lors d'une séance du conseil. Il avait proposé d'installer un système d'aqueduc en tuyaux de fer sur le parcours de la rue Racine et demandé à la ville de lui garantir un emprunt de mille dollars. Pris au dépourvu, le Conseil demanda à réfléchir.

William Warren revint à la charge à la séance du *25 juillet 1887* et donna un aperçu plus précis du coût de construction advenant que l'eau provienne de la rivière-aux-Rats. De vives discussions suivirent sans que rien ne soit décidé. Les pressions des journaux locaux incitèrent le Conseil à nommer un comité spécial chargé d'étudier la question à fond. À la séance du 24 avril, des soumissions furent demandées. Il y en eut quatre variant entre 17 000 $ et 28 000 $.

Ce fut au tour des contribuables de s'interroger sur le projet et, après consultation, il fut de nouveau reporté.

En octobre 1889, Jérémie Légaré de Portneuf, proposa à la Ville de Chicoutimi de construire un aqueduc en bois, à ses frais, à condition d'en garder le monopole pendant trente ans. Le 5 novembre 1891, les propriétaires de la rue Racine bénéficièrent d'un aqueduc qui, en été, faisait eau de toute part et gelait en hiver. Enfin, en 1896, un aqueduc en fer apporta l'eau aux citoyens de Chicoutimi.

Journal de McLaren

C'est le *26 juillet 1800* que Neil McLaren, commis au poste de traite de Chicoutimi, commença la rédaction de son journal. Écrit en anglais, ce document contenait les faits et gestes de chaque jour, fidèlement notés par McLaren jusqu'au 12 octobre 1804.

McLaren était assez instruit et avait une belle écriture. Son cahier renfermait des notes de toutes sortes. Il y inscrivait même la température, la direction et la force des vents. Il racontait également toutes les activités qu'il croyait importantes concernant le poste de traite de Chicoutimi.

Son manuscrit a été conservé en bon état. Il comptait deux cent cinquante-quatre pages que J. Allan Burgesse, ancien membre de la Société historique du Saguenay, a transcrites le plus fidèlement possible, ajoutant un index détaillé des noms français et montagnais relevés dans le journal de McLaren.

C'est ce journal qui a permis à l'abbé Lorenzo Angers, historien, de trouver les informations nécessaires pour la rédaction de son livre « Chicoutimi, poste de traite ». Les notes recueillies par le commis l'aidèrent à mieux connaître la vie quotidienne des habitants du poste de Chicoutimi au cours des années 1800 à 1805.

Le manuscrit original, document unique en son genre, est aujourd'hui aux Archives de la province.

Neil McLaren est l'ancêtre de tous les McLaren de Charlevoix et du Saguenay.

---

27 juillet 1926   **Première coulée à l'Alcan**

La première coulée d'aluminium aux usines d'Arvida eut lieu le *27 juillet 1926*, dans la salle de cuves n° 21, qui avait été mise en opération le 18 juillet précédent. Lors de la première coulée, quatre autres salles étaient prévues.

« L'Aluminium Company a le mérite d'avoir choisi elle-même la région du Saguenay pour y établir la plus grande de ses usines de réduction du minerai, écrit Mgr Victor Tremblay. Trouvant dans cette région deux éléments essentiels au succès de son industrie, l'abondance de pouvoirs électriques et la qualité de la main-d'oeuvre avec, en plus, un port de mer splendide, des chemins de fer et un pays doté d'une organisation complète, elle a placé son installation entre les deux principales villes de la région, Chicoutimi et Jonquière, à proximité d'un pouvoir électrique puissant. »

Ces pouvoirs électriques, Chute-à-Caron et Shipshaw, furent à l'époque, le plus grand pouvoir au monde.

La compagnie d'aluminium, par son existence, a créé la ville d'Arvida (maintenant fusionnée à Jonquière). Le nom d'Arvida a été composé à partir des premières syllabes des noms d'un des présidents de la compagnie : Arthur Vining Davis.

L'énergie hydraulique avait une importance capitale pour l'usine qui, après avoir pris le contrôle de la firme Saguenay Power, entreprit de développer plusieurs pouvoirs : Chute-à-Caron, Shipshaw, Chute-à-Savane, Chute-du-Diable, Chute-des-Passes sur la Péribonka et Isle-Maligne.

---

28 juillet 1942   **Ennemis détectés au radar**

La station militaire de la base des Forces canadiennes de Bagotville a été établie en juin 1942, sous le nom de Première unité d'instruction opérationnelle. Le commandant fut le chef d'escadrille T. C. McGill. L'instruction débuta le *28 juillet 1942*. Le groupe était composé de huit officiers et trente-quatre sous-officiers qui s'entraînaient sur des « Havard » et des « Hurricane ».

Le 1er août 1942, le douzième détachement de radiogoniométrie (radar) fut établi à Bagotville avec, pour mission, de protéger le complexe industriel d'Arvida.

Afin de mettre le radar à l'épreuve, un exercice fut organisé. Pour la circonstance, les « Harvard » jouaient le rôle de bombardiers ennemis et le 130e escadron, celui de la Force de défense. L'efficacité du radar fut amplement démontrée en détectant trois avions ennemis qui avaient devancé le passage des « Harvard ». En fait, ces avions ennemis étaient un vol d'oies.

À la fin d'octobre 1944, les opérations cessèrent. En 1951, la base reprit ses activités, plus active que les autres bases à cause de son camp d'été. De plus, elle servait de base-étape aux escadrons en route pour l'outre-mer.

Le 433e escadron arriva à la base de Bagotville le 26 septembre 1969. Il était reconnu comme escadrille tactique de combat et comme unité aérienne de langue française, la seconde du genre à être formée dans l'histoire militaire canadienne. Son rôle consitait à fournir un appui aux Forces alliées terrestres sur le flanc nord de l'OTAN. Leur écusson représente un porc-épic avec la devise : « Qui s'y frotte s'y pique ».

---

29 juillet 1895   # Un miracle

Il arrive parfois que l'été montre le bout du nez au Saguenay–Lac-Saint-Jean mais, le *29 juillet 1895*, c'est un autre miracle qui fit les manchettes des journaux. En effet, lors du premier pèlerinage en l'honneur de la bonne sainte Anne du Saguenay, les fidèles furent témoins d'une surprenante guérison.

Un des fils de Damase Fleury de Saint-Coeur-de-Marie souffrait depuis longtemps de rhumatismes nerveux et ne pouvait marcher qu'à l'aide d'une béquille. Il vint au pèlerinage, implora sainte Anne. Lorsqu'il repartit, le jeune homme, tout à fait guéri, pouvait se déplacer sans béquille.

Cet événement, relaté dans un journal du 1er août 1895, ne suscita pas beaucoup de commentaires de la part des journalistes. Ceux-ci consacrèrent davantage de mots à la mauvaise organisation de ce premier pèlerinage auquel avaient participé plus de huit cents personnes venues de tous les coins de la région.

Le lendemain, un second pèlerinage fut organisé pour les femmes et les jeunes filles. Elles furent quatre cents à y participer. Et depuis, chaque année, une procession réunit des milliers de personnes célébrant, par des chants et des prières, la fête de sainte Anne le 26 juillet.

Le chômage était l'obsession de Georges-Henri Smith, maire de Chicoutimi de 1938 à 1950. Le *30 juillet 1946*, lors des élections municipales, il adressa une lettre aux contribuables de sa ville pour leur rappeler les efforts déployés quelques années plus tôt pour trouver des emplois.

« Il serait peut-être bon de rappeler aux contribuables qu'en 1940 nous avions environ mille huit cents personnes sans travail et qu'après avoir rencontré les dirigeants de l'Aluminium à Québec et leur avoir exposé la triste situation dans laquelle nous étions, ils décidaient de donner une chance à nos contribuables et que j'ai fourni, de semaine en semaine à l'Aluminium, une liste de nos sans-travail jusqu'au placement de tout le monde, excepté soixante et un hommes (des personnes âgées) et, peu après, la plus grande partie de ceux-ci étaient placés à leur tour. »

Le maire Smith était propriétaire de la compagnie industrielle et du commerce du meuble. Après avoir acquis les parts de son associé, il réorganisa l'entreprise sous le nom de Georges Smith ltée.

Pendant vingt-deux ans, Georges-Henri Smith participa aux affaires publiques, comme échevin et comme maire. Né à Saint-Jérôme de Terrebonne le 22 novembre 1885, il avait épousé Albertine Gagnon de Sainte-Rose de Laval. Père de huit enfants, il décédait le 31 mars 1950 des suites d'une maladie.

Promis à un destin tragique, le Mistassini n'avait que des admirateurs le jour de son voyage inaugural, le *31 juillet 1892*. Il avait été construit à Roberval par Anger de Québec et Dickinson de Toronto pour le compte de H.-J. Bernier.

Il était fait de bois avec charpente d'acier. C'était à la fois le plus rapide et le plus puissant des bateaux à vapeur du Lac-Saint-Jean. Il était décrit comme « un véritable palais flottant qui fit la surprise et l'admiration de tous les étrangers. Outre ses proportions et sa propreté impeccable, les passagers appréciaient fort son salon luxueux et la spacieuse salle à dîner. Les boiseries étaient de cerisier et de chêne doré ».

Lors de son premier voyage, des passagers de marque étaient à son bord : l'honorable Pierre Boucher de Boucherville, premier ministre du Québec, les ministres L. Beaulieu et Pelletier. Sir Adolphe Chapleau, lieutenant-gouverneur, vint à son bord deux ans plus tard. Et, parmi les autres passagers connus, il y eut Arthur Buies, Thomas Chapais, Wilfrid Laurier, Gaston Meunier, propriétaire de l'Île d'Anticosti. Le bateau eut à transporter également tous les fervents pêcheurs de la ouananiche.

Bien que faisant, à l'occasion, des voyages spéciaux, le Mistassini était principalement affecté au service régulier entre Roberval et l'île de la Grande-Décharge. Sa carrière prit fin lors d'un incendie qui le détruisit complètement à quelques pieds du quai. Un nouveau vapeur prit la relève sous le même nom. Il connut une fin tout aussi violente, démoli par la force de l'eau lors de la crue du lac Saint-Jean en 1928.

La maison de Samuel Bédard où demeura Louis Hémon, à Péribonka.
(Photo: Le Quotidien)

La chambre qu'occupa Louis Hémon, dans la maison de Samuel Bédard.
(Photo: Le Quotidien)

La première convention jamais négociée dans la province de Québec entre une compagnie forestière et des bûcherons fut signée entre Price Brothers et la Fédération diocésaine de l'Union catholique des cultivateurs du Saguenay.

Le but de cette entente était de procurer à la compagnie et à l'union le bénéfice de négociations collectives et d'assurer dans toute la mesure du possible la sécurité et le bien-être des employés, l'économie dans les opérations, la qualité et la quantité de la production et la protection de la propriété.

Les deux parties s'étaient engagées à se conformer à l'entente dès sa signature et ce jusqu'au *1er août 1952*. Si aucun des deux signataires ne demandait de modification au moins trente jours avant l'échéance, le contrat demeurait en vigueur pour une autre année et ainsi d'année en année.

Un des articles de ce premier contrat traitait de la discipline. Il se lisait comme suit : « Dans le but de protéger les intérêts moraux et sociaux des employés couverts par cette entente, les raisons suivantes pourront motiver le renvoi immédiat d'un employé et la Compagnie s'engage à considérer sérieusement le renvoi de tout employé qui serait rapporté par l'Union pour infraction à cet article : blasphème (couvert par le code criminel), jeux à l'argent, propos de grossière indécence, propagande subversive, transport ou usage de boisson dans les camps, négligence, désobéissance ou incompétence à l'ouvrage, contravention aux règlements de la protection contre le feu, tentative de corruption pour obtenir, maintenir ou accorder un emploi, malhonnêteté, vol, conduite préjudiciable au bon ordre, cruauté envers les animaux, tout acte considéré préjudiciable à la bonne marche des opérations ».

Avant de s'endormir, quelque part au fond d'un hangar, le premier orgue de la cathédrale de Chicoutimi avait eu le temps de laisser aux anciens un souvenir « cacophonique ».

Les voix, qui étaient autrefois accompagnées par des violons, bénéficièrent des services du premier orgue vers 1873. « C'était une boîte carrée, guère plus large que le clavier, haute et profonde de huit pieds environ. Un seul clavier, un pédalier qui ne fonctionnait plus en 1893 et n'avait probablement jamais servi à Chicoutimi, sept ou huit jeux et accouplements se tirant de chaque côté du clavier (à remarquer que les jeux eux-mêmes n'étaient pas complets) une partie de leurs tuyaux rebelles à tout commandement, servaient plus aux expériences en acoustique qu'aux ruses de quelques éternels mystificateurs. Une pédale de combinaisons, l'une correspondant à une régistration de détail et l'autre à l'ensemble des jeux et accouplements. »

Bref, un dispositif qui fit dire aux anciens : « Quand les jeux étaient ouverts, c'était une cacophonie épouvantable ».

Le *2 août 1878*, l'instrument fut transféré de la vieille église à la nouvelle, sous la surveilance de l'abbé D.-O.-R. Dufresne, organiste. Et, à partir de 1879, pour les cérémonies importantes, on fit appel à la jeune fanfare du Séminaire.

---

3 août 1857   ## Chirurgien et forgeron

Le *3 août 1857*, le docteur P.-C.-A. Dubois, premier médecin établi à Chicoutimi, fut demandé au chevet de Charles Simard. Le patient souffrait depuis de longues années à cause d'une pierre à la vessie. Craignant de ne pouvoir affronter la souffrance, il avait toujours retardé l'échéance jusqu'à ce matin du 3 août.

Les instruments du Dr Dubois avaient été fabriqués par le forgeron de Chicoutimi. Au cours de l'opération, l'outil le plus important cassa. Le médecin interrompit les soins, se rendit chez le forgeron, fit réparer son instrument, revint auprès du malade et continua tout simplement à extraire la pierre. Le travail dura trois heures quarante cinq minutes. La pierre extraite de la vessie de Charles Simard pesait onze onces.

C'est la table de la cuisine qui servit de table d'opération. Charles Simard ne poussa pas un cri. Au contraire, au cours de l'opération il encourageait vaillemment le médecin. Après l'opération, il retrouva très vite sa forme. L'homme courbé qu'il avait été marchait désormais bien droit et vaquait avec aisance à ses occupations.

La pierre fut expédiée au Musée de l'école de médecine de Laval, à titre de spécimen.

Quant à l'habile forgeron, il dut continuer à collaborer avec le Dr Dubois, sans doute très fier de confectionner les instruments essentiels au travail de son fils.

---

4 août 1879   ## Dr Beauchamps

Le Dr Beauchamps fut le tout premier médecin en charge de l'hôpital Hôtel-Dieu Saint-Vallier de Chicoutimi. Médecin attitré du couvent du

Bon-Pasteur, du Séminaire et de l'Évêché, il n'en parcourait pas moins la région pour aller soigner ses malades. Que ce soit en « quatt'roues à planches » l'été, en chaloupe sur le Saguenay ou en « berlot » l'hiver, le Dr Beauchamps allait partout où l'on avait besoin de ses soins. Il ne s'arrêta qu'à sa mort à l'âge de quatre-vingts ans.

En plus de la médecine, le Dr Beauchamps s'intéressait à la politique municipale. Il fut élu conseiller le *4 août 1879* et demeura à ce poste pendant douze ans.

En tant que conseiller municipal, le Dr Louis-Élie Beauchamps donna son appui à divers projets. En feuilletant les procès-verbaux du conseil de ville, on constate notamment qu'il s'est prononcé en faveur de la dénomination des rues de Chicoutimi et qu'il parraina la construction des trottoirs, l'éclairage des rues et l'assainissement des lieux malsains.

---

5 août 1715   # Marie Outchiouanich

Sur la rive nord du Saguenay existe une anse portant le nom de « Anse-à-Pelletier ». Ce nom lui a été donné en raison de Nicolas Pelletier qui avait son territoire de chasse à cet endroit.

Le *5 août 1715*, Nicolas Pelletier avait épousé en troisièmes noces une Montagnaise du nom de Marie Outchiouanich, fille du grand chef Jean-Baptiste Nanabesa. Elle vivait depuis dix-sept ans dans une famille de Québec et ne revint au Saguenay qu'en compagnie de son mari.

Marie Outchiouanich ne passa pas inaperçue dans l'histoire de la région, notamment pour l'aide qu'elle apporta aux pères missionnaires. lorsqu'elle mourut en 1728, Pierre Laure, jésuite, voulut lui rendre hommage en reconnaissance de sa précieuse collaboration. Marie lui avait enseigné la langue montagnaise et l'avait aidé à faire une grammaire et un dictionnaire de cette langue. Le père Laure rappela, qu'à la mort du père de Crespieul, Marie Outchiouanich avait prié chaque jour pour le défunt et préservé ainsi le souvenir du missionnaire chez les siens.

Quelques mois après la mort de son épouse, Nicolas Pelletier s'éteignit à son tour. Il était décrit comme « un Français de nation vivant à l'indienne ». Marie et Nicolas furent enterrés tous deux au cimetière de Chicoutimi.

---

6 août 1920   # Albert Larrieu

Le *6 août 1920*, Albert Larrieu donnait un concert à Roberval. Il était de passage dans la région pour la première fois et sut conquérir la population du Saguenay et du Lac-Saint-Jean. Qualifié par les journaux de «célèbre apôtre de la bonne chanson», il chantait la France, la Bretagne, le Canada français, s'inspirant surtout du terroir, racontant les traditions ancestrales.

Profitant de son séjour au Saguenay, Albert Larrieu légua à son public une chanson sur les bleuets du Lac-Saint-Jean.

«Dès le matin tous nos gens, réjouis, le coeur en fête, sur les bords du lac Saint-Jean, vont gaiement à la cueillette. Les bleuets sont abondants et gros comme des noisettes. Nos garçons et nos filles y mordent à pleines dents. On voit lorsque vient la nuit, des amoureux qui s'attardent et se promènent sans bruit sous le ciel bleu qui les garde. C'est dans ce pays béni où il vous faut aller fillettes, vous y ferez la cueillette, des bleuets et d'un mari. »

Albert Larrieu était né à Perpignan dans le département des Pyrénées orientales, le 12 septembre 1872. Fils d'une famille où la tradition le destinait à la médecine, il préféra la vie de bohème, la musique et la poésie. Il quitta sa région natale pour aller à Paris, au grand désespoir de son père médecin. Là, il y vécut la vie qu'il voulait et composa des chansons patriotiques, des chants religieux, des opérettes et plusieurs poèmes.

---

7 août 1878   # La cathédrale

Le *7 août 1878*, jour de l'intronisation de Mgr Racine comme évêque, fut bénie la première église de pierre, future cathédrale de Chicoutimi.

Arthur Buies a décrit cette église comme monument remarquable, ajoutant : « ... son intérieur, véritable modèle de style corinthien le plus pur qui n'a cédé, dans aucun des plus petits détails, aux réclamations du mauvais goût ni à cette conception puérile qui fait consister le beau dans l'accumulation des dorures et dans une ornementation criarde autant qu'exagérée. »

Cette première cathédrale fut détruite le 24 juin 1912 par l'incendie qui ravagea une partie de la ville et n'épargna pas non plus le Séminaire.

Une deuxième cathédrale fut construite au même endroit, sa façade orientée vers le Saguenay. Les travaux débutèrent en 1913 et furent terminés pour la Noël 1915. Trois ans plus tard, le 16 janvier 1919, un nouvel incendie détruisait l'édifice, ne laissant debout que les tours et une partie des murs. Deux toiles de Murillo et un Rubens furent brûlées dans cet incendie.

La population fit reconstruire une troisième cathédrale sur les ruines de la seconde. Cinquième église de Chicoutimi, elle fut inaugurée le 26 février 1922.

Camp musical

Au flanc d'une montagne, face à l'immensité du lac Saint-Jean, des petits chalets résonnent de musique. Leurs notes s'évadent par les fenêtres ouvertes emplissant l'air du large d'autant de passion que d'espoir. Nos jeunes musiciens y travaillent intensément chaque année depuis 1964. Trois semaines d'étude, de concerts, d'échange. Le *8 août 1981*, le camp redevenait à nouveau désert et silencieux après une saison d'été qui s'ajoutait aux autres.

C'est à l'abbé Raymond Tremblay, directeur-fondateur de la chorale Sainte-Cécile, que l'on doit l'idée du camp musical du Lac-Saint-Jean. La municipalité de Saint-Jérôme (Métabetchouan) fit un premier pas en achetant un terrain. Des bénévoles de diverses localités fondèrent la corporation et, dans le cadre du programme gouvernemental des travaux d'hiver, une bâtisse était érigée, prête à accueillir les premiers élèves le 14 juin 1964.

Études, concerts avec artistes invités et élèves, vie commune sont les atouts du camp musical qui accueillait, en 1981, plus de deux cent cinquante personnes.

Depuis le début, des bâtisses se sont ajoutées : salle de repos, petits chalets pour le travail solitaire, salle de spectacle. L'ensemble est subventionné en partie par le ministère des Affaires culturelles et par des dons, ajoutés aux droits d'inscription des élèves.

La bataille des transports

Pour avoir des services de transport adéquats, la région du Saguenay–Lac-Saint-Jean a dû se battre constamment. Les communications, si vitales pour une région éloignée des grands centres, ont été l'objet de constantes revendications. Quand on sait les efforts qu'il a fallu pour convaincre le gouvernement d'ouvrir des routes vers la région, il ne faut pas s'étonner si la voie des airs a été difficile à conquérir. En témoigne un article publié, dans Le Soleil du *9 août 1968*, soulignant les nombreuses pressions pour l'obtention d'un vol sans escale entre Bagotville et Montréal.

Lorsque Claude Grégoire, directeur des relations publiques, et Raymond Prud'Homme, directeur de la compagnie aérienne à Chicoutimi, annoncèrent le vol sans escale, ce fut une victoire pour les usagers d'Air Canada. Cette modification des services de la société de la Couronne allait permettre aux voyageurs d'effectuer le trajet Bagotville-Montréal, aller et retour, dans la même journée.

Depuis, Air Canada a trouvé un autre moyen pour résoudre ses problèmes au Saguenay, en quittant définitivement notre ciel pour en céder le monopole à Québecair, qui céda à son tour devant Nordair. Finalement, le service aérien au Saguenay sera sous la domination de Inter Canadien, nouvelle société nationale dont le siège social est à Vancouver. Le nom inscrit sur les avions, affiché à partir de l'automne 1987, est Canadién.

---

10 août 1980   # Le Festival du bleuet

Qui n'a pas entendu parler des bleuets, ce fruit sauvage qui abonde dans nos forêts, qui noircit les bouches gourmandes, enchante les amateurs de confiture et de tartes. Et c'est par le nom de ces petites perles bleues que l'on désigne amicalement les habitants de la région. Surnom que personne ne conteste car, qui refuserait d'avoir tant de saveur... saveur d'ivresse aussi, puisque maintenant le bleuet sert d'apéritif et de vin.

Pour rendre hommage à un tel fruit, à Mistassini, chaque année, se tient une grande fête qui dure plusieurs jours. En 1980, c'était le vingtième anniversaire de cette fête et l'on s'y amusa ferme jusqu'à la fermeture du *10 août 1980*. Le Festival du bleuet de Mistassini cette année-là avait accueilli plus de cinquante mille personnes.

Plusieurs activités attirent les visiteurs lors de ce festival. Des concours du plus gros bleuet, du plus beau «casseau», de la plus belle tarte, du meilleur porteur de boîtes de bleuets. Une tarte géante est fabriquée pour la circonstance pouvant satisfaire plus de mille personnes.

Un bleuet géant aux formes étrangement humaines se promène à travers la ville ne refusant jamais l'occasion d'embrasser la fée du bleuet.

Non loin, des bleuetières sont ouvertes à ceux qui désirent ramasser ces fruits et les touristes y abondent.

---

11 août 1910   # Statistiques sur les Indiens

Le *11 août 1910*, le ministère de l'Intérieur publiait son rapport sur la condition des Indiens du Canada. En mars 1909, on comptait onze mille quarante-trois Indiens pour tout le pays, soit huit cent trente-huit de plus qu'au recensement précédent. Au Québec, leur nombre était de mille cinq cent vingt-trois dont cinq cent soixante-dix-neuf Montagnais vivant à Pointe-Bleue près de Roberval.

Armand Tessier, signataire de ce rapport, constatait que les Indiens de Pointe-Bleue avaient vendu aux Blancs une superficie de dix mille cinq cent vingt-cinq acres sur un total de vingt-deux mille quatre cent vingt-trois, c'est-à-dire plus des trois quarts de leur territoire. Il évaluait à huit cent trente acres les terres cultivées. Soixante neuf Indiens vivaient alors de la culture, deux cent cinquante de la chasse et de la pêche.

M. Tessier fit encore remarquer qu'au moment de la rédaction du rapport, il n'y avait pas d'épidémie parmi les Indiens et même que leur situation tendait à s'améliorer. «Depuis deux ans, dit-il, il y a eu de grands progrès sous le rapport de la tempérance. Les scènes disgracieuses, les rixes et les scandales causés par l'usage excessif des boissons enivrantes sont maintenant choses du passé dans les réserves.»

Lors de la publication du rapport, il y avait à Pointe-Bleue quarante-huit Indiens anglicans et cinq cent trente et un catholiques.

---

12 août 1828   **La descente des femmes**

Joyau de la région, il existe un petit village sur la rive nord de la rivière Saguenay qu'accompagne l'écho des légendes. On l'appelle aujourd'hui Sainte-Rose-du-Nord, mais il fut longtemps identifié par le nom de «La descente des femmes». Non par hasard mais bien parce qu'à cet endroit les femmes y ont laissé trace de leur passage, tragiquement ou non, selon la version.

La première figure dans le rapport de Joseph Hamel, arpenteur, daté du *12 août 1828*. Il y écrivit : «Avec cette marée nous gagnâmes la Descente des femmes. (...) C'est une baie du côté nord-est du Saguenay au fond de laquelle il y a un petit ruisseau ; elle est à environ quarante-deux milles de Tadoussac et elle doit son nom à une aventure mélancolique : plusieurs Sauvages se trouvèrent réduits à la famine en parcourant les bois pour la chasse. Ils envoyèrent leurs femmes chercher du secours et c'est par ici qu'elles sortirent. La marée s'y élève de dix-sept pieds».

Une autre version, celle donnée par Damase Potvin dans son livre «Tour du Saguenay», raconte qu'autrefois les Indiens pêchaient le saumon au bord de la rivière. Leur campement était dressé plus à l'arrière et les femmes y préparaient le repas. Lorsqu'elles venaient près des pêcheurs, elles se laissaient glisser du haut du plateau pour arriver plus vite à la berge. De là l'origine du nom de «la descente des femmes», nom que l'on retrouve sur des cartes datant de 1825, alors qu'en 1731, le jésuite Pierre Laure avait désigné le même endroit par le nom de l'Anse du Manitou.

---

13 août 1875   **Premier syndic**

L'avocat J.-A. Gagné, qui devint plus tard le juge Gagné, fut la première personne à occuper le poste de syndic en vertu de la loi de 1875. Pour pouvoir remplir ses nouvelles fonctions, il dut verser une caution de deux mille dollars au juge de paix L.-O. Tremblay, qui la reçut le *13 août 1875*. Le père du nouveau syndic, Jean Gagné et le beau-père Johnny Guay, lui avaient prêté la somme nécessaire.

Sous l'ancienne loi de faillite de 1864, le débiteur faisait cession de ses biens entre les mains d'un de ses créanciers, envers qui la dette s'élevait à cinq cents dollars, ou entre les mains d'un syndic, choisi par la chambre de commerce de l'endroit où le débiteur avait son domicile. Sous cette loi, le débiteur pouvait faire cession de ses biens en faveur de ses créanciers en les convoquant soit à son domicile, soit ailleurs, après un avis d'assemblée. Un syndic était nommé par les créanciers.

La loi de 1864 donnait aux chambres de commerce le pouvoir de nommer d'office un syndic et de fixer le montant du cautionnement qu'il devait fournir avant d'entrer en poste. Les syndics furent ainsi nommés par les chambres de commerce jusqu'en 1875. Le Parlement du Canada vota une nouvelle loi décrétant que des syndics officiels seraient nommés par le gouverneur en conseil de chaque district.

Monsieur Gagné exerça sa charge de syndic jusqu'en 1879. Il fut remplacé par Édouard Savard, inspecteur d'école de Chicoutimi.

---

14 août 1925   **Alcan**

Lorsque la compagnie d'aluminium (Alcan) parla de s'installer dans la région, journalistes et population furent intrigués par l'importance de ses projets. Elle se proposait de dépenser quelques millions de dollars dans la région où elle était attirée par la possibilité d'y avoir de l'énergie électrique bon marché. La presse régionale, reproduisant un article du Financial Post du *14 août 1925*, soulignait que cette entreprise était contestée par plusieurs politiciens qui lui reprochaient de vouloir établir un « trust » de l'aluminium.

La compagnie contrôlait non seulement la production de l'aluminium mais encore les procédés de fabrication, depuis l'extraction des mines jusqu'à la vente des ustensiles aux ménagères des États-Unis, du Canada et ailleurs dans le monde.

Peu connue du public américain et canadien, la compagnie d'aluminium appartenait à deux familles, les Mellon et les Davis de Pittsburg. L'âme dirigeante de l'entreprise, Andrew Mellon, fut nommé secrétaire du Trésor américain.

En 1925, la compagnie d'aluminium avait déjà des usines à Niagara Falls, Massena, New York, Maryville, Tennessee et Badin. Elle possédait des gisements en Arkansas et importait sa matière brute de l'Allemagne et autres pays. Les usines qu'elle envisageait de construire au Saguenay et au Lac-Saint-Jean seraient alimentées par des mines de l'Amérique du Sud.

Beurre et Portugais

Au cours de l'été 1895, les producteurs de beurre ont tant et tant produit que cette denrée ne se vend plus. Insatisfaits des ventes de fromage, les cultivateurs s'étaient lancés dans la production du beurre. Celui-ci se vendait habituellement vingt cents. L'abondance fit baisser les prix à quatorze cents, puis à dix cents.

Le *15 août 1895*, la situation s'aggrave encore. Un cultivateur de la région, désireux d'écouler son produit coûte que coûte, s'est promené de maison en maison dans l'espoir d'y vendre son beurre, du bon beurre d'habitant qu'il laissait à quatorze cents la livre. Personne ne voulut de sa marchandise.

La situation était si grave que certains cultivateurs préférèrent jeter leur beurre. D'autres tentèrent d'écouler leur surplus en se rendant en ville, mais là encore il fallut renoncer.

Parmi les solutions envisagées, on pensa à des débouchés possibles au Portugal. Ce pays devait importer son beurre de l'Angleterre qui, elle, l'importait de France. Les producteurs de la région se dirent que les Portugais pourraient trouver avantage à éliminer deux intermédiaires et à négocier directement avec eux. Les journaux parlèrent avec optimisme de ce projet puis, se turent. Le projet n'eût, semble-t-il, pas de suite.

L'inspecteur Savard

« Monsieur l'inspecteur s'est dit très satisfait des progrès scolaires des élèves de la région ce *16 août 1909*. »

Le Progrès du Saguenay ajoutait qu'il y avait de bonnes raisons d'être content : le nombre des élèves va croissant. Des écoles s'ajoutent les unes aux autres : on en compte deux cent trente-sept actives dont deux cent quatre-vingt-quatre sont sous contrôle et fréquentées par dix mille sept cent cinquante élèves. Une présence moyenne qui se maintient à huit mille cent cinquante et un.

L'inspecteur Savard écrivait : « Je suis satisfait du progrès intellectuel opéré durant l'année dans toutes ou presque toutes les écoles des paroisses. L'enseignement primaire, les conférences pédagogiques si fructueuses et les primes accordées annuellement aux institutrices contribuent à obtenir cet excellent résultat ».

Le gouvernement donnait des primes aux institutrices comptant plus de dix années d'expérience afin de les encourager à demeurer dans l'enseignement, assurant ainsi aux élèves une compétence ayant fait ses preuves.

Pour évaluer les connaissances des élèves, l'inspecteur Savard visitait chaque classe et interrogeait les écoliers. Il insistait auprès des institutrices sur la nécessité d'adapter le langage à la compréhension de l'enfant, suggérant l'utilisation de mots simples et la conception de travaux scolaires utiles et agréables.

---

17 août 1928   Mᵍʳ **Lamarche**

Quatrième évêque de Chicoutimi, Mᵍʳ Charles-A. Lamarche est mort en janvier 1940, à la suite d'une longue maladie. Prêtre depuis le 16 juillet 1893, à l'âge de 22 ans, il était curé à Saint-Stanislas quand Pie XI le nomma évêque de Chicoutimi, le *17 août 1928*.

Au cours des onze années au diocèse de Chicoutimi, Mᵍʳ Lamarche fut très actif. Il présida la fondation de dix-huit paroisses nouvelles, donna de l'essor à l'oeuvre des retraites fermées pour hommes et jeunes gens. Il établit une maison de retraite pour jeunes filles. Sous son administration furent fondés l'École d'agriculture, un orphelinat confié aux Petites Franciscaines de Marie, l'École normale de Baie Saint-Paul et le pensionnat Saint-Dominique de Jonquière. L'Hôtel-Dieu de Chicoutimi fut considérablement agrandi.

Mᵍʳ Lamarche a établi l'Action catholique au Saguenay. Il donna son appui aux oeuvres religieuses, aux unions ouvrières catholiques, aux cultivateurs et il fut sensible aux sciences et aux lettres.

Peu avant sa mort, Mᵍʳ Lamarche fut hospitalisé à l'Hôtel-Dieu et soigné par les docteurs Eugène Tremblay et Gaston Lapointe. On raconte qu'aux derniers moments de sa vie, il répondit aux religieuses qui lui proposaient d'apporter sa croix pastorale :

« La croix d'or ce n'est que bagatelle. Apportez-moi le Christ de la croix, le vrai Christ de tous les pauvres mourants. »

---

18 août 1898   **Quand on arrose un cigare**

Le *18 août 1898*, le rédacteur du Progrès du Saguenay faisait part de sa visite à la manufacture de cigares de Chicoutimi, propriété de Ls Martin, gérée par L. Barras.

Une trentaine de personnes travaillaient à cette fabrique qui avait la réputation d'offrir un produit de première qualité. Les cigares étaient faits à partir de tabac de Pennsylvanie, de Californie, du Wisconsin. La production atteignait deux mille à deux mille cinq cents cigares par jour, vendus sous les noms de Sonada, SNP, Ramona, Dandy Shape pour les cigares à cinq cents, et sous le nom de Zuella pour le cigare à dix cents. Ils étaient écoulés à Québec et à Montréal.

La manufacture de Ls Martin opéra pendant une dizaine d'années. Elle fut remplacée par une nouvelle manufacture de cigares, construite par Napoléon Warren et installée par Edmond St-Hilaire et ses frères.

« Ceux-ci, lit-on dans Saguenayensia, ont cru bon de remplacer les employés masculins par des filles, à salaire moindre ; le défaut d'expérience de celles-ci compromit la qualité du produit ce qui amena la fin. »

Certaines anecdotes entourent l'histoire de la manufacture de cigares. En voici une qui, selon Saguenayensia, serait authentique. En octobre 1899, une rumeur circulait à l'effet que le nouveau pensionnaire de l'hôtel était un futur fabricant de cigares. Aussi, il fut reçu royalement dans les différents hôtels où il se rendit.

« En quittant, monsieur X promit de revenir bientôt et annonça à tous qu'avant quelques jours ils auraient de ses nouvelles et qu'il enverrait probablement ses agents les leur porter. De fait, dès le lendemain, trois d'entre eux recevaient des dites nouvelles sous forme d'actions en pénalité pour vente de boisson sans licence. »

Monsieur X était un employé du département du Revenu à Québec.

---

19 août 1955   # Donneurs de sang

Chaque année, en plusieurs endroits, la Croix-Rouge fait campagne pour inciter la population à donner son sang. Le premier organisateur d'une telle collecte au Saguenay aurait été Paul-Henri Loriot.

En 1948, sous l'instigation des Chevaliers de Colomb de la Baie des Ha ! Ha !, Paul-Henri Loriot recruta les premiers donneurs bénévoles, cinq généreux donateurs, conscients de l'urgence d'offrir un service rapide et moins coûteux. Sept ans plus tard, le club comptait plus de quatre cents membres. Le *19 août 1955*, Paul-Henri Loriot décédait.

Avant les donneurs bénévoles, le seul recours consistait à faire appel à des donneurs « professionnels » qui, contre rémunération, acceptaient de donner leur sang. Cette manière de procéder n'était pas sans inconvénients, parfois graves, à commencer par les délais. Le malade avait besoin de transfusion immédiate et le donneur n'était pas toujours sous la main. Problème d'argent aussi, particulièrement pour les pauvres, qui ne pouvaient s'offrir « le sang des autres ». Situation que chacun regrettait sans savoir comment changer les choses.

Le club de donneurs fut la réponse. Bénévoles, ils permirent aux malades quels qu'ils soient de compter sur un don de sang, parfois vital.

Fromage pour les Anglais

Bonne nouvelle pour la population, se réjouit le Progrès du Saguenay du *20 août 1896* annonçant une hausse considérable du prix du fromage.

Joie pour les producteurs sans doute, mais on ne dit pas ce qu'en pensaient les consommateurs.

« Une hausse du prix du fromage qui dépasse l'attente générale, telle qu'on n'en avait pas vue de semblable depuis deux ans. »

L'accroissement de la production de beurre avait eu pour effet de réduire la production du fromage, occasionnant une hausse de son prix de vente.

Le 20 août 1896, le fromage valait plus de huit cents pour le « Beau Québec » et huit cents et demi pour le fromage de l'Ouest. En Angleterre, cela représente quarante shillings. Détail non négligeable quand on sait que la demande était très forte là-bas pour le fromage canadien.

Profitant de la bonne nouvelle, messieurs Côté et Boivin expédièrent à Liverpool tout le fromage qu'ils avaient pu acheter depuis le début de la saison, soit plus de quatre mille meules vendues d'avance. Il fallut sept « chars » pour transporter cet envoi.

Visite du gouverneur

Grande visite à Roberval. La population est en liesse, les feux de joie sont prêts. Le gouverneur général est dans la ville, accompagné de Lady Stanley de Preston, des employés de chemin de fer et du club sportif de Boston.

Le gouverneur est arrivé le soir du *21 août 1888*. Il s'est approché à bord du Péribonka, fraîchement peint et décoré. Tout le village s'était massé au bord du lac Saint-Jean et exprimait sa joie d'accueillir un tel visiteur.

Les feux de joie éclairaient la nuit et se réfléchissaient dans l'eau, des fusées étaient lancées à partir de la terrasse de l'Hôtel Roberval, le canon tonnait et la fanfare faisait entendre l'hymne anglais.

Le lendemain de son arrivée, le couple vice-royal se rendit à Pointe-Bleue pour saluer les Indiens. Ceux-ci se dirent heureux de la venue « du grand chef au coeur généreux » et de son épouse évoquant « la douce reine lointaine ». Et ils lurent une adresse écrite sur un morceau d'écorce.

L'histoire ne dit pas si le gouverneur général et son épouse allèrent pêcher la ouananiche, ce poisson d'eau douce dont la patrie est le lac Saint-Jean ; cela se pourrait bien car, quand les Américains la découvrirent, nous dit Rossel Vien, elle fit brillamment son entrée dans le grand monde. « Elle était alors en abondance dans notre lac, dans le cours accidenté des décharges, son lieu de retraite favori, et dans les affluents pleins de remous et de chutes. C'est un poisson d'une vigueur remarquable qui bondit à plusieurs pieds pour sauter les rapides et ne se laisse prendre que de haute lutte. Les combats éperdus qu'elle livre avec les pêcheurs constituent précisément sa grande qualité sportive, recherchée par les amateurs raffinés. »

---

22 août 1846   # La mode à Chicoutimi

« Les gens de Chicoutimi et de Rivière-du-Moulin n'ont rien à envier aux Londoniens ni aux Parisiens » affirmait le jeune John Le Sueur dans une lettre adressée à sa soeur le *22 août 1846*. Il lui décrivait avec enthousiasme la mode adoptée par les habitants de son nouveau pays.

« ... Tu aurais beaucoup de plaisir à voir le changement que j'ai subi dans mon extérieur. Les manières de faire ici sont bien supérieures à vos coutumes londoniennes ou parisiennes et elles sont beaucoup plus naturelles. Comme de raison je les ai adoptées. (...) J'ai fait cela tout de suite en arrivant et je me flatte d'avoir une allure très distinguée. Ce n'est pas la mode de se raser, ainsi j'ai laissé pousser ma barbe et mes moustaches depuis que je suis descendu ici ; je présente avec orgueil une barbe d'à peu près douze pouces de long et des moustaches qui jetteraient dans la confusion le plus fier officier des Hussards. Le savon est un article rare ici, mais il n'est guère employé, la question de se laver étant regardée comme hors de propos. De ce temps-ci j'en ai toute une couche sur la face. Je suis sûr de me trouver aussi beau qu'un lys quand je ferai l'opération de me laver car cet enduit a dû me protéger contre le soleil. »

« La coiffure à la mode est de porter les cheveux longs retenus par des noeuds plutôt que de les peigner. Quant aux vêtements, si l'on ne porte pas de bottes ni de souliers en été, la culotte est toujours là, sans bretelles et attachée autour du corps par une ceinture rouge ou un mouchoir de soie ; pas de gilet mais des chemises en flanelle rouge et très peu de cravates et pour couronner le tout un chapeau de paille. »

---

23 août 1961   # Un phoque au Saguenay

Quelques baigneurs s'ébattent dans les eaux du Saguenay un peu en amont de Chicoutimi et d'autres jeunes s'amusent sur la grève. Journée d'été qui s'annonce paisible, sans aventure. C'est le *23 août 1961* et tout va bien. La marée est montante. Déjà les vagues recouvrent les roches qui disparaissent un peu plus chaque fois que les vagues vont et viennent. Et voilà que là, tout près des jeunes, un phoque se prélasse au soleil.

Marcel Paulin, seize ans, et ses compagnons Yvon Langlois, Léonard Morissette, André et Denis Drapeau de la paroisse Saint-Jean-Eudes d'Arvida sont témoins d'un fait rare. Étonnés, ils regardent le jeune loup-marin étendu à une dizaine de pieds du bord de l'eau et qui semble se soucier fort peu d'eux.

Les jeunes garçons décident d'attraper le mammifère et la chasse s'organise. Équipés d'un câble, ils cernent le phoque, les uns venant par eau, les autres par terre. L'animal, empoigné par les pattes, ne peut même pas tenter de s'enfuir.

Pas question de faire mal à leur prise. Le groupe avertit au plus tôt le zoo de Saint-Félicien et, en soirée, après trois heures de route, le jeune phoque se baigne dans un bassin au coeur du jardin zoologique, heureux de cette acquisition.

Après avoir communiqué avec le conservateur de l'Aquarium de Québec, Paul-L. Montreuil, ils apprennent que le phoque trouvé appartient à une espèce qui ne se promène habituellement pas dans les eaux du Saguenay. Il s'agit d'un phoque à capuchon ou cystophora cristata.

---

24 août 1942   ## Célébration

Un siècle déjà ! Pour célébrer cette fin et ce commencement, la population de Chicoutimi voulut des fêtes grandioses. Le *24 août 1942*, date de la fondation de la ville, fut décrété fête civique. Marchands et épiciers fermèrent boutique et plus de soixante paroisses de la région envoyèrent des délégués pour témoigner de l'entente qui existait entre les diverses localités.

S'inspirant des fêtes du Moyen-Âge, les festivités débutèrent en après-midi quand les HérAults d'armes, placés sur l'hôtel de ville et différents édifices, sonnèrent l'appel du « Bon Quart » comme pour le relèvement de la garde. Aussitôt, quittant le Côteau du Portage, la parade des armoiries se mit en marche précédée par la cavalerie légère. Les cavaliers étaient costumés en Halebardiers et portaient le gaufanon comme au temps des tournois. Le pavois portant les armes de la ville entourées des « armoriaux » en costume de « gouttelettes » et traînés par huit chevaux se rendit jusqu'à l'hôtel de ville en passant par les rues Montcalm et Racine.

Là, maires et échevins reçurent les témoignages de la population et des délégués. Puis, au son des trompettes, ils renouvelèrent leur serment d'office. Après quelques minutes de silence, le maire de Chicoutimi décréta la fin du siècle et le commencement du second.

La cérémonie terminée, la foule se dispersa au chant de l'hymne du Saguenay.

Voies maritimes et chemin de fer précédèrent les routes comme moyens de communication entre les villages de la région et ceux de l'extérieur.

Le chemin de fer qui reliait le Lac-Saint-Jean et Québec ne dépassait pas encore Métabetchouan. Pour compenser, la population de Roberval envisagea d'établir une ligne navale. Une délégation, composée du curé et de quelques notables, se rendit auprès des ministres des deux gouvernements pour demander des quais, des bouées, des phares et exiger du ministre des Travaux publics, Sir Hector Langevin, le maintien d'un service de bateau sur le lac Saint-Jean.

Afin d'évaluer lui-même la situation, Sir Hector Langevin se rendit à Roberval l'été suivant. Tout en lui rendant hommage, la population l'implorait.

« De Roberval, un cortège était venu le prendre à Hébertville, on avait sorti les drapeaux au village et le maire Donohue lui avait débité une jolie adresse toute tournée vers les besoins de la navigation, lit-on dans le livre : Histoire de Roberval. »

Le premier caboteur en service fut le Péribonka. Il établissait la correspondance entre la population du Lac et le train de Québec.

L'impatience de la population était si grande que le Péribonka fut mis à l'eau le *25 août 1888* pour un premier tour du lac. Les quais promis par le gouvernement n'étaient pas encore bâtis, les sondages n'avaient pas été faits. À la suite de cette téméraire sortie, à peine sorti des chantiers, le Péribonka resta en cale de radoub plusieurs jours. Il commença officiellement son service en automne 1888 avec Georges Barras comme capitaine.

Le *26 août 1955* avait lieu à Chicoutimi, une parade en l'honneur du nageur Robert Cossette, devenu célèbre le 21 août précédent en parcourant la distance Chicoutimi-Bagotville à la nage, soit un parcours de vingt-huit milles dans les eaux froides et mouvantes du Saguenay. La parade s'est terminée au Colisée de Chicoutimi où le héros du jour fut applaudi par des milliers de personnes fières de cet athlète. La foule saluait le sportif le plus populaire de l'heure, disait la presse.

La victoire de ce nageur dépassait l'exploit sportif. En effet, Robert Cossette fut victime, à l'âge de quatre ans, d'une paralysie infantile. Il lutta contre ce handicap refusant de se laisser vaincre par la maladie. Il avait vingt-cinq ans lorsqu'il réussit sa course vers Bagotville.

Le nageur professionnel, Jacques Amyot, dit de Cossette : « La performance de Cossette, qui est reconnue officiellement par les deux juges, est le plus remarquable exploit sportif individuel jamais accompli dans la région du Saguenay ». Parmi ses exploits, il réussit la traversée du lac Saint-Jean en douze heures cinquante minutes. En août 1964, il traversa la manche en douze heures cinq minutes au rythme de soixante-huit mouvement de crawl à la minute.

---

27 août 1888   # Un monstre marin

Munie d'une gaffe, utilisée pour accrocher le bois que la marée montante jette sur le rivage, la femme du charretier Hypolite Tremblay se dirige vers la porcherie située près de la grève. Elle aperçoit, ce *27 août 1888*, une masse peu ordinaire, monstre marin échoué là.

Terrifiée, madame Tremblay ne songe pas pour autant à demander du secours. Au contraire, armée de sa gaffe, elle approche du monstre. Une bataille en règle suit entre les deux. À chaque coup porté par la femme du charretier, le monstre se redresse et fait entendre un son semblable à un sifflet d'alarme.

La marée baisse. Le monstre ne tarde pas à être totalement hors de l'eau. La combattante décide que l'heure de la mise à mort est venue et enfonce son arme de fortune dans la gueule de l'animal, puis remonte vers sa maison raconter l'incident à son mari.

Mari et gens du village se rendent sur les lieux. Ils examinent le monstre : la tête est très grosse, la peau rugueuse. Les oreilles ressemblent à celles d'un loup-cervier. Il mesure treize pieds et six pouces et pèse de mille cinq cents à mille six cents livres. Le corps disséqué ne laisse voir que des cartilages bleuâtres et transparents.

Chacun y va de ses hypothèses pour connaître la nature du monstre. La majorité se ralliant à l'avis des gens du Nouveau-Brunswick employés à la manufacture de conserve de bleuets qui se disent convaincus qu'il s'agit d'une maraîche.

---

28 août 1931   # Papier journal

La première cuvée de pâte à papier à la Ha ! Ha ! Bay Co. Ltd fut produite en avril 1918. Cette compagnie avait pour but de fabriquer de la pâte sulfiée en utilisant les conifères de nos forêts.

En 1926, l'industrie prit le nom de Port-Alfred Paper Corporation et ajouta une nouvelle usine à la première pour la fabrication du papier journal. Elle comptait quatre machines d'une capacité de cent tonnes par jour chacune.

La crise économique provoqua la fermeture de l'usine en octobre 1930. Elle reprit ses activités au printemps suivant. Le *28 août 1931*, l'entreprise se constitua en société et prit le nom de Consolidated Pulp and Paper Corporation.

La compagnie obtint un privilège de coupe dans la région, sur une étendue de quatre mille huit cents kilomètres carrés de forêts.

La mécanisation permit de pousser au maximum la production de papier journal, atteignant plusieurs centaines de milliers de tonnes chaque année.

Depuis, l'entreprise a été achetée par Power Corporation, présidée par M. Paul Desmarais.

---

29 août 1939   # Louis Hémon

Qui ne connaît pas Maria Chapdelaine, le célèbre personnage de Louis Hémon, à travers lequel plus d'un crurent reconnaître l'histoire d'une jeune femme du Lac-Saint-Jean ? L'écrivain, d'origine bretonne, avait choisi Péribonka comme cadre de son roman, après avoir séjourné et travaillé chez Samuel Bédard.

Considéré comme un écrivain qui a aidé à faire connaître l'âme canadienne-française, Louis Hémon fut apprécié pour avoir défendu les principes de l'amour de la terre et du refus de la vie facile en pays étranger.

Le vingt-cinquième anniversaire de la mort de Louis Hémon fut souligné par une fête commémorative et par l'inauguration du Musée Louis-Hémon, alors installé dans l'ancienne maison de Samuel Bédard. Pour la circonstance, de nombreuses personnalités s'étaient rendues à Péribonka, ainsi que Marie, soeur de l'écrivain, et Lydia, sa fille. L'année suivante, le *29 août 1939*, fut dévoilée une plaque sur pivot, érigée à la mémoire de Louis Hémon, par la Commission des monuments historiques du Canada.

En juin 1986, le Musée Louis-Hémon à Péribonka prenait place dans un tout nouvel édifice, construit en bordure de la rivière Péribonka. Ce Musée compte trois salles d'exposition, dont une totalement consacrée à Louis Hémon. Le visiteur y découvre de nombreux objets, dons de Lydia Hémon, ayant appartenus à l'illustre écrivain. Ce Musée est l'oeuvre de nombreuses personnes qui se sont passionnées pour l'écrivain et son oeuvre. Parmi elles, le conservateur Gilbert Lévesque s'est révélé l'un des plus ardents défenseurs de la mémoire de Louis Hémon.

Si l'on en croit les journaux de l'époque, le bateau à vapeur North America aurait été le premier navire à remonter la rivière Saguenay jusqu'à Chicoutimi. Les Indiens, effrayés à la vue de cette « maison marchant sur l'eau », comme ils l'appelèrent, s'enfuirent. L'agent du poste de Chicoutimi eut bien des difficultés à les rassurer.

La Gazette de Québec du *30 août 1842* raconta l'expédition : « Le bateau à vapeur North America est de retour de son voyage au Saguenay. Parti de Kamouraska ce matin à sept heures, il est arrivé à Québec à deux heures et demie de l'après-midi. Il a remonté le Saguenay avant-hier jusqu'à Chicoutimi avec une cinquantaine de passagers, ayant laissé les autres en divers endroits sur la route. C'est la première fois qu'un bateau à vapeur est monté si haut dans cette rivière et son apparition a dû faire une étrange impression sur les Sauvages du poste. Les voyageurs au nombre d'une centaine sont très satisfaits de leur excursion qui a été favorisée par un temps magnifique. Un d'entre eux a rapporté de Chicoutimi des échantillons de blé, de froment, d'orge et d'avoine presque mûrs et d'une luxuriance extraordinaire ».

Si le North America ne fut pas le premier à s'aventurer sur le Saguenay, fleuve reconnu comme très dangereux par Jacques Cartier à cause de ses marées et remous, il fut le seul navire, en 1842, à s'être rendu jusqu'à Chicoutimi.

---

31 août 1919 # Aviation

Première communication aérienne entre le Royaume du Saguenay et le monde extérieur, un hydravion du nom de La Vigilance, piloté par Stuwart Graham, quitta le lac-à-la-Tortue près de Shawinigan et descendit au large du brise-lames à Roberval.

À bord, outre le pilote, il y avait le mécanicien Bill Kahre et un passager, Munroe MacLaren, gérant du département forestier de la compagnie Laurentides. À leur arrivée, ils furent accueillis par la population et salués par le maire du village.

Les visiteurs profitèrent de leur bref séjour pour explorer la vallée de la rivière Mistassini et celle de la Péribonka. Ils repartirent deux jours plus tard, soit le *31 août 1919*, avec quelques passagers supplémentaires : un ourson et une boîte de bleuets.

L'année suivante, la Canadian Air Force ouvrit une station d'aviation à Roberval. La Compagnie Price s'équipa de trois hydravions ayant leur base à Chicoutimi. En 1928, la Provincial Airways installa sa base à Saint-Félicien. Cette même année, le pilote Roméo Vachon inaugura un service postal par voie des airs jusqu'à Sept-Îles.

Quelques années plus tard, le 5 juin 1936, Rodolphe Pagé, un Saguenéen, effectua un vol d'essai sur l'Émerillon, avion qu'il avait fabriqué. Il l'utilisa pendant un an. En 1937, Rodolphe Pagé inaugura un service de secours sur la Côte-Nord avec une base d'opération aux Grandes-Bergeronnes. Interrompu pendant la guerre, ce service reprit en 1943.

Statue de la Vierge érigée sur le Cap Trinité. (Photo: Le Quotidien)

Le *1er septembre 1535*, Jacques Cartier jeta l'ancre à Tadoussac où il reconnut l'entrée d'une grande rivière que les Indiens appelaient Pitchi-taouitchetz. Il lui donna le nom de rivière du Saguenay parce qu'elle était, assurait-on, le chemin qui menait au Royaume du Saguenay.

« Il y a une rivière fort profonde et courante qui est la rivière et chemin du royaume et terre du Saguenay, ainsi que nous a été dit par nos deux hommes du pays de Canada. Et en icelle rivière entre hautes montagnes de pierre nue, sans y avoir que peu de terre, eu nonobstant y croit grande quantité d'arbres et de plusieurs sortes qui croissent sur ladite pierre nue comme sur bonne terre ; de sorte que nous y avons vu tel arbre suffisant à mâter navire de trente tonneaux, aussi vert qu'il soit possible de voir, lequel était sur un roc sans y avoir aucune saveur de terre... Et nous étant posés dedans ladite rivière, mirent deux barques de Canada à nos navires... Le lendemain, deuxième jour dudit mois de septembre, ressortimes hors de ladite rivière pour faire le chemin vers le Canada ; et trouvâmes la marée fort courante et dangereuse, pour ce que devers le su de ladite rivière il y a deux îles à l'entour desquelles à plus de trois lieues n'y a que deux ou trois brasses, semées de gros perrons comme tonneaux et pipes, et les marées décevantes par entre lesdites îles, de sorte que nous cuydâme perdre notre galion sinon le secours de nos barques. »

Le 1er septembre 1935, le quatre centième anniversaire de cette découverte fut célébré et commémoré par le dévoilement d'une plaque et par une croisière sur le Saguenay à bord du Canada-Steamship.

Homme de mots, le verbe haut, la plume virulente, Joseph-Dominique Guay se contenta de trois lettres pour dire « oui » à Maria Morin, le *2 septembre 1889*. Fille unique d'Isaraël Morin, marchand, petite-fille du premier inspecteur d'école du district de Chicoutimi, elle était aussi la cousine d'un des rédacteurs de notre code civil, Auguste-Norbert Morin.

Joseph-Dominique Guay étudia le droit mais, attiré par de multiples activités, il n'eut guère le temps de pratiquer.

Connu principalement comme journaliste, Guay fit ses débuts au Réveil du Saguenay puis fonda le Progrès du Saguenay dont il fut seul propriétaire, éditeur et rédacteur pendant vingt ans.

En 1895, il se lance en politique municipale et ne brigue pas moins que le poste de maire. Élu ainsi que tous ses candidats, J.-D. Guay devient maire de Chicoutimi le 25 janvier 1895 et le restera jusqu'à sa démission le 4 mars 1902.

Né à Chicoutimi le 14 avril 1866, il eut pour parrain Mgr Dominique Racine.

---

3 septembre 1864   # Soeurs du Bon-Pasteur

« Nos bonnes soeurs sont arrivées à midi par une pluie battante et des chemins affreux. (...) Les soeurs, toutes moins soeurs Saint-Édouard, ont été malades du mal de mer dans la traversée. Heureusement qu'elles sont bien aujourd'hui qu'elles ont mis pied à terre. »

C'est en ces termes que le curé Dominique Racine raconta l'arrivée des soeurs du Bon-Pasteur à Chicoutimi dans une lettre adressée à Mgr Gazeau, grand vicaire de Québec, le *3 septembre 1864*.

« Soeur Saint-Philippe me prie de vous dire que pas une seule larme n'a été répandue depuis le départ de Québec. Madame la supérieure me prie de vous faire savoir que le capitaine du steamboat s'est montré d'une grande complaisance à leur égard et qu'il ne leur a demandé que dix neuf dollars et cinquante pour monde et bagages. »

Les soeurs du Bon-Pasteur furent les premières religieuses à s'établir dans la région. Le curé Racine avait acquis une maison pour la somme de cinq cents louis pour y installer la communauté. Cette maison avait été construite à la demande du Conseil municipal dans le but d'en faire l'hôtel de ville. À l'arrivée des soeurs, la maison n'était pas encore terminée. En attendant que soient posées portes et fenêtres, les trois religieuses furent logées au presbytère. Elles prirent possession de leur couvent le 12 septembre. Deux jours plus tard, les portes s'ouvraient sur les premières pensionnaires.

---

4 septembre 1865   # Veni Vidi contre Veni Dici

Dans son rapport, publié vers 1828, l'arpenteur Joseph Bouchette suggérait de relier la Baie des Ha ! Ha ! au lac Kénogami par un canal. Ceci pour éviter la route tortueuse et difficile de la rivière Chicoutimi.

Vingt-sept ans plus tard, le canal revenait à l'ordre du jour, provoquant une violente polémique débattue par lettres ouvertes aux journaux. Parmi les belligérants, deux signaient leur lettre de pseudonyme : Veni Vidi et Veni Dici.

« Le coût de ce canal sera insignifiant si on en croit M. Veni Dici. Un petit canal d'un mille entre les deux lacs en question, Kénogamishiche et Kénogami ; un autre d'une lieu pour relier la baie de Monctouche à la rivière du Grand-Brûlé ; enfin, un autre petit canal d'environ trois lieues entre cette dernière et la grande baie. Cependant il serait peut-être prudent de tenir compte un peu de la nature du terrain où devra passer le canal. Le correspondant voudrait-il bien, pendant les loisirs que lui laissent son scalpel et ses patients, nous dire pourquoi il néglige d'informer le public que le terrain où devra passer le canal depuis Bagotville jusqu'à la rivière du Grand-Brûlé est élevé d'environ trois cents pieds au-dessus du niveau de la Grande-Baie. »

Un an plus tard, le Courrier du *4 septembre 1865* parlait encore de cette polémique, qualifiant le projet du canal de rêve insensé pour une région qui avait surtout besoin de routes carrossables.

---

5 septembre 1972   # Monsieur Alfred

Découvrir le passé, ce n'est pas toujours parler d'événements ; c'est parfois se contenter d'un récit dont le propos, le style, le sujet en disent long sur les êtres concernés. En voici un exemple avec quelques extraits de la biographie de l'abbé Alfred Tremblay, professeur au Séminaire de Chicoutimi, écrite par Mgr O.-D. Simard le *5 septembre 1972* et publiée plus tard dans Saguenayensia.

« Avec monsieur Alfred il n'y avait pas de matière aride. Chaque jour était un spectacle. Pour ma part, je lui dois le peu de théologie que je possède. Il y a telle et telle question que je n'ai jamais expliquée autrement qu'avec les matériaux qu'il nous avait servis. »

« Précisons tout de suite que, dans l'usage de tous les jours et de tout le monde, c'était monsieur Alfred ; le nom Tremblay appartenait à trop d'individus pour être pratique. Alors couramment c'était monsieur Joseph-Adélard, monsieur Calixte, monsieur Joseph-Eugène, monsieur Charles-Elzéar, monsieur Eugène, monsieur Victor et monsieur Alfred. »

« Monsieur Alfred est né à Saint-Alphonse à Bagotville le 3 février 1856. Son père était cultivateur. (...) Il était supérieur en 1912 lors de l'incendie qui détruisit le Séminaire, la cathédrale et tout le quartier est de Chicoutimi. Sa première réaction fut... de composer une pièce de vers sur les ruines du Séminaire. (...) »

---

6 septembre 1921   # Premier agronome

Michel Bélanger fut le premier agronome à travailler au Lac-Saint-Jean. À sa façon, il contribua à l'évolution des méthodes et techniques agricoles chez nos cultivateurs.

Décédé précocement à l'âge de trente-huit ans, le *6 septembre 1921*, il reçut des honneurs posthumes du premier ministre du Québec, Adélard Godbout, confrère de classe du disparu et qui voulait que soit reconnue l'oeuvre de Michel Bélanger.

Une plaque commémorative, hommage des agronomes de la filiale du Lac-Saint-Jean, fut dévoilée par Dolorès Bélanger, fille du défunt qui reçut, au nom de son père, la médaille d'or du Mérite agricole.

Michel Bélanger était arrivé dans la région en 1917. Sa tâche consistait à faire bénéficier les cultivateurs de ses connaissances techniques et agricoles. Il tenta d'expliquer les méthodes rationnelles d'élevage, de la sélection des troupeaux, du contrôle laitier, du labour d'automne, de la fertilisation des sols, de l'hygiène, du choix des cultures adaptées à la région, de la comptabilité, de l'organisation des marchés et de la coopération.

Il donna des conférences dans le but de faire reculer petit à petit la routine et d'implanter des nouvelles méthodes de culture, secondant de ses conseils les cultivateurs prêts à tenter de nouvelles expériences.

---

7 septembre 1955   # Collège à Jonquière

Malgré ses débuts modestes, le collège de Jonquière, dès le premier jour d'ouverture le *7 septembre 1955,* se montra orgueilleux de l'avenir qui s'annonçait. Trente-deux étudiants d'une classe de Belles-Lettres assistaient à la cérémonie d'ouverture en présence des journalistes, de Mgr Luc Morin et de la direction. Tous furent unanimes pour qualifier cette date d'historique.

Tout avait commencé par l'initiative d'une dizaine de citoyens de Jonquière qui, en compagnie du curé de Saint-Dominique, Luc Morin, avaient demandé aux Oblats d'accepter la direction d'un collège classique à Jonquière. Ils n'avaient pas hésité à se rendre au Cap-de-la-Madeleine pour y rencontrer le supérieur général des Oblats, le père Léo Deschâtelets.

La demande fut favorablement accueillie et, le 4 mai 1955, le Conseil provincial confirmait l'acceptation de la fondation d'un externat classique à Jonquière. Une demande fut adressée en ce sens à l'administration générale à Rome le 14 mai suivant. L'autorisation fut accordée.

C'est le père Pierre-P. Asselin qui fut nommé recteur de la nouvelle institution. Il était alors aumônier national de la J.O.C.. Il fut chargé de l'organisation du nouveau collège en collaboration avec le comité des laïcs. Le père Gérard Arguin devint le premier directeur des études, tâche qu'il garda pendant quatorze ans. Les pères étaient logés au presbytère de la paroisse Saint-Dominique et les locaux du collège étaient situés au premier étage de la salle paroissiale.

Curé Elzéar Delamarre

À Sainte-Brigitte de Laval, dans le comté de Montmorency, naissait Elzéar Delamarre le *8 septembre 1854*. Septième d'une famille de dix enfants, il vint vivre à Hébertville avec sa famille dès l'âge de quatre ans. Son intelligence attira l'attention de l'abbé. J.-B. Villeneuve, curé de la paroisse, qui prit à sa charge les études du jeune Delamarre et l'envoya au Séminaire de Québec d'où il sortit en 1878 pour entrer au Grand Séminaire de Chicoutimi.

Prêtre et éducateur, il fit sa marque particulièrement dans les oeuvres apostoliques. En 1984, il fonda un orphelinat pour jeunes filles avec la collaboration des soeurs de l'Hôtel-Dieu. Il en assura la subsistance en créant l'oeuvre du pain des pauvres.

En 1895, avec l'abbé Huard, il fonda le Messager de Saint-Antoine, dont le but était de propager l'oeuvre naissante du pain des pauvres et celle de l'association universelle de saint Antoine dont il fut nommé directeur diocésain en 1903.

En 1903, l'abbé Elzéar Delamarre fonda la Croisade de prières des petits. En 1904, en tant que supérieur du Séminaire, il réalisa la fondation des soeurs Antoniennes. En 1912, il créa l'oeuvre du Petit Séminaire destinée à venir en aide aux enfants moins fortunés désireux de devenir prêtres. Il prit part à la fondation de L'Oiseau-Mouche dans lequel il écrivit sous le pseudonyme de Livius. Et, en 1913, c'est encore grâce à lui que naquit le pélerinage du lac Bouchette où un homme atteint du cancer à la lèvre aurait été guéri miraculeusement.

Blé d'Inde et culture

Tous les chemins mènent à la culture si l'on en croit l'initiative de Julien Poulin de Jonquière qui, pour attirer la population au Centre culturel, organisa une épluchette de blé d'Inde le *9 septembre 1973*.

Afin de démontrer à la population que ce lieu lui était destiné, Julien Poulin avait profité d'une tradition populaire. Plus de cinq cent personnes avaient répondu à l'invitation.

Situé sur le mont Jacob à Jonquière, le Centre culturel a été construit lors du centenaire de la Confédération. Le gouvernement fédéral assuma un tiers du coût de la bâtisse, le gouvernement provincial un tiers ainsi que la Ville qui défraya, en plus, l'achat du site, du mobilier et l'aménagement.

L'Institut des arts a la responsabilité de la direction du Centre culturel. Fondé par Pierrette Gaudreault, l'Institut des arts a pris naissance dans le sous-sol de la résidence de cette pionnière infatigable qui a permis que des jeunes aient accès aux diverses disciplines artistiques en recrutant des professeurs, en faisant une collecte d'instruments de musique auprès des amateurs de la région.

Une salle de théâtre porte aujourd'hui le nom de Pierrette Gaudreault. Plusieurs centaines d'élèves s'inscrivent chaque année en classe de musique, de chant et de théâtre. Un Centre national d'exposition a été ajouté au Centre culturel. Un théâtre d'été anime le Centre pendant la saison estivale.

---

10 septembre 1872   **William-Evan Price**

Le *10 septembre 1872,* les gens de Chicoutimi et du Saguenay élirent William-Evan Price comme député conservateur à la Chambre des Communes. Les historiens disaient à son sujet : « Plus modeste et moins remuant que son aîné David-Edward, sans se désintéresser de la chose publique, il se donna entièrement aux affaires de la compagnie. Humain dans ses procédés, charitable, large d'esprit, en termes excellents avec le clergé, le meilleur des Price, comme disent les anciens, fut celui qui s'attira le plus l'estime de tout le monde et l'attachement de ses employés ».

William-Evan Price fut candidat aux élections de 1872. Il s'adressa aux électeurs pour leur rappeler sa participation aux oeuvres sociales. Il souligna l'importance économique des entreprises Price pour la région et promit de favoriser la construction du chemin de fer. Représentant une population majoritairement catholique, il s'engagea, lui un protestant, à supporter de son influence les écoles catholiques et à suivre en tout les conseils des prêtres et des évêques. Élu le 10 septembre, il représenta les comtés unis de Chicoutimi et Saguenay jusqu'à la dissolution de la Chambre des Communes le 2 janvier 1874.

Davantage intéressé par la scène provinciale, William Price profita de cette dissolution pour renoncer à la Chambre des Communes. Candidat aux élections provinciales, il fut élu député le 20 juillet 1875. Il démissionna en février 1880 pour raison de santé.

---

11 septembre 1881   **Cloche au Cap Trinité**

Lorsque l'on descend la rivière Saguenay, à la hauteur du cap Trinité, une immense statue de la Vierge domine le fjord. Les bateaux de touristes la saluent au passage et un guide raconte l'histoire de celui qui fit le voeu de rendre ainsi hommage à la sainte Vierge si elle lui sauvait la vie. Ce que l'on ignore c'est que, le *11 septembre 1881*, l'Archevêque de Québec avait procédé à la bénédiction d'une cloche destinée à être installée sur le cap Trinité auprès de la statue.

La cloche pesait mille cinq cents livres et avait été offerte par plusieurs personnalités de l'époque dont le nom devait être gravé sur le métal. Lors de la bénédiction, la cloche reçut le nom de « Maria Immaculata Ouaouen-darolin » c'est-à-dire « Marie-Immaculée dont on entend la voix ».

Malheureusement, pour des raisons qu'on ne connaît pas, la voix ne se fit jamais entendre. La cloche séjourna à la cathédrale de Chicoutimi. De là, elle fut transportée à l'église Saint-Joseph d'Alma et, finalement, élut domicile dans le clocher de l'église de Sainte-Hedwidge au Lac-Saint-Jean.

Dans le secret des archives paroissiales de Notre-Dame à Québec, un document rappelle les paroles de l'Archevêque : « Le onzième jour de septembre mil huit cent quatre-vingt-un, par nous Archevêque de Québec, sous-signé, a été bénite avec les solennités prescrites, une cloche du poids de mille cinq cents livres destinée à être installée au Cap Trinité, sur la rivière Saguenay avec la statue colossale de Marie Immaculée ».

---

12 septembre 1852   **Peter McLeod**

Peter Mc Leod Jr, fondateur de Chicoutimi, mourut le *12 septembre 1852*. Personnage légendaire, il fit parler beaucoup de lui au Royaume du Saguenay. Lors d'une assemblée de la Société historique du Saguenay, tenue le 21 février 1942, l'abbé Alexandre dévrivit certains aspects de ce person-nage qui avait fortement marqué son époque.

« Quand j'étais jeune, à chaque dimanche après-midi, on voyait arri-ver chez nous le bonhomme Morissette (qui ouvrit notre rang en 1848 ; une plaque de marbre rappelle ce fait à l'endroit même. Il est le père de Louis et François, le grand-père du p'tit François de Sainte-Anne en face du pont). Il venait jaser avec mon grand-père François et mon père Alexandre et moi j'étais un auditeur attentif. L'un des sujets les plus fréquents était le temps de Mc Leod ».

« Le temps de Mc Leod aurait duré dix ans (1842-1852). Pendant ce temps-là, Mc Leod avait régné véritablement de fait dans le Saguenay, résu-mant comme dictateur de fait tout pouvoir public. Ses volontés étaient mises a exécution au moyen de sa gestapo, ses bullies (boulés). On était alors trop éloigné des pouvoirs publics. La nécessité exigeait une autorité de fait quelconque et Mc Leod était cette autorité ».

« Si Mc Leod était lion et tigre à ses heures, il était doux et généreux souvent. Voici un fait à l'appui, fait que m'a raconté Louis Morissette, fils du bonhomme ci-haut mentionné. À tous les jours de l'An Mc Leod organisait dans sa maison une exposition d'étrennes pour tous les enfants ; une grande table couverte, chargée de toutes sortes de bonbons et les enfants venaient chercher leurs étrennes. »

---

13 septembre 1949   **Chapelet à Naudville**

À l'époque du chapelet quotidien, transmis sur les ondes de CFGT, l'église du Saint-Sacrement de Naudville servit de lieu de récitation pour l'enregistrement.

Érigée en paroisse le *13 septembre 1949,* Naudville fut confiée aux pères du Très Saint-Sacrement. Ils étaient arrivés sous la direction du R.P. Galier. À ce moment, la population était de deux mille trois cents personnes.

Le territoire de Naudville comprenait toute l'île d'Alma, excepté l'île Sainte-Anne et une étroite bande de terrain adjacente à celle-ci.

Dans les débuts de la paroisse, la messe était célébrée dans la maison de M. Albert Naud, pionnier fondateur de la localité. Puis, l'école fut aménagée en chapelle et en logement pour les religieux. Cette maison devint plus tard l'Hôtel de ville.

La construction du monastère et de l'église commença sans délai. Le monastère fut prêt à recevoir ses occupants au mois de décembre. Et les travaux de l'église étaient suffisamment avancés pour permettre la célébration du culte au Noël 1948.

---

14 septembre 1895   **Attentat contre un train**

Des enfants seraient-ils coupables de l'attentat perpétré contre un train de la compagnie Roberval-Saguenay ? C'est la question que se posa un magistrat à la suite de l'incident du *14 septembre 1895,* incident qui aurait pu devenir grave. En effet, sur le trajet du train en route pour Roberval, à huit cents pieds du grand pont à chevalet entre Jonquière et Chicoutimi, deux grosses roches, l'une de cent quarante-deux livres, l'autre de cent douze livres, obstruaient la voie ferrée. La vigilance du conducteur permit d'éviter la catastrophe ; il avait aperçu l'obstacle assez tôt pour ralentir la course du train et atténuer le choc.

Le gouvernement local eut tôt fait d'envoyer un officier de la police provinciale. Quelques enfants furent soupçonnés et conduits devant le magistrat du district.

« Aucune preuve n'a pu être obtenue contre eux, écrivit le rédacteur du Progrès du Saguenay, et l'on reste avec la perspective que l'obstruction a été placée par quelqu'un qui était mu par des mauvaises intentions ou par un maniaque. L'Électeur, qui voit politique partout et surtout qu'il feint de craindre que les orangistes ne fassent disparaître son chef, l'honorable Wilfrid Laurier, voit une tentative d'attentat contre celui-ci. Le même jour, M. Laurier parlait à Roberval ; il devait y avoir une excursion à Chicoutimi qui n'a pas eu lieu. L'enquête qui a été faite aura ce bon côté qu'elle prouvera l'"importance de l'offense commise et qu'elle fera comprendre que l'autorité est décidée à agir sévèrement si on trouve le coupable. Quant aux jeunes enfants accusés ils ne sont certainement pas coupables et ils ont été libérés ».

---

15 septembre 1881   # Statue à la Vierge

Alors qu'il traversait la rivière Saguenay, entre Saint-Fulgence et Chicoutimi, Charles Robitaille, voyageur de commerce de Québec, crut bien que sa dernière heure était arrivée. La glace avait cédé sous le poids du cheval et de la voiture et ils s'enfonçaient de plus en plus dans la crevasse. Charles Robitaille invoqua la sainte Vierge faisant le voeu de lui rendre témoignage de sa reconnaissance si elle le sauvait. Sans comprendre comment, Charles Robitaille réussit à sortir de ce mauvais pas.

De retour à Chicoutimi, le voyageur confia son intention d'honorer la Vierge Marie en faisant ériger une statue à l'endroit où il avait failli périr. Mgr Racine lui suggéra plutôt d'installer la statue sur le cap Trinité. En effet, cette idée lui était chère depuis un voyage fait sur la rivière. Mgr Racine avait admiré les trois paliers du cap Trinité, rocher taillé à pic de mille cinq cents pieds de hauteur, se disant que cet endroit serait idéal pour y mettre un monument pieux.

Charles Robitaille tint parole. La statue de la Vierge fut construite en vieilles pièces de pin ayant servi à la construction d'un quai. Pour l'apporter jusqu'au cap Trinité il avait fallu la couper en trois parties. Pour la monter sur le premier cap, soit à neuf cents pieds au-dessus du niveau de l'eau, les huit hommes, engagés pour ce faire, la divisèrent davantage. Ils bâtirent un lit de bois au flanc de la montagne et à l'aide d'un « pallan » montèrent chaque morceau de cinquante pieds en cinquante pieds. Il fallut tout l'été et le *15 septembre 1881,* la statue était bénite par Mgr Racine.

16 septembre 1687	**La famille Gill**

Si l'on en croit le rapport de l'arpenteur Alexandre Wallace qui, en 1857, fit la délimitation officielle de la réserve de Pointe-Bleue, les seuls résidents déjà installés à ce moment, auraient été les frères Gill, Ambroise et Pierre-Antoine.

La descendance de la famille Gill compte le juge Charles Gill, le poète Charles Gill, l'abbé Léandre Gill. Ambroise et Antoine ont émigré au Lac-Saint-Jean avec certains de leurs compatriotes Abenakis. Un fils de Samuel, Louis-Joseph Gill, fut grand chef des Abenakis à l'époque des invasions du Canada par les Américains en 1775-1776. Son fils, Thomas, fut le père de Lucie Gill, mère d'Edward Niquet, pionnier de Péribonka.

Dans un texte, publié dans Saguenayensia et signé par Mgr Victor Tremblay, l'historien relate les origines de la famille Gill. D'origine anglaise, le premier ancêtre connu, John Gill, venu s'établir dans les colonies américaines se maria en 1645 au Massachusetts. Il eut six fils dont Samuel, né le *16 septembre 1687* qui fut enlevé en 1701 par un groupe d'Abenakis au cours d'une incursion dans les colonies anglaises et amené à Saint-François-du-Lac. Il avait quatorze ans quand son père le retrouva mais l'adolescent préféra demeurer avec les Indiens. Il épousa, en 1717, une Anglo-américaine du nom de James, enlevée comme lui, à Kenebec (Maine).

17 septembre 1882	**Pionnier du journalisme**

Auguste Béchard, originaire de Québec fonda le premier journal à paraître dans la région : « Le Saguenay », dont le premier numéro sortit le *17 septembre 1882.*

Propriétaire et rédacteur de ce journal, Auguste Béchard avait d'abord envisagé de créer une imprimerie à Chicoutimi. Il se ravisa et trouva plus pratique de faire imprimer « Le Saguenay » à Québec.

Son premier abonné fut Mgr Racine, suivi du curé Ambroise Fafard, curé de la cathédrale de Chicoutimi.

L'abonnement coûtait 1,50 $. Prix trois fois moins élevé que celui qu'il avait dû payer aux colons qui l'avaient transporté « fort modestement » affirmait Auguste Béchard.

Le Saguenay parut régulièrement toutes les semaines jusqu'au 11 août 1883. Son rédacteur avait la réputation d'être un homme fort poli, ne manquant pas d'initiative, qui avait la plume facile et n'était jamais en peine pour trouver ses mots.

En souvenir de ce pionnier du journalisme et afin de souligner le travail de ses successeurs, la Société nationale des Québécois décerne annuellement le Prix du journalisme Auguste-Béchard à un journaliste de la région du Saguenay-Lac-Saint-Jean.

---

18 septembre 1934   # Héléna Fillion

Née le 5 septembre 1895, Héléna Fillion était la fille d'Ernest Simard et de Winnie Gaudreault, cultivateurs d'Alma. Elle n'était pas née sous le signe de l'inaction.

Alors qu'elle est amoureuse de Joseph Fillion, Héléna se rend compte que la conscription, en 1916, menace l'homme de sa vie. Active, elle s'informe de la politique, cherche à connaître l'opinion de ses proches et décide qu'elle votera contre la conscription.

Le 7 août 1916, elle épouse son Joseph bien-aimé, conservateur d'opinion qui ne partage pas les idées politiques de sa belle-famille jusqu'à ce que sa convaincante épouse ne parvienne à le faire changer de camp. Le 24 août 1931, il devient le plus jeune député de l'Assemblée législative ainsi que le premier député du Lac-Saint-Jean. Le comté venant d'être divisé en deux : Lac-Saint-Jean et Roberval. Héléna continua son travail commencé avec la campagne électorale, soit le rôle important de celle qu'accueille, reçoit et, dans l'ombre, contribue à l'image du député.

En 1933, le ministre de l'Agriculture la persuade de créer un cercle des fermières à Alma. Chose difficile car à l'époque, les femmes ne sont guère intéressées à faire partie d'une association essentiellement féminine. Héléna fit le tour de la paroisse, maison par maison « pour convaincre les maris » et, le *18 septembre 1934*, le premier cercle voyait le jour. Elle fonda ensuite la Ligue catholique féminine, les Filles d'Isabelle et l'Âge d'or.

---

19 septembre 1863   Chute-à-Caron

Lorsque Michel Caron, contremaître à la Compagnie Price à Chicoutimi, acheta le lot 24 du rang A dans le canton Simard le *19 septembre 1863,* il ne s'attendait pas à ce que son nom passe à la postérité. C'est pourtant ce qui arriva, si bien que plusieurs se dirent étonnés que la nouvelle ville fondée là où avait vécu M. Caron porte le nom de Shipshaw plutôt que celui de Chute-à-Caron.

Le lot acquis par Michel Caron se trouvait sur la rive nord de la rivière Saguenay au pied d'une chute. En face se trouvait un bel endroit pour y pêcher la ouananiche que François Maltais appelait « le remou à Caron ». On parla de l'île à Caron et, finalement, de la chute-à-Caron à tel point que les arpenteurs et les ingénieurs du gouvernement en vinrent eux-mêmes à nommer ainsi ces lieux dans leurs documents officiels.

Né le 20 avril 1821 à l'Islet, Michel Caron était arrivé à Chicoutimi en 1843. Il travailla comme commis, mesureur de bois, contremaître de chantier ; devenu conseiller de William Price, il fut chargé de la direction du sciage, de l'expédition du bois en Angleterre et gérant de l'établissement Price à Chicoutimi.

Il fut élu conseiller municipal à Chicoutimi en 1878, maire 1882 à 1885 et de nouveau conseiller. Il mourut à Tadoussac en 1892.

Un autre lieu a également hérité du nom de Caron. Il s'agit d'une partie de la rivière Péribonka où il avait passé deux hivers, entre 1868 et 1870, et qui fut nommée « eaux mortes à Caron ».

---

20 septembre 1943   Archéologues à Saint-Honoré

Par un bel après-midi de septembre, quelques élèves du Séminaire, en compagnie de l'abbé Doré, conservateur du Musée d'histoire naturelle et directeur du cercle des Jeunes naturalistes, partirent en expédition à Saint-Honoré, endroit recherché par les paléontologistes, désireux d'explorer l'antique patrie des Triarthrus.

C'était le *20 septembre 1943* et les archéologues d'occasion purent se réjouir de trouver dans la carrière de Saint-Honoré de très beaux fossiles de ces crustacés, suffisamment pour reconstituer le dessin complet de ce type de fossile.

La présence des Triarthrus remonte à l'époque lointaine où la région était une vaste mer tropicale. Les coraux édifiaient leurs récifs aux abords des rivages, pendant qu'une faune abondante et variée se multipliait en eau tiède et profonde. Un texte signé par Pascal Tremblay, de la revue L'Alma Mater de 1943, explique que, avec les millions d'années et sous l'influence de facteurs physico-chimiques, la boue qui recueillit les restes de des animaux préhistoriques est devenue pierre gardant l'empreinte de ces animaux. Ce qui était une mer est devenue un continent dont les couches superficielles se sont usées et percées par endroit révélant des roches plus anciennes qu'elles recouvraient.

Et la carrière de Saint-Honoré était une illustration de ce phénomène géologique.

---

21 septembre 1975   # Jean-Paul Laliberté

Le chanoine Jean-Paul Laliberté, âgé de cinquante-quatre ans, décéda le *21 septembre 1975,* à la suite d'une longue maladie. Il était alors curé de la paroisse Saint-Joseph d'Alma depuis 1972.

Natif de Saint-Pie de Bagot, Jean-Paul Laliberté grandit au Saguenay et termina ses études théologiques au Grand Séminaire de Chicoutimi. Il fut ordonné prêtre dans la chapelle de l'Hôtel-Dieu Saint-Vallier par Mgr Mélançon, le *5 mai 1946.* D'abord vicaire à Roberval, il devint professeur de mathématique, de chimie, d'astronomie et de culture physique au Petit Séminaire.

Il fut successivement officier-commandant du Corps-école des officiers canadiens, en 1954, directeur des élèves de 1959 à 1965, supérieur jusqu'en 1967 et directeur général du Cégep de Chicoutimi jusqu'en juin 1971.

Il aimait beaucoup l'aviation et fut l'instigateur de l'option des cours de pilotage au Cégep de Chicoutimi. Il avait lui-même obtenu son brevet de pilote en 1961.

Contraint au repos, à la suite d'une maladie, en 1971, il en profita pour prêter son aide à la paroisse Saint-Jude d'Alma. En février 1972, convaincu d'être totalement guéri par une intervention divine, il accepta la charge de curé à la paroisse Saint-Joseph d'Alma.

Le chanoine Jean-Paul Laliberté, avait la réputation d'être un homme aimant la nature, la chasse et la pêche, les arts, la musique, les sciences et d'être un travailleur infatigable.

Grève à la Chaîne coopérative

La Chaîne coopérative du Saguenay vécut, en 1972, un pénible conflit qui avait débuté le 14 août. Les négociations avaient été rompues au cours de la grève opposant les employés et la direction de la CCS. Elles reprirent le *22 septembre 1972.*

« Le conflit risque de laisser des séquelles douloureuses, écrivait alors l'éditorialiste du Soleil, car la Chaîne n'est pas une entreprise comme les autres. Les propriétaires ne sont pas de capitalistes anonymes, des étrangers ou quelques riches possédants du milieu. Ce sont mille six cents agriculteurs qui, patiemment, sous le regard soupçonneux des anciens gouvernements assez réticents devant les mouvements coopératifs, ont monté une entreprise dont le dynamisme a finalement percé les murs étanches des marchés extérieurs ».

En octobre 1972, la plus grande entreprise de denrées alimentaires de la région était paralysée depuis deux mois. L'entreprise comptait trois cent trente employés, dont deux cent vingt-sept syndiqués affectés par le conflit.

Un programme d'expansion nécessitant un investissement de 800,000 $ était prévu. Il devait provoquer le gonflement du volume des ventes à 50 $ millions par année à la fin de la décennie.

En 1971, la CCS avait réalisé un chiffre d'affaire de 31 $ millions. À la fin du conflit, on évalua les pertes à plus de 5 $ millions plus quelque 60,000 $ imputables au vandalisme.

Chambre de commerce

Fondée le *23 septembre 1921*, la Chambre de commerce de Chicoutimi prenait la succession de la Chambre de commerce du Saguenay, créée en 1897.

De 1921, à 1946, la Chambre de commerce fut très active, si l'on en croit le Progrès du Saguenay qui en fit les louanges à l'occasion des « noces d'argent » de cet organisme.

Elle n'avait pas limité son champ d'action ; on lui doit la fondation d'une école d'agriculture, la création d'une école d'arts et métiers et l'amélioration des cours des écoles élémentaires.

En 1930, à force d'insister, la Chambre de commerce obtint l'entretien de certains chemins d'hiver, l'amélioration des voies entre Québec et le Saguenay, la désignation des rues, les numéros des maisons. On lui attribue encore la construction du pont de Sainte-Anne, les travaux accomplis sur la route de Tadoussac et la route de Chibougamau.

Le transport par chemin de fer, voie fluviale, et par airs, le service de télégraphe et de téléphone ont reçu son appui.

À cela, s'ajoute sa part d'influence sur tout ce qui touche l'argriculture, le réseau routier, la colonisation, la récupération des terres cultivables, les vieilles paroisses, le commerce, l'industrie. Sans compter l'établissement d'un marché, d'un entrepôt frigorifié et d'une station.

---

24 septembre 1975   **Marcel Lessard**

Premier député de la région à occuper un siège au cabinet fédéral, le député libéral Marcel Lessard fut nommé ministre de l'Expansion économique et régionale, le *24 septembre 1975.*

Au tout début de son mandat, il réussit à obtenir l'aide nécessaire à la réalisation de l'usine Donohue à Saint-Félicien.

Marcel Lessard avait été élu pour la première fois comme député créditiste à la Chambre des Communes à Ottawa. Réélu en 1963, il quitta le parti créditiste en 1965 et se présenta comme député indépendant. Il subit alors une défaite.

En 1968, Marcel Lessard se présenta de nouveau, mais comme libéral, avec succès d'élection en élection. Lors du remaniement ministériel, le premier ministre du Canada, Pierre Eliot Trudeau le nomma ministre de l'Expansion économique. Marcel Lessard précisa avoir été nommé sans préavis.

Le 3 janvier 1980, Marcel Lessard, âgé de 53 ans, annonça en conférence de presse qu'il quittait la scène politique pour des raisons personnelles et familiales.

---

25 septembre 1890   **Publicité amusante**

La publicité ne date pas d'aujourd'hui et les journaux d'autrefois n'ont pas hésité à lui céder de l'espace, annonce et information prenant la même allure. Dans l'édition du Progrès du Saguenay du *25 septembre 1890,* un écho d'Hébertville, particulièrement amusant, illustre bien le procédé d'hier.

«Désormais adieu à la vieillesse! effacez les ravages du temps! Quand les rides viendront tracer sur notre figure leurs capricieux sillons, quand le travail ardu et les chagrins cuisants auront déposé sur nos têtes de nombreux fils d'argent ou dénudé nos fronts brûlants, quand les rhumatismes malfaisants nous auront mûris pour... la tombe, rien ne sera définitivement perdu, car, comme l'exprime le docteur italien, Malin Conico, tout ce qui nous arrive d'agréable ou de fâcheux vient des microbes ».

Lorsqu'un vieillard septuagénaire voudra épouser une jeune donzelle, il n'aura, pour rétablir l'équilibre entre elle et lui, qu'à se présenter devant M. Conico qui fera périr ses microbes et le ramènera frais et dispos à ses beaux jours d'antan ».

« Si un mari soupçonneux s'aperçoit que sa jeune femme fait les yeux doux à quelques lions du jour, rien ne lui sera plus facile que de jeter dans le breuvage du rival une forte dose de microbes qui le rendront, en quelques jours, rachitique et un objet d'horreur pour le beau sexe ».

Visite au Saguenay

Grande visite au Lac-Saint-Jean : la Presse associée a choisi pour son excursion un site de la région du Lac. Vingt-deux journalistes d'autant de journaux différents arrivèrent à Chambord par le train du Lac Bouchette, observant les lieux en prévision de reportages à venir.

Ils soulignèrent particulièrement l'inconfort de nos moyens de transport comme en fait foi le compte rendu de M. Levasseur, rédacteur à l'Écho des Laurentides qui décrivit les péripéties de son voyage dans un texte publié le *26 septembre 1887.*

Pour atteindre Roberval, les visiteurs durent franchir vingt-deux milles à travers des chemins en mauvais état dans des voitures rudimentaires. En fait, chaque voiture était faite d'une simple planche, capable de supporter quatre personnes et quelques bagages.

« Elle formait entre les deux essieux une sorte de ressort qui adoucit les chocs de la route et inflige au corps un exercice soutenu sans trop de violence ».

Après plusieurs heures de trajet, traînés au trot par des chevaux canadiens à travers la forêt, les journalistes découvrirent un pananorama grandiose : À gauche, du côté accidenté, s'estompait en tons d'un bleu velouté une pointe constellée de petites taches blanches. C'était Pointe-Bleue et ses habitations blanchies à la chaux. En deça, au fond d'une grande baie, se dessinaient, sur un fond verdoyant, l'église et les maisonnettes de Roberval. Au pied de l'éminence, à plus d'un mille de distance, on distinguait les maisons du rang du bord de l'eau de la Pointe-aux-Trembles ».

Pour célébrer son centenaire, Hébertville, berceau de cette région du lac, organisa des fêtes commémoratives qui se terminèrent le *27 septembre 1981.*

En 1849, à l'instigation du curé Hébert, fut fondée une association des comtés de l'Islet et de Kamouraska. Accompagné de quarante hommes, le curé Hébert avait décidé de défricher les terres situées non loin du grand lac Saint-Jean. Deux ans plus tard, un moulin à farine et une scierie complétaient l'installation de ce village qui allait favoriser la naissance des paroisses voisines : Alma, Saint-Bruno, Hébertville-Station, Sainte-Croix et Saint-Jérôme (Métabetchouan).

L'église d'Hébertville fut la vedette des fêtes du centenaire. Construite en 1879, selon les plans de l'architecte David Ouellet de Québec, elle fut rénovée en 1979, préservant son cachet particulier plutôt que de céder au modernisme. Des démarches auraient même été entreprises afin de faire reconnaître ce temple comme bien du patrimoine par le ministère des Affaires culturelles.

En 1916, cette église avait été décorée par l'artiste peintre Charles Huot qui y laissa sept toiles non signées.

Née le *28 septembre 1961,* Christine Cossette, championne du monde de la natation, première femme a réussir la difficile traversée du lac Saint-Jean, a également été la première personne à tenter et réussir l'aller-retour entre Péribonka et Roberval.

Fille du non moins célèbre nageur, Robert Cossette qui fut l'un des premiers à réussir la traversée du lac, elle a, par cet exploit, modifié cette compétition qui, pendant trente ans avait été d'effectuer le plus rapidement possible le trajet de trente-deux kilomètres entre Péribonka et Roberval. En 1984, Christine Cossette décidait de faire un aller-retour. Elle prit le départ à minuit, devant une centaine de personnes et réussit à relever son propre défi. Depuis, la célèbre compétition, consiste à effectuer le double trajet.

Événement annuel qui attire des nageurs du monde entier, la traversée du lac est née de l'idée de Martin Bédard, surnommé le père de la traversée, et de Jacques Amyot, nageur reconnu, qui prit le départ le 23 juillet 1955.

« Dans un fracas indescriptible, occasionné par la pluie torrentielle, accompagnée d'éclats de tonnerre qui rendaient la scène encore plus dantesque Jacques Amyot a pris le départ. (...) La plupart des chaloupes qui se sont présentées au départ, accompagnées de quelques passagers, ont rebroussé chemin à la sortie de la rivière Péribonka. Le vent soufflait avec rage, la pluie froide caressait la vague avec véhémence et, pourtant, Amyot qui était reconnu comme l'un des meilleurs nageurs canadiens à cette époque, avait décidé d'aller jusqu'au bout.

Jacques Amyot réussit la traversée en onze heures trente-deux minutes et dix secondes. Reçu en héros à Roberval, il gagna la bourse, prévue au départ, soit 350 $, plus une somme de 1,000 $ amassée parmi les spectateurs rassemblés sur le quai.

---

29 septembre 1917   ## Grotte au Lac-Bouchette

Lorsque fut bénite, au Lac Bouchette, la grotte aménagée en l'honneur de Notre-Dame-de-Lourdes, le *29 septembre 1917,* le lieu portait déjà le nom de l'Hermitage San' Antonio. L'abbé Elzéar Delamarre voulait rendre ainsi un hommage à la Vierge par l'intermédiaire de saint Antoine.

Alors qu'il se promenait sur des terrains acquis en 1907, l'abbé Delamarre remarqua un rocher ressemblant à la grotte de Massabielle. L'idée lui vint de pousser plus loin la ressemblance et d'en faire un lieu en l'honneur de Notre-Dame-de-Lourdes. C'est ainsi que, grâce à ce dévoué religieux, de nombreux croyants qui rêvaient d'un pélerinage outre-mer virent leur sainte préférée s'installer à leur porte.

Sur ces mêmes terrains fut construit un chalet destiné au repos des prêtres du Séminaire ainsi qu'une petite chapelle. Dans sa thèse de maîtrise, Louise Arguin raconte que l'artiste Charles Huot peignit plusieurs scènes de la vie de saint Antoine de Padoue pour décorer la chapelle, lors d'un séjour au Lac Bouchette.

C'est ainsi que saint Antoine, en accueillant cette prestigieuse invitée qu'était Notre-Dame-de-Lourdes, s'assurait, pour des années à venir, la visite de nombreux pélerins en provenance de tous les coins de la région.

---

30 septembre 1880   ## Le téléphone

Le téléphone est aujourd'hui objet banal dans la presque totalité de nos maisons. Pourtant il y eut un temps où un appel téléphonique était considéré comme un événement et faisait les manchettes, notamment celle du Progrès du Saguenay du *30 septembre 1880.*

On y annonçait le raccordement téléphonique entre le Saguenay et Québec. Et ceux qui avaient eu l'occasion d'utiliser la ligne affirmaient que la communication était meilleure entre le Saguenay et Québec qu'entre Roberval et Chicoutimi.

« La voix sur un double fil de cuivre comme il en existe entre Chicoutimi et Québec se rend distincte à destination sans se perdre en chemin comme elle est exposée à le faire sur un fil de fer avec la terre comme circuit ».

Cette nouvelle ligne permettait d'appeler à Montréal, à Toronto, à Ottawa, Boston, New-York. Avec le chemin de fer, le télégraphe, la population ne manquait plus de rien prétendait le journal, sinon d'avion.

La gérence de la compagnie Saguenay-Québec fut confiée à L.-A. Casgrain. Les tarifs pour trois minutes étaient de cinquante cents de Chicoutimi à Charlevoix, plus quinze cents la minute additionnelle. Il était de un dollar pour Québec et trente cents pour chaque minute supplémentaire.

Le Bassin à Chicoutimi.

(Photo: Le Quotidien)

L'homme de fer

Damase Potvin annonça la publication d'un livre sur Peter Mc Leod dans Le Devoir du *1er octobre 1936.* Dans son livre « L'homme de fer », il traçait le portrait de ce personnage quelque peu légendaire qui, dit-on, « a régné en véritable despote ou en didacteur pendant plusieurs années sur cette lointaine région ».

William Price, fondateur de la compagnie Price, était déjà dans la région pour y exploiter les immenses forêts. Peter Mc Leod le rencontra au Saguenay et décida, lui aussi, de tailler sa part dans le coeur des forêts.

Sa mémoire a été davantage conservée par le souvenir des anciens qui ont raconté leurs souvenirs à la demande des membres de la Société historique du Saguenay. C'est là que Damase Potvin puisa les informations nécessaires à la rédaction de « L'homme de fer ».

« Le portrait de Peter Mc Leod ruisselle d'images nordiques, de beuveries et de sordides campements de bûcherons où la vermine se noie dans le whisky blanc. Il était comme un maître de la forêt, un meneur d'hommes. Un homme au yeux perçants d'oiseau de proie qui était du sang de toutes les bêtes et, on pourrait dire, de toutes les nationalités ; un cocktail international ».

Fils aîné de Peter McLeod et d'une mère d'origine montagnaise, il naquit vers 1807. Il hérita de son père, mort à 81 ans, d'un commerce de bois pour lequel il avait abandonné le commerce de fourrure. Le père, installé aux Terres-Rompues, avait acquis les limites s'étendant entre la Rivière-à-Mars et le bassin de la Péribonka, au nord-ouest du lac Saint-Jean.

Peter McLeod II serait mort empoisonné.

Baie d'Hudson contre colons

Le nouveau bail entre la compagnie de la Baie d'Hudson et le gouvernement assurait, cette fois, aux colons, le droit d'acquérir des terres au Saguenay. Il entra en vigueur le *2 octobre 1842.* Il y avait déjà quatre années que les colons avaient commencé à pénétrer à l'intérieur de la région.

Avant cette date, tout le territoire, désigné sous le nom des Postes du Roi, comme le raconte Mgr Victor Tremblay, était consacré à la traite des fourrures. La compagnie de la Baie d'Hudson, en vertu de son bail, ne pouvait, pas plus que le gouvernement, permettre la colonisation des terres.

L'historien croit que l'on a exagéré l'hostilité de la compagnie envers la colonisation. « La Baie d'Hudson n'avait pas d'intérêt à la permettre et ne faisait qu'user de son droit de l'en empêcher », dit-il.

En 1767, une sentence du Conseil privé d'Angleterre avait contraint des trafiquants de Québec à enlever les bâtisses qu'ils avaient construites à Chicoutimi. Ce n'est qu'après un rapport d'exploration datant de 1828, que le gouvernement fut favorable à la colonisation au Saguenay et « abandonna l'idée de maintenir ce pays en dehors de la civilisation ».

La population du Saguenay dépassait les trois mille personnes lorsque le bail exclusif de la cie La Baie d'Hudson prit fin. L'acte de libération fut effectif en 1842. La compagnie fut renouvelée ; un bail de deux ans à la condition que les terres puissent êtres arpentées et vendues aux colons.

---

3 octobre 1844   ## Arrivée des Oblats

Le *3 octobre 1844*, Mgr Signay, archevêque de Québec, confia aux pères Oblats le soin de servir et d'évangéliser les habitants de la région du Saguenay, vaste territoire s'étendant de Tadoussac à la Baie d'Hudson. Depuis 1782 il n'y avait plus de missionnaires en ces lieux fermés à la colonisation en vertu d'un bail cédé à la compagnie de la Baie d'Hudson.

Plusieurs races d'Indiens occupaient le territoire dont les Montagnais, groupe important pour le commerce de fourrure et la religion. « En 1844, raconte l'historien Mgr Victor Tremblay, ils n'étaient que l'ombre de ce qu'ils avaient été. De cinq cents familles il n'en restait qu'une soixantaine. Le contact prolongé avec les Blancs avait été funeste aux sauvages. Bon nombre d'entre eux ne s'éloignaient plus des postes. La paresse et la pénurie des vivres qui en résultait, l'usage immodéré des boissons, la mortalité infantile et les épidémies de petite vérole les avaient presque décimés. »

Pourtant, malgré l'absence de tout missionnaire depuis plus de soixante ans, les Indiens avaient conservé des connaissances religieuses et savaient tous lire et écrire. Occasionnellement, quinze prêtres étaient venus auprès d'eux pour continuer l'oeuvre des premiers missionnaires.

Lorsque les Oblats arrivèrent au Saguenay, les Indiens n'étaient plus seuls. Des colons avaient passé outre le privilège de la compagnie de la Baie d'Hudson et, dès 1938, s'étaient installés dans la région. Tenacité qui entraîna une importante modification du bail de la compagnie biffant la clause qui entravait la colonisation.

---

4 octobre 1858   ## La prison

Le choix du site du futur palais de justice de Chicoutimi et de la prison ne fut pas rapide. La première assemblée du *4 octobre 1858* fut suivie de plusieurs autres jusqu'en mai de l'année suivante quand, finalement, le choix porta sur des terrains appartenant à John Guay, soit les lots 59-60-61 et 62 de part et d'autre de la rue Jacques-Cartier d'aujourd'hui.

La construction du palais de justice et de la vieille prison, débuta en 1859 et fut terminée en mars 1862. De nouvelles annexes ont ensuite été ajoutées et une nouvelle prison fut construite en 1929. Prison qui ne fut pas toujours de tout repos, si l'on en croit les rapports des gardiens qui s'y sont succédés jusqu'en 1936. Entre 1862 et 1936, il y eut deux mille six cent soixante détenus, y compris les hommes, les femmes et les enfants.

Les principales difficultés semblaient résulter plus des détenus aliénés que des autres. Ainsi, une dame Guérin, en 1875, a détruit sa paillasse, ses couvertures, chemises et jaquettes. Elle se promenait en tenue «plus que primitive» et elle ne rendit pas la vie facile à son gardien Louis-Pépin Lachance. François Guay, pour sa part, eut affaire à un «fou furieux» qui, avant son départ pour l'asile, eut le temps d'attaquer son gardien à coups de tisonnier. Deux jours aux fers le calmèrent mais le gardien se présenta toujours devant lui accompagné «d'un homme fort».

La seule condamnation à mort fut celle de Antoni Gaetano, pendu le 11 janvier 1929, à 5 h 30 du matin, dans l'enceinte de la vieille prison.

---

5 octobre 1883   # Conseil à Roberval

Les progrès constatés au village étaient suffisants pour envisager l'indépendance de Roberval. Une pétition fut adressée au Conseil des comtés du Lac-Saint-Jean et du comté de Chicoutimi, afin d'ériger en village le futur Roberval. Le 14 mars 1883, au Conseil des comtés tenu à Chambord, le maire d'Hébertville, Séverin Dumais, proposa de donner suite à cette demande. J.-C. Lindsay, secrétaire, fut chargé de procéder aux démarches préliminaires. Chaînage et plan furent exécutés par Arthur Du Tremblay. La nouvelle municipalité, proclamée le 6 septembre 1883, occupait une superficie de 238 acres. Ses bornes s'étendaient de la rivière Ouiatchouanish au Du Tremblay et au nord, ruisseau Brossard dans le lot 14 au sud.

L'assemblée d'élection des officiers du village eut lieu le *5 octobre 1883*. Israël Dumais devint le nouveau maire, succédant à Télesphore Pilote qui avait été le maire de la municipalité de paroisse. J.-C. Lindsay fut nommé secrétaire-trésorier et les autres membres du conseil furent : William T. A. Donohue, Joseph Guay, Pierre Paradis, Alphonse Marcoux, Charles Potvin et Abel Ouellet.

«Comme au conseil de paroisse, lit-on dans le livre « Histoire de Roberval », la voirie fut le souci principal des magistrats du village. Ils nommèrent leurs officiers : un inspecteur de voirie pour chacun des deux quartiers, nord et sud, séparés par la route ou rue Roberval, un inspecteur agraire, un gardien d'enclos, un ramoneur et un inspecteur des cheminées et tuyaux de poêles. Le gardien d'enclos n'était pas inutile pour la protection des propriétés contre les animaux en liberté. On fit même un enclos municipal pour y garder les animaux errants. On passa un règlement pour la construction de cheminées en briques et en pierres. Le salaire du ramoneur était de un sou pour chaque pied pris sur la hauteur de la cheminée ».

---

6 octobre 1977 Mᵍʳ Victor Tremblay

« À une époque où l'histoire régionale cherchait, non pas des titres de gloire, mais des voies et des formules, Victor Tremblay a su croire à son patrimoine et s'engager de plain-pied pour le dire avec passion et jeter avec sagesse des assises solides pour toutes les recherches futures sur l'histoire de ce grand royaume du Saguenay ». Ces mots furent adressés à Mᵍʳ Victor Tremblay pour souligner son importante contribution à l'histoire régionale, le *6 octobre 1977* lors de la remise d'un doctorat honoris causa de l'Université du Québec à Chicoutimi.

Né à Saint-Jérôme (Métabetchouan) le 23 mars 1892, Victor Tremblay devint le premier maître d'école à Saint-Coeur-de-Marie. Le 30 octobre 1915, il entrait au Séminaire de Chicoutimi et fut ordonné prêtre le 6 juillet 1919.

Cet historien a doté la région d'un véritable laboratoire de recherches historiques en créant la Société historique du Saguenay dont il fut le président fondateur de 1934 à 1966. Rédacteur du bulletin de cette société, Mᵍʳ Victor Tremblay fonda et dirigea la revue Saguenayensia. En 1954, il créa le Musée du Saguenay.

Ses activités consistaient à faire connaître l'histoire de la région, que ce soit par des conférences, des livres ou la célébration des centenaires des paroisses saguenéennes.

Il fut détenteur d'un doctora honoris causa en lettres de l'université Laval en 1952, titulaire du certificat de mérite de la Société d'histoire du Canada en 1960, de la médaille d'or de la Société historique de Montréal en 1966, de la médaille du Groupe des Dix en 1967.

---

7 octobre 1908 Saint-Nazaire

Les colons établis dans le canton Taché ont attendu pendant plusieurs années avant d'avoir leur propre paroisse.

Depuis le 15 octobre 1889, ils dépendaient de Saint-Joseph d'Alma. À partir de 1891, les services religieux avaient été donnés par la mission.

Le 27 août 1908, l'abbé Alfred Simard fut nommé curé résidant du canton Taché et il s'y installa peu après.

Les premiers actes du registre paroissial sont datés du *7 octobre 1908*. L'abbé Simard hérita de plusieurs reliques de la vieille église d'Alma : un autel, un vestiaire, un confessionnal, une cloche... Celle-ci, remisée dans les caves de l'église, fut la seule pièce qui échappa à la destruction lors de l'incendie qui ravagea l'édifice le 13 janvier 1918.

L'église a été reconstruite en 1919-1920. Le presbytère, datant de 1913, fut à son tour la proie des flammes en 1944 et dut être également rénové.

Le village de Saint-Nazaire, situé au Lac Saint-Jean, est principalement voué à l'agriculture.

---

8 octobre 1924 ## Odyssée dans le parc

Le premier voyage en automobile entre Chicoutimi et Québec par le parc des Laurentides dura six jours.

Le *8 octobre 1924*, deux automobiles quittent Chicoutimi dans le but de traverser la forêt vierge de Saint-Félix d'Otis à Saint-Siméon, une distance de quarante milles, et d'arriver à Québec pour revendiquer une route carossable auprès du gouvernement.

Dans une Willis Knigt 1923, propriété d'Alphonse Tremblay de Bagotville et une Willis Overland 1920, offerte pour la circonstance par Lauréat Gagnon et M. Lavallée, représentants de cette compagnie à Québec et Chicoutimi, neuf délégués dont Léo Quenneville, chauffeur attitré, atteignirent Québec six jours plus tard.

Opposé au projet d'une route entre Québec et Chicoutimi, le maire de Québec, M. Samson refusa d'aller à la rencontre de la délégation. Elle fut reçue, le lendemain par Louis-Alexandre Taschereau, premier ministre du Québec qui promit la route demandée bien qu'il doutât de pouvoir envisager de passer par le parc des Laurentides.

---

9 octobre 1936 ## Instruire les femmes

« Non mesdemoiselles, il ne s'agit pas de faire de vous des femmes savantes du type dont Molière a fait la caricature, comme il s'est moqué, du reste, du pédant masculin, race qui ne meurt pas, sous les traits de Trissotin. On veut seulement, comme le revendiquait Clitandre contre le bonhomme Crysale, vous donner des clartés de tout, à condition que les clartés soient suffisantes. Molière et les autres parlèrent pour leur temps et ils n'ont pas le droit de nous imposer un programme éternel. Et combien de ces sentences contre l'éducation des femmes qui ont le don d'impressionner tant de personnes, d'écrivains en veine d'esprit et de malice, ne sont après tout que des erreurs d'origine illustre ». Ce passage est extrait d'une allocution que prononça Mgr Lamarche, quatrième évêque de Chicoutimi, alors qu'il prônait l'éducation et l'instruction des femmes.

Né à Saint-Roch-de-l'Achigan, le 26 octobre 1870, Charles-Antonelli Lamarche devint évêque le 18 octobre 1928 à la cathédrale de Chicoutimi. Journée d'automne maussade, venteuse et pluvieuse qui se termina aux sons de l'orchestre du Séminaire.

Le 30 août 1936, il entreprit le pèlerinage canadien aux provinces des ancêtres de France. Voyage dont il devait revenir le *9 octobre 1936*. Même si la crise sévissait déjà, atteignant fortement l'économie de la région, l'épiscopat du quatrième évêque se déroula jusqu'en 1940 sans problème particulier.

---

10 octobre 1946   **Bûcherons récompensés**

« Le temps c'est de l'argent » aurait pu dire la Compagnie Price Brothers en récompensant ses meilleurs bûcherons. En effet, le *10 octobre 1946*, elle annonçait que son premier prix était une horloge et le second une montre en or.

La remise de ces prix était une façon de souligner « le mérite obscur mais digne de mention des travailleurs de la forêt qui se sont signalés à l'attention de tous par leur ardeur infatigable au travail et leur beau record ».

La récompense allait à celui qui avait coupé le plus de cordes de bois. À la sous-division de Kénogami-sud, Alphonse Paquet avait abattu trois cent cinquante-neuf cordes en deux cents cinquante-six jours d'ouvrage. À Dolbeau, la palme revenait à Damien Beaudoin qui avait atteint les quatre cent vingt-huit cordes en cent soixante-neuf jours.

C'est Wellie Thibeault de Shipshaw qui s'était classé premier pour la deuxième année consécutive avec sept cent trente cordes de bois de pulpe en trois cent seize jours, soit une moyenne quotidienne de deux cordes un tiers. Comme il avait déjà reçu la montre en or, la compagnie décida de lui offrir une horloge. Denis Ferland et les champions des sous-divisions reçurent la fameuse montre.

Cet hommage à la productivité avait été précédé par une fête champêtre pour tous les ouvriers, le 2 septembre 1946.

La famille Trapp est venue chanter à Jonquière et Chicoutimi où elle fut chaleureusement accueillie, tant par le public que par la critique qui ne tarit pas d'éloge à son sujet dans l'édition du Progrès du Saguenay du *11 octobre 1945.*

Invitée par la Société des concerts de Chicoutimi, la famille Trapp avait donné un spectacle varié au cours duquel elle avait interprété des chants connus ici. « Ils interprétèrent des chansons canadiennes : « À la Claire Fontaine » et « Youpe Youpe sur la rivière ». Partout où notre musique sera chantée par de tels artistes, il n'en pourra découler que de l'honneur pour nous. Ils méritent que nous les appelions nôtres ». D'autres textes présentèrent la famille Trapp comme le rappel d'une vie de famille sereine et heureuse.

Leur passage au Saguenay faisait partie d'une tournée transcontinentale. Les deux concerts leur avaient valu de nombreux rappels.

Sous la direction de leur pasteur et directeur, le Dr Franz Wasner, la famille avait interprété des chants des Alpes autrichiennes, chants avec paroles ou vocalises qui intéressèrent visiblement l'auditoire, précisait un journaliste.

Avant de repartir vers leur ferme du Vermont et leur camp musical, créé en 1944, la famille Trapp fut reçue à l'issue du concert par la famille Gustave Gauthier.

Le *12 octobre 1935*, Rodolphe Pagé, pionnier de l'aviation au Québec, quittait Trois-Pistoles et s'envolait sur l'Émerillon en direction de Saint-Alexis de Grande-Baie en compagnie de son ami William Ricci. Ce voyage n'était en réalité qu'une étape de la tournée de bonne entente entreprise à travers le Québec mais revêtait une importance particulière car Saint-Alexis était le village natal du pilote.

L'Émerillon était plus que le propre avion de Rodolphe Pagé. Il en avait fait les plans et l'avait lui-même construit, avec de pauvres moyens, dans le hangar d'un entrepreneur de pompes funèbres de la région montréalaise.

L'avion fut enregistré au ministère des Transports, le 24 juillet 1935, sous le matricule CFAYA. Sur la queue de l'appareil, comme prémice de l'artiste-peintre qu'il allait devenir plus tard, Rodolphe Pagé peignit deux émerillons aux ailes déployées.

Le trajet pour se rendre au Saguenay, effectué par la rive sud du Saint-Laurent, fut assez périlleux mais se termina sans encombre dans la prairie de Georges Lalancette. Le brave cultivateur était en train de labourer la terre quand il aperçut un « objet non identifié ». Il eut la peur de sa vie mais s'approcha tout de même pour constater que ce martien parlait français et qu'il s'agissait de Rodolphe, fils d'Adrien Pagé, un garçon du pays devenu pilote de brousse.

---

13 octobre 1977   # Caisses d'entraide

« La Fédération des Caisses d'entraide économique du Québec vient de consentir le plus gros prêt de son histoire à un promoteur immobilier de Québec », annonçait le Quotidien du Saguenay le *13 octobre 1977*. La Fédération venait en effet d'accorder la somme de quinze millions de dollars à Pierre Tardif inc. pour le financement d'un édifice à bureaux de neuf étages sur le chemin Saint-Louis à Sillery.

Une nouvelle façon de procéder permettait aux cinquante-sept Caisses d'entraide économique de participer au financement de cet édifice.

C'est un citoyen d'Alma qui a mis sur pied la Caisse d'entraide économique. Jacques Gagnon, avec un groupe d'amis, eut l'idée d'instaurer une source de financement à long terme. Le but était de mettre de l'avant un principe qui assurait aux épargnants l'utilisation des sommes souscrites ici même dans la région. « L'épargne de la région au service de la région », disait-il.

Ils furent trois, puis six, puis vingt-cinq à souscrire trois mille dollars chacun à raison de cinquante dollars par mois pendant cinq ans. Ces fonds étaient prêtés aux membres qui en avaient besoin. Le nombre d'adhérants alla croissant. L'entraide progressait. Dès la première année elle payait déjà douze pour cent en intérêt sur le capital social. Elle s'étendit aux autres villes, Jonquière, La Baie. En 1967, elles étaient une douzaine. En 1977, on en comptait cinquante-sept à travers le Québec.

Jacques Gagnon reçut, pour cette oeuvre, le prix de Développement industriel du Québec.

---

14 octobre 1936   # Route vers Chibougamau

Le *14 octobre 1936*, à la grande joie de la population impatiente, le premier ministre du Québec, Maurice Duplessis, annonça la construction d'un chemin d'hiver entre Chibougamau et Saint-Félicien. Cette route représentait un trajet de cent trente milles et le coût des travaux prévus était de mille dollars du mille. Ce chemin d'hiver était destiné à devenir plus tard une route carrossable, selon que le gouvernement fédéral et les compagnies minières donneraient pour leur part.

Le 10 novembre 1936, on peut lire dans le Progrès du Saguenay : « On a commencé les travaux préparatoires à la construction de la route Saint-Félicien—Chibougamau, via La Doré. Deux cents hommes seront prochainement au travail, mais on estime que ces travaux emploieront deux mille hommes très bientôt ; c'est bien l'intention d'ouvrir cette route à la circulation dès les premiers jours de janvier ».

Deux contrats avaient été accordés. Le premier avait été donné à Armand Lévesque de Roberval. Ce contrat représentait une somme de quarante-cinq mille dollars. Le second avait été attribué à R.-D. Gilneau de Montréal et était de cinquante-sept mille six cents dollars.

« On se rend bien compte ici que l'on vit une réalité », poursuivait le journal. La route fut ouverte à la circulation le 13 janvier 1937. Il ne restait plus qu'à espérer que ce trajet d'hiver devienne également une réalité d'été. Et cela fut !

---

15 octobre 1863   **Société d'agriculture**

Les pionniers du Saguenay avaient appris très tôt à s'unir en société pour stimuler le développement. C'est dans cet esprit que fut créée la Société d'agriculture du Saguenay, fondée à Grande-Baie en 1854, peut-être même un peu plus tôt si l'on se fie aux procès-verbaux de l'époque.

L'union fait la force mais n'est pas au service particulier de ceux qui l'utilisent à mauvais escient. C'est ce qu'apprit, en tout cas, Julien Saillant, trésorier, en 1859, alors qu'il lui fut demandé de rendre compte de son administration. Reconnu comme redevable de la somme de quatre-vingts louis et cinq chelins, il fut mis en demeure de rembourser. Il négligea de tenir compte de l'avis et la Société fit émaner un bref de saisie d'arrêt avant jugement contre Julien Saillant. On peut croire que tout rentra dans l'ordre car le dit Saillant, instituteur à Grande-Baie, devint plus tard huissier à la Cour supérieure.

En 1959, la Société d'agriculture du comté de Chicoutimi fut appelée à s'unir à celle du Saguenay par une loi sanctionnée le _15 octobre 1863_ et à créer La société d'agriculture des comtés unis de Chicoutimi-Saguenay. Cela, en raison des difficultés de communication et pour éviter de doubler une société déjà existante.

Le journaliste et écrivain, Damase Potvin, est né le *16 octobre 1883*. Ses études terminées, il débuta comme journaliste à Chicoutimi au Progrès du Saguenay et au Travailleur. Il fut aussi collaborateur pour les journaux La Vérité, Le Devoir, L'Événement, Le Soleil et La Presse.

Il fut, pendant vingt ans, le correspondant à Québec pour le journal La Presse et il écrivit pendant vingt-deux ans une chronique quotidienne sous le pseudonyme de Sainte-Foy.

Damase Potvin a, de plus, écrit dans plusieurs revues, notamment la Revue Moderne, la Revue Populaire, le Samedi, Culture et le Canada français.

Pendant 23 ans, il fut membre de la galerie de la Presse de la législature provinciale de Québec. Ses confrères journalistes l'ont élu président et le choisirent comme secrétaire pendant au moins quinze ans.

Lauréat de la Société des écrivains des provinces de France en 1933, ancien membre de l'École littéraire de Montréal, de la Société historique du Saguenay, il a fondé la « Société des arts, sciences et lettres » dont il fut également secrétaire pendant quinze ans.

Damase Potvin a écrit de nombreux romans, contes, nouvelles et études historiques dont « Le Saint-Laurent et ses Îles », « Le tour du Saguenay », « Plaisant pays du Saguenay » et d'autres.

---

17 octobre 1974   **UQAC et recherche**

À l'Université du Québec à Chicoutimi, la recherche connaît un essor continu et suscite beaucoup d'intérêt auprès de la population. Plusieurs projets auxquels des étudiants de baccalauréat sont intéressés portent sur les besoins et les problèmes particuliers à la région, ainsi que sur le développement du Moyen-Nord et les populations amérindiennes.

Le Moyen-Nord est l'axe principal de développement de l'Université. Aussi a-t-on créé un centre de recherche regroupant quatre équipes. Ces groupes s'intéressent plus particulièrement à la mise en valeur des ressources minérales, à l'atmosphère et la climatologie du Moyen-Nord, à la productivité biologique du lac Saint-Jean, du Saguenay et de la basse Côte-nord, aux aspects socio-économiques du développement régional.

Pour subvenir aux besoins de ces recherches, la Fondation de l'Université du Québec à Chicoutimi a été créée et mise sur pied grâce aux efforts de Paul-Gaston Tremblay. La Fondation a pour but exclusif d'aider les chercheurs.

Le tout premier colloque à se tenir à Chicoutimi sur le développement du Moyen-Nord a eu lieu le *17 octobre 1974*. C'est le recteur Gérard Arguin qui souhaita la bienvenue aux nombreux spécialistes des questions nordiques réunis à cette occasion.

Ce colloque a permis de mettre en évidence le potentiel régional et son importance pour l'avenir du Québec tout en évaluant les nombreux problèmes que suppose son développement.

---

18 octobre 1958   **Arthur Villeneuve**

Un barbier inconnu décide de devenir célèbre. Indifférent aux réactions qu'il provoque, patiemment, sans jamais avoir appris, il entreprend de peindre sa maison. Mais non comme tout le monde. Il la transforme plutôt en tableau géant, illustrant sur les murs et les portes quelques coins de sa ville. Le *18 octobre 1958* il a terminé. Arthur Villeneuve va commencer à faire parler de lui.

« La révélation » comme certains l'appellent, lui vaut tracasseries et moqueries. On le traite de tous les noms. Il ne s'en fait pas et affirme qu'il ne lui faudra pas dix ans pour devenir célèbre. Certains artistes et critiques s'intéressent à lui, Bernard Hébert, Cosgrove, Paul Gladu, expliquant que Villeneuve « était un artiste naïf, un talent primitif, qu'il n'y avait rien d'inouï à ce qu'un artiste se révèle ainsi sans instruction préalable, qu'il ne fallait pas s'en offusquer mais être fier de ce talent local qui allait contribuer au développement touristique de la région ».

En présentant une exposition de Villeneuve au Musée des Beaux-Arts de Montréal, Gilles Cartier, directeur, sait qu'il va susciter des débats entre ceux qui reconnaissent Arthur Villeneuve comme artiste et ceux qui n'y voient qu'une aberration de l'art.

Si aujourd'hui le débat n'est pas clos, Villeneuve n'en continue pas moins de susciter l'intérêt. Sa maison, située sur la rue Taché, à Chicoutimi, accueille de nombreux visiteurs. Bien des honneurs lui ont été rendus et il fut sans cesse soutenu par sa femme Hélène Morin, native de Rimouski. Cette dernière a su accepter que son foyer devienne une gigantesque peinture à l'intérieur de laquelle elle a élevé sa famille.

---

19 octobre 1910   **Voyage en ballon**

Le *19 octobre 1910*, deux Américains aterrirent dans la forêt saguenéenne après avoir parcouru mille cent soixante-douze milles et neuf dixièmes en ballon à l'occasion du Marathon de Saint-Louis. Alan R. Havaly, courtier à sa retraite et August Post, avocat avaient quitté Saint-Louis le 17 octobre après-midi. Deux jours plus tard, des bûcherons leur conseillèrent de ne pas s'aventurer plus loin.

Dans ses mémoires Alan Havaly raconte cette arrivée au Saguenay : « À l'aurore de la troisième journée, le spectacle du lever du soleil, vu de haut des airs, fut d'une splendeur incroyable. Il n'y avait aucun signe de vie au-dessous, il n'y avait rien si ce n'est une immense forêt parsemée de lacs. Mais nous continuâmes quand même. Vers le soir les places d'atterrissage devenaient plus rares et plus distancées. Nous découvrîmes par la carte que nous étions dans la vallée du Saint-Laurent, endroit que tout aéronaute se compte chanceux d'atteindre. On entendit soudain bûcher du bois et Post se penchant au-dessus du panier vit distinctement les bûcherons à l'ouvrage. Il leur cria Hello et les hommes l'entendirent. Ils crièrent avec force : « pour l'amour du ciel descendez car vous courez droit vers la grande solitude, vers la grande forêt du nord. » On décida donc qu'il serait fou de continuer et d'aller à un endroit pour ne jamais être retrouvés. Mais déjà nous étions à des milles et des milles des bûcherons. Malgré le manque d'espace on ouvrit la valve et l'on vit venir la tête des arbres. Heureusement. on atterrit sans accident à mille cinq cents pieds dans le flanc d'une montagne près d'un petit lac que l'on sut plus tard être le lac du Banc de sable, à soixante-quinze milles au nord-ouest de Chicoutimi ». Il leur fallut six jours avant de rencontrer âme qui vive.

---

20 octobre 1842   **Premier curé**

L'année 1842 est une date marquante dans l'histoire du pays où la religion a été intimement liée à la vie des colons.

C'est en 1842 qu'a existé la toute première paroisse saguenéenne, à Saint-Alexis de Grande-Baie.

Le premier curé a été nommé le *20 octobre 1842*. Il s'agissait d'un tout jeune prêtre du nom de Charles Pouliot qui avait été vicaire à La Malbaie.

Le 4 novembre, le nouveau curé était à son poste et il ne tarda pas à écrire à son archevêque, Mgr Signay de Québec, pour donner des nouvelles de son arrivée.

Dans sa lettre, conservée aux archives de l'Évêché de Chicoutimi, le jeune prête écrivait : « Mon arrivée à Saint-Alexis de Grande-Baie a eu lieu le 4 du présent mois, jour de la fête de mon Saint patron. J'ai été reçu avec de grandes démonstrations de joie et de cordialité ; presque tout le monde est venu me voir au débarquement, l'air retentissait de tous côtés de coups de fusil ; ou pouvait à peine s'entendre parler ».

Pour la construction de la première chapelle, Alexis Simard, pionnier, avait amassé la somme de 180 $, produit de location des sièges de sa maison et de ses quêtes dominicaines en vue de ce projet pieux.

---

21 octobre 1937   # Rocher-de-la-Vieille

Légendes et vérités se confondent parfois dans le temps surtout lorsqu'il s'agit d'évoquer des noms pittoresques comme celui du Rocher-de-la-Vieille dont, le *21 octobre 1937*, en raison de travaux publics, on craignait la disparition.

« Situé à un quart de lieue de Chicoutimi, au-dessous du dit poste de la Rivière Saguenay, écrivit J. Laurent dans son journal de voyage, le rocher de la vieille femme a suscité quelques légendes dont l'une est sans doute plus proche de la vérité ».

Dans les mémoires d'un vieillard on raconte ce qui suit : « Une bande de Sauvages était installée au pied du Rocher-de-la-Vieille. Lorsque vint le temps de partir, ils décidèrent de pendre la vieille sauvagesse incapable de les suivre. Accourant sur les lieux, le curé J.-B. Gagnon aurait reproché aux Indiens leur geste. Ceux-ci ont rétorqué qu'il valait mieux la pendre que la laisser mourir de faim ». Cette légende a été précédée, en 1732, par une autre version où il est question de géants vivants sur les bords d'une rivière nommée Atchesneouchipou et dont les Indiens auraient eu très peur. Une vieille Indienne feignant de devenir « Atcheme » avait menacé de manger les Indiens. Prise à son jeu, elle fut attachée et traînée jusqu'au rocher où, finalement, elle fut tuée à coups de hache.

Certains historiens croient que ce rocher a réellement hérité de son nom après qu'une vieille sauvagesse y fût mise à mort, mais ils n'en connaissent pas les circonstances. Une carte, datant de 1744, indique ce rocher par le nom de Roche-à-la-bonne-femme. Une autre carte anglaise de 1763 mentionne pour ce site Good Woman's Rocks.

---

22 octobre 1948   # Journal anglais

Le Saguenay–Lac-Saint-Jean est une région majoritairement francophone. On compte à peine quelque deux à cinq pour cent de sa population dont la langue est l'anglais.

C'est pourtant avec chaleur que fut accueilli, par la presse locale, un tout nouveau journal de langue anglaise, sorti des presses du Réveil, le *22 octobre 1948*.

Cet hebdomadaire portait le nom de « The Saguenay Post ». Le Soleil du 29 octobre lui adressa ses voeux de réussite.

« On a sans doute pu s'en rendre compte, (de la publication d'un journal anglais) car « The Saguenay Post » a été distribué à profusion. Le nouvel organe a fort bonne mine. Rédigé dans un excellent anglais, d'une impression nette, il gagne d'emblée la faveur du lecteur. Puisse-t-il longtemps se maintenir dans la voie où il s'engage si bellement ».

« Notre journal est heureux de saluer la naissance de ce nouveau confrère. Il lui souhaite volontiers de glaner tout le succès possible dans le vaste champ du « Royaume du Saguenay ».

---

23 octobre 1673   **Indiens au Portage**

Plus de deux cents Indiens se rendirent au Côteau du Portage, le *23 octobre 1673*, pour y rencontrer des trafiquants. La plupart étaient venus de très loin pour échanger leurs fourrures contre des habits, des couvertures, des provisions et des armes à feu. Ils étaient anxieux de connaître enfin ces robes noires dont ils avaient entendu parler. Et lorsque le père de Crépieul débarqua, il fut acclamé, raconte l'abbé Lorenzo Angers dans la revue l'Action catholique de 1937.

Il y eut dix jours de réjouissances au Côteau du Portage pendant lesquels le jeune missionnaire en profita pour inciter les Indiens à la prière. Il décida même de demeurer avec eux lorsque les Français quittèrent le Bassin de Chicoutimi le jour de la Toussaint. Jacques Prévost et Charles Cadieu, deux Français chargés de veiller aux intérêts de la traite pendant l'hiver, restèrent aussi avec les Indiens Papinachois.

Pendant que les membres des diverses tribus autochtones se dispersaient, les Papinachois regagnaient leur pays. Ils suivirent la décharge du lac Saint-Jean appelée Kichikoupitam, traversèrent la forêt et des ravins où coule la rivière des Vases pour atteindre la rivière Shipshaw qu'ils remontèrent pendant deux jours, jusqu'à ce que la glace arrête leur voyage aux environs de Chûte-aux-galets.

À cet endroit, les voyageurs construisiernt un abri pour trente-quatre personnes pour y attendre la neige. Du 19 novembre au 18 décembre, ils séjournèrent là, en compagnie de trois étrangers, vivant surtout de chasse. Puis, la neige venue, chaussés de raquettes, les Indiens et les Français poursuivirent leur route jusqu'au beau pays plat fait de rivières et de lacs.

« Le septième Salon du livre au Saguenay–Lac-Saint-Jean s'est heurté à une désaffection imprévue du public », se plaignait le Quotidien du *24 octobre 1974*. En fait, cette activité culturelle connaissait des hauts et des bas. Des années de succès, des années d'échec.

Au cours des dernières années, le Salon du livre a bénéficié d'un nouvel élan, d'une structure bien rôdée et d'un espace de plus en plus grand, se transformant avec succès en « Ville du livre », attirant plus de douze mille personnes.

Région prolifique en créateurs de tout genre, le Saguenay–Lac-Saint-Jean comptait, en 1980, deux cents auteurs ayant écrit plus de sept cents oeuvres. Chaque prix littéraire du Québec a été remporté au moins une fois par un des auteurs de la région. Quant à la population, elle serait au Québec, celle qui lit le plus.

Parmi les noms réputés des auteurs, il y eut Damase Potvin qui n'a vécu que de sa plume, comme écrivain et journaliste. Il a signé des milliers d'articles et rédigé trente-deux volumes. Le plus célèbre est, sans doute, Mgr Félix-Antoine Savard. Sans oublier la première femme journaliste du Québec, Robertine Paré, qui signait ses textes sous le seul nom de Françoise.

La région compte plusieurs jeunes auteurs qui se distinguent sur la scène littéraire. Plusieurs maisons d'édition y oeuvrent, produisant non seulement des oeuvres régionales mais aussi des auteurs de l'extérieur.

Une des priorités du Salon du livre, est de mettre l'accent sur les écrivains de la région.

---

25 octobre 1977   **Première femme députée**

Le *25 octobre 1977*, les huit employés de bureau de la ville de Dolbeau tenaient une journée d'étude pour protester de la lenteur des négociations. Les employés refusèrent ce jour-là, les offres patronales. Cette négociation survenait en pleine campagne électorale municipale, opposant deux candidats à la mairie, Suzanne Beauchamps-Niquet et Henri-Paul Brassard.

Mme Niquet était maire par interim depuis février 1977. En se présentant à la mairie, pour cette fois, être élue par la population, la candidate proposait un programme dont les points principaux étaient : administration saine et économique ; administration positive, sensible aux problèmes sociaux et intéressée au développement. Elle remportait la victoire le 7 novembre 1977, devenant ainsi maire d'une des plus importantes villes du Lac-Saint-Jean, avec une majorité de cent onze voix.

Deux ans plus tard, lors des élections fédérales, Suzanne Beauchamps-Niquet se présenta comme candidate du parti libéral et devint la première femme députée de la région du Saguenay–Lac-Saint-Jean.

<hr>

26 octobre 1922 # Val-Jalbert

Au tout début du siècle, au cours de l'année 1901, Damase Jalbert avait installé une scierie dans un village du nom de Ouiatchouanch. Il décida de former une compagnie et d'y construire une pulperie alimentée par le pouvoir hydraulique d'une chute de deux cent trente-six pieds. En 1909, l'usine, la chûte, la forêt, le chemin de fer, tout fut acheté par la compagnie de pulpe de Chicoutimi alors dirigée par J.-E.-A. Dubuc. Ce dernier fit agrandir l'usine et modifia le nom de village en celui de Val-Jalbert en hommage au promoteur de cette industrie. Le *26 octobre 1922*, Val-Jalbert était érigé en paroisse.

À partir de 1913, l'usine de Val-Jalbert employait déjà trois cents hommes. Le village était construit sur deux terrasses et se composait, en 1920, de quatre-vingts maisons de bois, toutes semblables, alignées les unes à côté des autres le long d'une rue large et pavée. Il y avait une église, une école, un hôtel, un bureau de poste, tous les services d'alimentation et de protection.

La prospérité de l'usine allait de pair avec celle de la compagnie de Chicoutimi, son déclin aussi. En 1927, ce fut la fin de la pulperie. Privés de travail, les ouvriers quittèrent le village, abandonnant les maisons. En 1929, le curé partait à son tour bientôt suivi des familles restantes.

Petit à petit, le temps a fait son oeuvre transformant le Val-Jalbert en village-fantôme. Les arbres et les herbes folles envahirent petit à petit les rues et la voie ferrée. Les toits des maisons croulèrent, les murs de l'usine s'affaissèrent. Aujourd'hui, ce village est devenu un site touristique des plus courus, empreint de nostalgie mais dont la chute puissante crie que la vie continue.

<hr>

27 octobre 1889 # John Murdock

Né à Chicoutimi le *27 octobre 1889*, décédé le 2 octobre 1963, John Murdock appartenait à la quatrième génération des Murdock au Saguenay. Son premier ancêtre canadien, originaire d'Écosse, était à l'emploi de la compagnie de la Baie d'Hudson comme commis au poste de Métabetchouan et, plus tard, à celui de Mingan sur la Côte-Nord.

Il était le sixième enfant d'une famille de onze et quitta l'école à l'âge de treize ans pour commencer à travailler à la compagnie Price Brothers comme assistant-mesureur de bois dans les chantiers de la Rivière-aux-écorces. Puis, pendant deux hivers, il tenta sa chance comme bûcheron.

En 1913, John Murdock fit ses premières expériences d'entrepreneur dans les chantiers situés près de la Rivière-du-Moulin. Deux ans plus tard, il signait d'importants contrats en Gaspésie, commençant une série d'entreprises qui allaient réussir. Il acquit des concessions forestières au Lac-Saint-Jean, à La Malbaie et en Abitibi.

Homme prospère qui ne manqua pas d'être honoré, il reçut le titre de docteur en administration financière de l'université d'Ottawa, de colonel honoraire du régiment du Saguenay de la reine d'Angleterre. Un quartier de Chicoutimi porte son nom, un poste de télévision privé qu'il a fondé est identifié par ses initiales et celles de ses deux fils Craig et Paul formant l'indicatif CJPM. Il a joué un rôle d'importance dans l'activité économique de la région et il a déjà compté cinq mille hommes au service de sa compagnie John Murdock limitée.

---

28 octobre 1884   # Normandin

Normandin, petite localité du Lac-Saint-Jean, hérita de son nom de Joseph-Laurent Normandin, explorateur connu en 1732. Le canton de Normandin avait une superficie de vingt-trois mille six cents acres de terre arable très riche où une petite colonie s'était installée sous le nom de Léopolis.

Les premiers colons à s'implanter dans cette région venaient de Lotbinière, de Québec et de Saint-Antoine de Tilly. Leur village devint officiellement une paroisse le *28 octobre 1884*, mais les services religieux y étaient donnés depuis quatre ans.

Le premier curé fut l'abbé Joseph-Didyme Tremblay, arrivé le 1er octobre 1894. Il était le pasteur de vingt-neuf familles comptant environ cent cinquante-deux résidents. Une école avait été implantée en 1884, et le 11 juillet 1887 était créée la commission scolaire.

Au début, les cantons Normandin et Albanel étaient réunis. Reconnus légalement en 1890, ils devinrent deux cantons distincts à partir de 1899.

À l'origine, Normandin semblait vouloir devenir la principale ville du Lac-Saint-Jean ; elle dut, petit à petit, céder le pas à Hébertville, elle-même surpassée par Roberval et Saint-Félicien. Elle reste cependant une localité qui a son importance, ne serait-ce que par l'étonnante fertilité de ses terres.

La Chambre de commerce de Jonquière, sensible aux plaintes de la population contre les quêtes trop fréquentes des oeuvres de charité, envisagea la possibilité d'avoir sa propre fédération des oeuvres de charité. Rapportant le contenu de la dernière assemblée de cet organisme, le *29 octobre 1954*, L.-G. Fortin, journaliste du Soleil, expliqua que cette fédération centraliserait les sommes d'argent recueillies pour les oeuvres et veillerait à les redistribuer entre chacune d'elles. Robert Dionne fut chargé de faire une étude de la question et de faire un rapport délimitant les responsabilités de l'éventuelle fondation et fédération.

Pour réaliser son mandat, M. Dionne avait prévu de rencontrer les pasteurs des différentes paroisses de Jonquière et de discuter de ce projet avec les autorités religieuses. Une telle fédération d'oeuvres de charité existait déjà à Montréal et à Québec.

Lors de cette assemblée, les oeuvres de charité ne furent pas le seul sujet de préoccupation de la Chambre de commerce. L'édifice dans lequel le siège social de la Chambre était installé représentait à l'achat un investissement trop lourd pour les moyens de l'organisme. Les membres envisagèrent, comme solution, d'inviter la Jeune Chambre à partager avec eux l'occupation de l'immeuble assumant, à part égale, les frais d'administration et partageant les revenus. En plus, la Chambre de commerce eut l'idée d'y loger la bibliothèque municipale et un bureau de tourisme. Pour ce dernier la Chambre comptait sur la subvention donnée par le gouvernement provincial, un an après la création d'un tel bureau.

---

30 octobre 1939   # École moyenne d'agriculture

L'École moyenne d'agriculture de Chicoutimi ouvrit ses portes le *30 octobre 1939*. Deux ans plus tard, elle décernait les premiers diplômes à ses étudiantes. C'était la première fois au Québec que des diplômes étaient données dans les écoles d'agriculture à l'élément féminin rural. Le but était d'inciter les futures fermières à acquérir une formation utile dans l'organisation de l'agriculture et l'embellissement de la vie rurale. Pour cette première, vingt jeunes filles reçurent les honneurs.

Lors de la cérémonie, le chanoine Joseph Dufour déclara que ce jour était une date à retenir. « Il fallait de l'audace, dira-t-il ce 25 décembre 1941, pour organiser un tel enseignement, mais les résultats prouvent que ceux qui y ont pensé avaient raison d'en jeter l'idée... Cette école prépare une élite, fière de son milieu et capable de travailler à l'embellir. Leur devise : courage et labeur est une devise bien autre pour des jeunes ».

Cette école moyenne d'agriculture était, en quelque sorte, une des facultés du Séminaire de Chicoutimi. Elle avait pour but de préparer l'étude et la formation spéciale d'une élite agricole, tant masculine que féminine. Elle était considérée comme l'université des agriculteurs.

Plutôt que de voir l'enseignement éloigner les jeunes de la tere, cette formation avait pour objectif ultime d'enraciner profondément les jeunes au sol et à la vie rurale. Le cours durait deux ans et, avant d'obtenir leur diplôme, les étudiants devaient travailler une saison entière sur une ferme.

---

31 octobre 1879　　　　　　　　**Origine d'un nom**

Mot d'origine indienne, Chicoutimi s'écrivait de plus de vingt-cinq façons. Les historiens y ont été chacun de son interprétation. Il semble que le consensus se soit fait sur le sens de ce mot qui signifierait « jusqu'où c'est profond ».

Chicoutimi, érigée en ville le *31 octobre 1979* aurait un nom composé de deux mots cris : « Ishko » qui signifie jusque là et « Tinew » c'est profond.

Les Montagnais pour leur part écrivaient Tshekotimits, mot formé de « tcheko », enfin, et de « timi », profond.

Un extrait de texte, reproduit dans le Progrès du Saguenay de 1942, donne cette explication : « Les Sauvages descendaient du lac pour se rendre à Tadoussac ; en arrivant au bas de la batture ils devaient naturellement pousser ce cri «oh ! tcheko timi », enfin c'est profond. Le « t » se faisant très peu sentir a disparu par l'usage.

L'abbé Cuoq, historien et auteur de plusieurs volumes sur les langues indiennes d'Amérique, croit que ce mot viendrait de « ichkwatimi », l'eau cesse d'être profonde, ou de « ichkoimi », c'est ce qui reste de l'eau profonde.

Le père Arnaud pour sa part explique que « Shekotimiu » veut dire : les eaux sont profondes comparées aux autres rivières. Cependant la traduction généralement adoptée est celle de Mgr Laflèche « Chicoutimi », jusqu'où c'est profond.

Le fameux barrage de Shipshaw.

(Photo: Le Quotidien)

Constructions multiples

L'accès à la propriété n'a pas été difficile seulement ces dernières années. Cependant, en 1948, un jeune homme de Jonquière eut une idée qui rendit le rêve possible pour plus d'un. Louis-de-Gonzague Belley, jeune homme sans fortune, comprit que, pour diminuer les frais de construction, rien de tel que l'achat en grosse quantité.

Désireux de posséder son propre toit, il se buta à mille obstacles, dont combler la marge entre le prêt fédéral d'habitation et le coût de la construction. Il bâtit sa propre maison. Cette expérience l'amena à réaliser que le coût des matériaux serait moindre s'il les achetait en grande quantité ; et pour cela, pourquoi ne pas entreprendre plusieurs constructions à la fois, permettant d'exiger des futurs propriétaires une mise de fonds à leur portée ?

Belley se fixa un objectif de vingt-cinq maisons à construire dans la partie nord de Jonquière. Il obtint, pour chaque propriétaire, l'emprunt nécessaire selon les exigences du prêt fédéral-provincial ; il fit l'étude de la situation financière de chacun et tenta de concilier leur goût. Le 1er novembre 1948, tout était prêt. Et huit mois plus tard, Jonquière comptait vingt-cinq nouveaux propriétaires de plus. Le quartier fut baptisé Beau-mont.

Au 1er mai 1950, une enquête démontra qu'il manquait encore deux mille cinq cents logements dans la région pour résoudre le problème. Le plan de Louis-de-Gonzague Belley fut appliqué un peu partout au Saguenay.

Papawitish

Ce que l'on appelle aujourd'hui Rivière-du-Moulin portait autrefois le nom de Papawitish. Le village de Rivière-du-Moulin, incorporé le 2 novembre 1912, trouva son nom dans la vocation de sa rivière alors que plusieurs moulins y avaient été construits au cours de sa brève histoire.

Le village était traversé du nord au sud par une rivière qui prenait sa source dans le parc des Laurentides. Les Indiens l'appelaient Papawitish, nom retrouvé sous divers orthographes dans plusieurs cartes et rapports.

En 1750, les Jésuites y avaient construit un moulin à scie. Plus tard, en 1788, la Compagnie du nord-ouest, détentrice d'un bail pour le Domaine du roi, terres réservées à la traite des fourrures, érigea à son tour un moulin sur les bords de la rivière Papawitish. Selon un rapport signé par Jos Bouchette, la compagnie de la Baie d'Hudson aurait bâti ce second moulin sur les ruines du premier.

En 1842, quand Peter McLeod eût fondé à son tour un troisième moulin à scie sur les ruines des deux précédents, la rivière Papawitish fut désignée par le nom de rivière du Moulin. Par cette nouvelle installation, Peter McLeod favorisa l'établissement de la future ville de Chicoutimi dont le berceau aura été le petit village de Rivière-du-Moulin.

---

3 novembre 1931 — Normandin

En célébrant son cinquantième anniversaire de mariage, le *3 novembre 1931*, Gustave Laliberté, pionnier de Normandin, ranimait les souvenirs des débuts de ce village.

Ils étaient sept à abattre les premiers arbres du canton de Normandin, l'été de 1878 : Alphonse, Emeric, Gustave et Eugène Laliberté, Isaïe, Arthur Noël et Narcisse Picard.

Gustave Laliberté a vécu, depuis le jour de son mariage, sur la même terre qu'il avait défrichée, semée, « faite pied par pied ».

L'origine de Normandin est typique du temps de la colonisation. Six hommes de Lotbinière et un de Québec arrivèrent au coeur de la forêt du futur canton de Normandin, le 12 juillet 1878, et entreprirent d'y bâtir un avant-poste de la colonisation. Le rêve d'un nouveau village exigeait son prix de travail et de courage qu'ils ont accepté de payer.

La première messe y fut célébrée dans un campe du colon Arthur Talbot par l'abbé F.-X. Belley, curé de Saint-Prime. Les colons construisirent leur chapelle, inaugurée le 11 novembre 1883 par l'abbé Joseph Gérard, de Saint-Félicien. Et le 1er octobre 1894, la paroisse accueillait son premier curé, l'abbé Didyme Tremblay. Il y resta pendant trente-trois ans.

---

4 novembre 1894 — Nouvelle communauté

Françoise Simard, quarante-trois ans, s'enferme dans une cellule de l'Évêché de Chicoutimi. Dans le silence de cette retraite, elle traça les plans de sa vie religieuse personnelle et conçut une communauté vouée à l'éducation des jeunes. Son entrée en religion, le *4 novembre 1894*, commandée par Mgr Labrecque, évêque de Chicoutimi, était la mise en terre d'une graine qui allait porter fruit.

Le 8 décembre elle formait à elle seule toute la communauté. Elle prit l'habit religieux et le nom de « Marie du Bon-Conseil ». Et, le lendemain, la première postulante se présentait. Ainsi débuta cette communauté d'origine saguenéenne qui a étendu ses ramifications jusqu'en Afrique.

En 1960, les soeurs du Bon-Conseil avaient cinquante-sept maisons dans la région du Saguenay–Lac-Saint-Jean, quatre dans le diocèse de Québec et cinq en Afrique.

Leurs écoles normales, instituts familiaux, écoles supérieures, écoles indiennes, pensionnats et écoles paroissiales furent très actives au Québec.

Leur mission, ouverte en Ouganda en 1937, comptait quatre postes : à Mbarara, Butale, Mushanga et Nyakibale. Elles y tenaient une école normale, deux écoles secondaires, des écoles paroissiales, un dispensaire, une congrégation religieuse et une dizaine de centres pour y enseigner le catéchisme.

---

5 novembre 1867   ## Bluteau revient de guerre

De retour de la guerre de l'esclavage des États-Unis, Guillaume Bluteau alla souvent veiller dans le rang Saint-Joseph à Chicoutimi. Onésime Tremblay qui l'y rencontrait en compagnie de Thodée Dufour raconta l'histoire de ce petit homme surnommé Guillemette. Son récit, repris entre autres par le curé Racine, fut conservé aux archives de la Société historique.

« Il était en voyage aux États-Unis lorsqu'il s'engagea comme volontaire dans les armées américaines. Il a été fait prisonnier et suspendu par les deux pouces pendant vingt-quatre heures, la pointe des pieds seulement lui touchait à terre. On prenait chaque jour un certain nombre de prisonniers parmi eux pour les fusiller. Son tour devait avoir lieu le lendemain quand il remarqua qu'une planche manquait à la palissade de l'enclos où ils étaient gardés. C'est par là qu'il s'enfuit avec presque tous les autres ; un seul resta parce que trop corpulent pour passer par cette ouverture de fortune. Bluteau était un petit homme, vif, d'une belle démarche, sa santé avait été affectée par les misères de la guerre. Il était dans les armées du Nord, ils se sont alimentés au moyen des troupeaux sauvages de l'Ouest. »

Guillaume Bluteau se maria le *5 novembre 1867* avec Arthémise Bouchard. Il était cultivateur à Sainte-Anne, fils de Berioni Bluteau et de Magdeleine Laforge.

---

6 novembre 1890   ## Devenir riche

Aujourd'hui, ceux qui rêvent de richesse tentent leur chance à la loterie. D'autres continuent de mettre en pratique les sages conseils que suivaient déjà bien nos ancêtres. Un article du Progrès du Saguenay, en date du *6 novembre 1890*, résume les grands principes recommandés aux ambitieux.

« Le secret pour devenir riche consiste à toujours tenir ses engagements. Être fidèle au rendez-vous, être présent à son bureau. On n'a jamais vu personne ramasser une fortune à user les bancs et les chaises d'hôtel, des magasins et des boutiques. Ne badinez jamais en affaires. »

Les qualités recommandées sont multiples : régularité, libéralité, promptitude, économie, sens pratique.

« Évitez soigneusement les paroles dures. Aidez les autres quand vous le pouvez mais ne donnez jamais plus que vous ne pouvez. Apprenez à dire non, poliment mais fermement et non à la boule-dogue. Choisissez vos amis. Il vaut mieux en avoir trop peu que beaucoup. En affaires servez-vous plutôt de votre intelligence que celle d'un autre, apprenez à penser et à agir par vous-même. Soyez vigilent avec tout et vous arriverez certainement à la fortune. »

Un dernier conseil est ensuite adressé principalement aux cultivateurs : « Préservez votre santé. Un peu de prudence et de modération épargne souvent un fort compte chez le médecin et un temps infiniment précieux aux cultivateurs ».

---

7 novembre 1842 Price et McLeod

En 1842, Peter McLeod junior, fils d'un Écossais à l'emploi de la compagnie de la Baie d'Hudson et d'une mère montagnaise, entreprit la construction d'un moulin à scie sur la rivière du Moulin ou rivière Papawitish. Le *7 novembre 1842*, il signait un contrat d'association avec la compagnie Price.

C'est également en 1842 que la Société des Vingt-et-Un, incapable de tenir plus longtemps face à ses obligations, vendit tous les établissements qu'elle possédait au Saguenay à William Price. Sous l'impulsion de Price, l'exploitation forestière devint intense, favorisant du même coup la colonisation de la région.

Dans chaque établissement que possédait la compagnie Price, il y avait un magasin général où les employés et les colons pouvaient trouver de tout : vêtements, provisions, outils, graines, tabac, sans négliger le whisky à raison de deux dollars le gallon, ni le rhum de Jamaïque au coût de un dollar le gallon.

Plus tard, les magasins de la compagnie vendirent même aux colons des moulins pour la farine et des moulins pour carder.

---

8 novembre 1870 L'Anse-aux-Foins

Autrefois appelé l'Anse-aux-Foins, il existe sur les bords du Saguenay, un très joli village du nom de Saint-Fulgence. Il devint officiellement une paroisse, le *8 novembre 1870*, avec l'abbé Louis-Wilbrod Barabé comme premier curé. Celui-ci eut pour successeur l'abbé Apolinaire Gingras, poète à ses heures et conquis par le charme du village. Il en fit une description élogieuse dans une lettre qu'il adressa à son ami Poisson, homme de lettres de Québec.

« Tu voudrais être au fait du pays que j'habite, parlons-en, ce sera sur le ton d'un ermite. Entre Chicoutimi, bourg vivant, populeux, et la Baie des Ha ! Ha ! qui fait ouvrir les yeux, après avoir longtemps sillonné les mirages de ce noir Saguenay sans fond et sans rivage, entre des caps hardis qui surplombent, penchés, par la main de Dieu même au-dessus des rochers, le marin aperçoit dans une anse profonde une église riante assise au bord de l'onde ; elle s'épanouit sur un large plateau et semble sous son aile abriter le hameau. Ce hameau florissant mon cher c'est Saint-Fulgence. Si tu crois que ce nom rime avec indigence, viens me voir ! Et le mot devenu radieux, comme un rare bijou charmera tes beaux yeux. »

Les premiers colonisateurs de l'Anse-aux-Foins s'y étaient établis avant que la colonisation ne soit permise dans la région du Saguenay, en 1839. Le village a vécu de l'agriculture et de la coupe du bois, menant une existence paisible dans le cadre du développement normal de cette région.

---

9 novembre 1896   **La compagnie électrique**

Un total de cent cinquante ampoules électriques furent installées au Séminaire de Chicoutimi le *9 novembre 1896*. Mais le premier édifice public à bénéficier des avantages du progrès avait été la cathédrale où, dès le 19 décembre 1895, une centaine d'ampoules avaient été posées en prévision des fêtes de Noël. Ces installations étaient l'heureuse conséquence d'une démarche entreprise par quelques citoyens, au début de 1895.

Quelques citoyens de Chicoutimi, désireux d'avoir l'électricité, avaient fait une étude sur les possibilités de faire un pouvoir hydroélectrique. Le site choisi fut celui de la rivière Chicoutimi, à environ un demi mille de l'embouchure. Une chute de cent pieds de hauteur et une petite île à ses pieds apparaissaient comme l'endroit idéal.

Le groupe dut négocier avec la compagnie Price afin d'acquérir cette chute et son île. La négociation ne fut pas facile mais, finalement, la nouvelle Compagnie électrique devint propriétaire des lieux et commença à recruter d'éventuels clients.

Le 1er mars 1895, le président de la compagnie, Louis-de-Gonzague Belley, adressa une requête à la municipalité demandant certains privilèges pour la Compagnie électrique de Chicoutimi, compte tenu qu'il ne s'agissait pas d'une entreprise capitaliste comme telle mais de contribuables prêts à investir leurs économies dans une entreprise progressiste. La ville accorda à la compagnie une exemption de taxes pour dix ans et un droit exclusif de production pour vingt ans.

Une étable pour monastère

Le premier monastère de Mistassini, fondé le *10 novembre 1892*, fut aménagé dans une étable. À cette époque, le gouvernement, constatant que l'effort de colonisation au nord du lac Saint-Jean avait perdu son élan, fit appel aux pères Trappistes, reconnus comme moines défricheurs « qui savent faire fleurir les déserts ». Trois moines quittèrent Oka pour répondre à la demande du gouvernement et servir d'exemple et de soutien aux colons : les pères Louis-de-Gonzague et Bernard, le frère Bruno.

« Remontant la vallée de la Mistassini, écrit Eugène Stucker de La Patrie à leur sujet, ils s'arrêtèrent à son confluent. Un colon y avait élevé un campe en bois rond, servant alors d'abri à un boeuf. C'est là que les fondateurs établirent leur premier monastère. »

L'oeuvre connut les difficultés propres aux entreprises semblables : pauvreté, incendie, maladie, décès. Ce qui n'empêcha pas la construction d'un monastère à la place de l'étable dès 1896.

Pour permettre aux pères Trappistes d'enseigner aux colons la mise en valeur de toutes sortes de fonds de terre, le gouvernement du Québec leur céda un domaine plus remarquable par son étendue que par sa valeur réelle. Mais les pères surent en faire un domaine prospère.

Claude Vaillancourt

Pour la première fois dans la région, le président de l'Assemblée nationale fut choisi parmi ses députés. Le *11 novembre 1980*, Claude Vaillancourt, député péquiste de Jonquière, devenait le plus jeune président de l'histoire du Québec.

Par cette fonction, il avait à administrer un budget de trente-cinq millions de dollars et devenait patron de huit cent cinquante employés à temps complet et deux cent cinquante à temps partiel.

Ce poste comprenait d'autres exigences. Il devait loger au Parlement, s'abstenir de participer à des rencontres partisanes. Il ne pouvait assister aux caucus nationaux du parti, pas plus qu'aux congrès et conseils nationaux.

« La fonction de président a cependant certaines compensations, écrivait Le Quotidien. Il reçoit notamment le même salaire que les ministres. La postérité pourra également voir sur les murs du Parlement la photo de chacun des présidents de l'Assemblée nationale. » Il s'agit du portrait de chaque président, exécuté par l'artiste de son choix. Claude Vaillancourt a demandé à Yvonne Gagnon de Jonquière d'exécuter ce tableau. Elle devenait, par là, la première femme à obtenir ce contrat dans l'histoire du Québec et la première artiste du Saguenay–Lac-Saint-Jean.

Trente-cinquième président de l'Assemblée nationale, Vaillancourt percevait ce rôle comme une nomination valorisante pour Jonquière et la communauté régionale, dépassant les frontières de la politique.

12 novembre 1632	**Coutumes indiennes**

À la lecture des récits recueillis par les Jésuites, la vie des Indiens apparaît comme une vie de communauté où chacun respecte l'autre. Dans la revue Saguenayensia de décembre 1972, Mgr Victor Tremblay avait repris quelques extraits des Relations des Jésuites concernant certaines coutumes indiennes en 1632 et 1633.

« Le *12 novembre 1632*, ayant été fort longtemps ce jour-là dans une grande cabane de Sauvages où il y avait plusieurs hommes, femmes et enfants de toutes façons, je remarquai leur admirable patience. S'il y avait autant de familles ensemble en notre France, ce serait que disputes, que querelles et qu'injures. Les mères ne s'impatientent point après leurs enfants, ils ne savent pas ce que c'est que jurer ; tout leur serment consiste en un mot : taponé, « en vérité » ; point de jalousie les uns envers les autres ; ils s'entraident et se secourent grandement parce qu'ils espèrent la réciproque ; cet espoir manquant, ils ne tiennent compte de qui que ce soit. »

« Le 9 novembre j'allai voir ces nouveaux hôtes. Comme j'étais dans leur cabane j'entendis chanter. Je regarde dans toute la cabane, je ne les vois point et cependant ils étaient tout au milieu, renfermés comme dans un four où ils se mettent pour se faire suer. Ils dressent un petit tabernacle fort bas entouré d'écorces et tout couvert de leurs robes de peaux ; ils font chauffer cinq à six cailloux qu'ils mettent dans ce four où ils entrent tout nus ; ils chantent là dedans incessamment, frappant doucement les côtés de ces étuves. Je les vois sortir tout mouillés de leur sueur. Voilà la meilleure de leurs médecines ! »

13 novembre 1902	**Onésime au Yukon**

Séduit par la propagande que n'avait cessé de faire Volasque Tremblay depuis son retour du Yukon en mars 1898, l'avocat Onésime Tremblay décida de partir à son tour dans l'espoir de faire fortune.

Il entraîna à sa suite tout un groupe de citoyens de Sainte-Anne : Louis Martin, Joseph Jean, Arthur Bouchard, Henri Boulianne, Georges Martel.

Lors de leur départ, une foule rassemblée à la gare leur fit une ovation. Scène qui se répéta à la gare du Palais de Québec où près de six cents personnes étaient venues les saluer.

Onésime Tremblay passa deux ans au Yukon. Après des débuts enthousiastes, il renonça finalement à poursuivre l'aventure et, sans avoir fait fortune, revint au Saguenay.

Invité par la Société Saint-Dominique, il raconta son expérience au Yukon lors d'une conférence qu'il donna au Séminaire le *13 novembre 1902*. Son récit fut publié dans « L'Oiseau-mouche ».

Né à Saint-Alphonse de Bagotville le 3 août 1872, Onésime Tremblay fit ses études en droit grâce au soutien de son oncle Ménalque Tremblay. Reçu avocat en 1900, il commença à pratiquer peu après son retour du Yukon au bureau de l'avocat Elzéar Lévesque.

Onésime Tremblay aimait la musique et il composa quelques pièces qu'il jouait sur son violon Cremona.

---

14 novembre 1844   **Prêtre demandé**

À l'automne 1844, deux ans après les débuts de l'établissement de Chicoutimi, les résidents de Rivière-du-Moulin formaient le plus important des deux groupes de gens installés. Ayant construit une chapelle, ils réclamèrent un service religieux plus fréquent.

Aux archives de l'Évêché, on trouva un document concernant une requête pour obtenir la présence d'un prêtre. Une assemblée spéciale des résidents de Rivière-du-Moulin avait eu lieu le 15 octobre 1844 dans la maison d'André Gagnon. Chaque personne présente s'était engagée à donner cinq chelins pour l'entretien d'un prêtre à leur service et ceux qui avaient semé payeraient la dîme. Le document fut transmis à l'Archevêque de Québec le *14 novembre 1844* par le père J.-B. Honorat, supérieur des Oblats récemment établis à la Grande-Baie.

Dans la lettre qu'il joignit à la requête, le père Honorat écrivait : « Sur le témoignage de M. Gagnon, maître d'école et homme d'ailleurs respectable, la liste contient le nom de tous les chefs de maison résidents. (...) Nous commencerons bientôt à faire le service de Chicoutimi de deux dimanches l'an, comme je leur ai promis. J'ai été content de la manière dont ces bons habitants se sont rendus à mes explications ; ils se sont montrés très satisfaits de ce que nous avons promis de faire pour eux et ne demandent rien davantage. »

Anna Gravel-Lessard fut la première présidente du Syndicat d'économie domestique fondé le *15 novembre 1945*. En 1952, cette association comptait vingt-quatre cercles répartis en quatre diocèses. Le 6 octobre, le Syndicat d'économie domestique devenait le Cercle d'économie domestique.

En 1966, la fusion de ce cercle et de l'Union catholique des femmes rurales donnait naissance à l'Association féminine d'éducation et d'action sociale, bien connue sous le signe : AFEAS.

Née le 24 mai 1908 à Sainte-Anne, orpheline de mère, Anna Gravel vécut chez une de ses tantes à Kénogami. Le 29 juin 1925, elle épousa Armand Lessard, papetier à la compagnie Price.

Mère de sept garçons et cinq filles, elle s'intéressa au sort des femmes en milieu urbain pour lesquelles, avec douze compagnes, elle fonda le premier cercle d'étude féminin, le Cercle Mgr-Lamarche. Le but de ce cercle était de rendre la vie au foyer plus attrayante et d'inculquer le sens de l'économie à la femme.

Dans le livre publié par l'AFEAS, « Des femmes aussi », Marie Lessard décrit Anna Gravel comme une pionnière attentive au sort des jeunes, des délinquants, des vocations sacerdotales et qui se préoccupait de la dignité humaine, du savoir-vivre, de la littérature malsaine et de l'élégance féminine.

Anna Gravel-Lessard a reçu la médaille Bene Merenti en mars 1954. Médaille offerte par le Vatican par l'entremise de Mgr Georges Mélançon, évêque de Chicoutimi.

---

16 novembre 1933 **Pas de pont**

La population est fébrile. Le pont tant attendu sera bientôt ouvert à la circulation entre Sainte-Anne et Chicoutimi. Le *16 novembre 1933*, la fin des travaux est imminente et les gens se remémorent déjà le temps passé, de concert avec les journaux du jour qui relatent la petite histoire du traversier.

Franchir le Saguenay d'une rive à l'autre n'était pas toujours facile. Dans les premiers temps, les voyageurs utilisaient de longs canots de bois creusés dans les pins. Ces canots furent remplacés par des chaloupes mues par des rames ou par des voiles et par des chalands dans lesquels s'entassaient pêle-mêle passagers, animaux et bagages.

Certains propriétaires d'embarcations louaient leurs services au prix qu'ils voulaient, situation qui ne plaisait guère à la population.

En 1874, le conseil municipal de Sainte-Anne accorda pour deux ans un contrat d'exploitation d'un bateau à vapeur qui fut baptisé « brouette ». Ce vapeur inspira un citoyen de Chicoutimi, Épiphane Gagnon, qui transforma un chaland ponté en « horse-boat ». Cette première version fut améliorée petit à petit par M. Gagnon qui devint le responsable attitré de la traversée du Saguenay jusqu'en 1898.

En hiver, la population franchissait la rivière sur la glace.

---

17 novembre 1938   # Baie des Ha! Ha!

Lieu de prédilection pour les amateurs de voile, port naturel que n'ignorent pas les cargos, la Baie des Ha! Ha! n'a pas attendu ce jour pour séduire. Le *17 novembre 1938*, un chroniqueur du Progrès du Saguenay vantait déjà cette baie au nom singulier.

« La Baie des Ha! Ha! a une importance et une dimension qui ne permettent pas de la classer parmi les autres baies ou anses le long de la rivière Saguenay. Celles-ci, par comparaison, ressemblent à de légers écarts, à de petits gonflements. »

Ces dimensions et la beauté des monts qui l'entourent frappent le voyageur. Les Indiens l'appelaient « Heskwewaska » et les Français « Ha! Ha! », deux expressions admiratives, dit-on, ou d'étonnement car, prenant cette baie pour une continuité de la rivière, le voyageur trouvait un chemin sans issue.

À la Société historique du Saguenay, Mgr Victor Tremblay expliquait l'origine du nom de cette baie à partir d'un mot français signifiant « obstacle inattendu sur le chemin qu'on suit » et exprimé par le terme unique de « Haha ».

Située à plus de soixante milles de Tadoussac, cette baie compte six milles de profondeur sur trois de largeur. À marée haute, le niveau de l'eau monte de dix-sept pieds. Les navires y trouvent un mouillage sûr et un port à l'abri des vents.

---

18 novembre 1898   # Un vicomte devient Oblat

Le vicomte Thomas de la Vallée Poussin, ingénieur des Ponts et Chaussées en France, décida de devenir Oblat de chœur cistercien, sorte de moine libre des vœux mais suivant la règle religieuse. Il aboutit à la Trappe d'Oka sans cesser de pratiquer son métier. Il devint frère Jules et gardait désormais le souvenir d'avoir travaillé au canal de Panama... et à l'aqueduc de Limoilou. Il vint dans la région, comme le raconte « Histoire de Rober-val », pour diriger les travaux d'un aqueduc et d'un pont à la Trappe de Mistassini.

Frère Jules offrit également ses services à Roberval pour la réfection de l'aqueduc. Les contribuables voulaient remplacer le système temporaire par un aqueduc en fonte. Dix dollars furent votés le 16 mars 1898 pour les plans et devis du vicomte.

Plutôt que d'engager des Robervalois, on choisit des entrepreneurs de Montréal : M. Migneault et Jean Taché.

« Migneault avait à peine commencé les travaux qu'il commençait aussi ses revendications. » Il fallut recourir à un notaire pour qu'il obéisse à frère Jules. Pendant ce temps, les ouvriers, payés à raison de quatre-vingts sous par jour, firent la grève pour exiger un salaire plus élevé. L'aqueduc devait être terminé le 1er septembre. Le 19, une évaluation des travaux était faite et, le 3 novembre, une plainte était déposée devant le magistrat R.-P. Vallée qui entendit la cause le *18 novembre 1898*. Les travaux furent suspendus, l'entrepreneur congédié. Le maire Du Tremblay donna sa démission, le frère Jules disparut. Le vicomte devait mourir à Québec en décembre 1898.

---

19 novembre 1892   ## Ossements humains au Bassin

La construction d'une nouvelle chapelle, dans la partie ouest de la ville de Chicoutimi appelée le Bassin, fut momentanément interrompue le *19 novembre 1892* par la découverte d'ossements humains.

Grand émoi parmi les constructeurs qui travaillaient à l'endroit même où s'étaient élevées successivement deux chapelles fréquentées par les Montagnais et les premiers explorateurs du Saguenay.

Les ossements reconnus comme humains par des experts semblaient entourés par la trace d'un cercueil. Autour du squelette partiellement conservé, on trouva des dents d'ours et de castor dans un état permettant de croire qu'elles servaient d'ornement. Il y avait également une pointe de flèche ou de harpon, une douille et un morceau de fer ou d'acier ayant l'apparence d'une lame d'épée. L'objet qui intrigua le plus fut une plaque de cuivre qui aurait pu être une coupe ou, mieux encore, un de ces grands soleils qui brillaient sur la poitrine des plus illustres chefs indiens les jours de fêtes ou dans les expéditions guerrières.

Les ossements furent exposés à l'Évêché dans l'attente de la visite de quelque savant capable de déterminer la race du personnage enterré à cet endroit et, par là, d'aider à retrouver son nom.

L'Oiseau-mouche qui rapporte les faits suggérait de consulter le registre des actes de la mission de Chicoutimi conservé « quelque part dans la province ». Les archives n'en disent pas davantage sur cette découverte.

20 novembre 1952	**École de hockey**

« La ville d'Alma aura bientôt son école de hockey » annonçait le journal Le Soleil dans son édition du 20 novembre 1952. Cette école allait être dirigée par Émilien « Ti-Caye » Raymond, joueur bien connu de la région. Ouverte à tous les jeunes de douze à seize ans, l'école de hockey nécessitait pour équipement : une paire de patins, un bâton de hockey et une bonne dose de volonté d'apprendre.

« Le but de cette école est d'inculquer aux jeunes le goût du hockey en leur montrant la manière de patiner, de tenir leur bâton. Mais cette école montrera également aux jeunes à mieux s'entendre avec leurs copains, à faire face aux honneurs comme aux déceptions et complétera l'éducation sportive des jeunes en rapport avec l'éducation qu'ils reçoivent à l'école et à la maison. »

Le directeur de cette nouvelle école, la deuxième du genre dans la région, avait lui-même fait ses débuts à l'âge de huit ans. À dix ans, il faisait partie de l'équipe de hockey du collège Saint-Raymond. Il joua pour les Castors de la ligue junior et se retrouva avec des joueurs comme Maurice « coco » Thiffault, Larry Laframboise, Mannie McIntyre et Camille Lupien. Il termina dans l'équipe de l'université Laval avant de venir à Arvida à titre d'assistant-surintendant du Centre de récréation. Il fonda l'école de hockey d'Arvida. Transféré à Alma, Émilien Raymond hérita de la nouvelle école de hockey tout en assumant la direction de l'équipe des Aigles.

21 novembre 1946	**À l'ombre des lumières**

Quoique pourvue d'un système d'éclairage des plus modernes, la population de Chicoutimi demeurait dans l'ombre. Le *21 novembre 1946*, elle apprenait enfin en quoi consistait le problème : un petit détail technique.

Moderne, le système l'était. Des expériences avaient été faites lors du congrès des chefs de la police et des pompiers. Le hic ! c'est qu'il avait fallu qu'un homme monte dans chaque poteau de la rue pour donner le courant aux lampes et, plus tard, remonter à nouveau pour les éteindre. Méthode peu pratique s'il en est.

Voilà pourquoi le nouveau système d'éclairage des rues de Chicoutimi, le plus moderne qui soit connu en Amérique du Nord disait-on, ne fonctionnait toujours pas. Pour éviter de grimper chaque fois dans les poteaux, il aurait fallu des appareils récepteurs servant à communiquer le courant aux lampes. Commandés aux États-Unis, ces récepteurs étaient attendus d'une semaine à l'autre.

« Le système complexe adopté par Chicoutimi consiste en un courant à fréquence élevée communiqué par ondes aux lampes qui sont installées directement sur le fil du réseau électrique. Chicoutimi est la seule ville de la région à avoir modernisé à un tel point son éclairage. »

Et pendant ce temps, les rues Racine, du Havre, Montcalm et Taché demeuraient les rues les plus sombres de la région.

---

22 novembre 1898   # Ferland et Boileau

La guerre fut déclarée à la forêt des cantons Ferland et Boileau, le dimanche *22 novembre 1898*. La Société des Trente tenait sa première assemblée à Saint-Alphonse, réunissant les citoyens les plus marquants des deux paroisses afin d'entendre le rapport des explorateurs du canton Boileau.

Décision fut prise de dépenser, dès l'automne, la somme de trois cents dollars pour faire l'abattis sur les lots choisis par la Société. Leur enthousiasme ne manquait pas de lyrisme ni d'optimisme devant l'avenir qui s'ouvrait à eux.

« On ne trouvera pas, sans doute, comme les travaillants de la Jérusalem délivrée, une forêt enchantée et le sang n'échappera pas des arbres entaillés mais, dans quelques années, la terre s'ouvrira pour prodiguer ses trésors et, au souffle de la brise, onduleront des moissons enchanteresses. »

La Société nomma les membres de son bureau de direction : John Savard, Juste Dufour, Auguste et Beneti Lavoie de Saint-Alexis furent élus ainsi que Didyme Bouchard, Onésime Côté, Ernest Boivin de Saint-Alphonse.

S'exhortant à se mettre à l'oeuvre, ils conclurent leur entente disant : « Maintenant à l'oeuvre. La guerre est déclarée à la forêt. Il nous faut des paroisses à la place des terres incultes des cantons Ferland et Boileau. Il faut briser la barrière qui tient séparés les comtés de Charlevoix et de Chicoutimi ».

---

23 novembre 1942   # Shipshaw

En janvier 1943, le barrage de Shipshaw était reconnu comme étant le plus gros barrage du monde. Plus considérable que Boulder Dam et que le barrage russe du Dnieper, il avait fallu vingt-deux mois pour mettre les douze générateurs de cent mille chevaux-vapeur en opération. Il avait coûté aussi soixante pertes de vie.

Construit par l'Aluminium Company du Canada, ce barrage était la seconde phase du développement de Shipshaw ; la première avait été entreprise dix ans plus tôt par la construction de la centrale sur la Chute-à-Caron. Les deux centrales allaient produire un million cinq cent mille chevaux-vapeur, soit trois cent mille pour Chute-à-Caron et un million deux cent mille pour Shipshaw, autant d'électricité que la production que les États-Unis et le Canada retiraient de la puissance des chutes Niagara.

Les travaux avaient débuté en automne 1941. Le *23 novembre 1942*, la première génératrice était mise en opération.

Pour réaliser ce barrage, il avait fallu creuser un canal de trois cents pieds de large et de trente-trois pieds de profondeur sur un mille et demi de parcours afin de détourner les eaux de la rivière Saguenay vers Shipshaw.

Il y eut dix mille cinq cent quatre-vingt-quinze hommes employés sur les chantiers, huit mille huit cent quarante-cinq à Shipshaw et mille sept cent cinquante aux Passes dangereuses. Ces hommes durent parfois travailler à des températures de quarante degrés sous zéro. Mais, lorsque cette réalisation fut terminée, ils confièrent à ceux qui les interviewaient leur assurance d'avoir contribué à une oeuvre humaine importante.

---

24 novembre 1896   **Optimisme de Guay**

La Compagnie de pulpe de Chicoutimi fut fondée le *24 novembre 1896* avec, pour actionnaires, Joseph-Dominique Guay, François-Xavier Gosselin, Louis Guay et Fritz Schilde de Carthage (New York), représentant de la Aderondack Pulp Company.

Lors de la bénédiction de cette entreprise, le 12 février 1898, les journaux déclarèrent : « La capitale du royaume du Saguenay, ainsi que Jacques Cartier appelait cette région, est entrée, depuis une couple d'années, dans une ère de progrès extraordinaire. Chicoutimi se transforme à vue d'oeil, se développe et se prépare à jouer un rôle important dans l'industrie et le commerce de la région. L'ouverture des usines de la Compagnie de pulpe est l'un des traits saillants de cette évolution. Le personnel de ces usines va presque doubler la population de la ville, en même temps que l'exportation de ses produits va opérer une augmentation correspondante dans le mouvement du port ».

L'usine était bâtie sur un îlot de rocs au pied des chutes de la rivière Chicoutimi. L'eau était dirigée vers l'écluse dans un canal de bois et de là par un tuyau de fer. Ce pouvoir produisait dix mille chevaux-vapeur.

« Rattachée comme elle l'est au Saguenay, écrivait-on encore, cette usine peut prendre son bois dans n'importe quelle partie de l'immense territoire. Or il y a dans ce territoire suffisamment de bon bois pour faire de la pulpe et du papier pour tout l'univers pendant des siècles. »

---

25 novembre 1908   # Province du Lac-Saint-Jean

On se console comme on peut ! Plusieurs Robervalois étaient mécontents de l'élection du député libéral indépendant Girard. Ils décidèrent de créer un parlement fictif, ce qui fut fait le *25 novembre 1908*. Ce parlement fut constitué à l'image de celui de Québec et avait pour mandat d'administrer la « province » du Lac-Saint-Jean.

Le magistrat Vallée fut nommé lieutenant-gouverneur. Vingt-six députés représentèrent les différentes paroisses. Les séances avaient lieu le jeudi à la maison Roy, dont la salle était trop petite pour contenir toute l'assistance. À la séance d'ouverture, le premier ministre Israël Dumais forma son cabinet : L.-P. Bilodeau, aux travaux publics ; Arthur Du Tremblay, à l'agriculture ; Constantin, secrétaire provincial ; J.-B. Charbonneau, à la colonisation, mines et pêcheries ; Léon Cauët, trésorier ; Thomas Lefèbvre, procureur général qui fut remplacé par L.-A. Langlois. Le Dr H.-D. Brassard, député de Saint-Méthode, devint le chef de l'opposition.

Le Parlement traitait de toutes les questions, sérieuses ou frivoles. Les débats portaient sur la colonisation, l'agriculture, le commerce, l'industrie, les communications, la forêt, l'instruction publique, les taxes, la peine de mort. La deuxième séance fut jugée trop frivole, la seconde trop sérieuse. Le 4 février 1909, de nouvelles élections portaient l'opposition au pouvoir. Dix-sept progressistes-réformistes et douze progressistes formaient la chambre. On discuta ferme sur la prohibition des liqueurs. Ce parlement « modèle » fut dissout le 15 décembre 1909.

---

26 novembre 1976   # Marc-André Bédard

Le *26 novembre 1976*, le député indépendantiste, M. Marc-André Bédard, devenait ministre de la Justice au sein du cabinet de M. René Lévesque, nouveau premier ministre du Québec. Il devenait ainsi le troisième député de Chicoutimi à être nommé ministre à l'Assemblée nationale. Il avait été précédé par Antonio Talbot qui fut ministre de la Voirie, ministère devenu le ministère des Transports, et par Jean-Noël Tremblay qui fut ministre des Affaires culturelles.

Originaire de Sainte-Croix, fils de parents cultivateurs, Marc-André Bédard fit ses études primaires à Saint-Honoré, poursuivit au Petit Séminaire de Chicoutimi et termina à l'université Laval en 1955. Il fit ses études de droit à l'Université d'Ottawa. Il semble que ce soit à cette époque qu'il devint indépendantiste.

En 1968, nommé au sein du Comité de réunification des forces indépendantistes, Marc-André Bédard participa au congrès de fondation du Parti québécois et devint conseiller à l'exécutif national. En 1969, il était élu président du Parti québécois au Saguenay–Lac-Saint-Jean.

Réélu aux élections suivantes, Me Bédard conserva son poste de ministre de la Justice jusqu'à son départ, avant la campagne électorale de 1985.

---

27 novembre 1879 **Un concert gelé**

Le jeudi *27 novembre 1879*, la fanfare du Séminaire de Chicoutimi joua sa première pièce pour célébrer la fête de sainte Cécile : « Chicoutimi valse » composé par l'abbé D. Dufresne. Cette nouvelle fanfare était composée de l'abbé Dufresne, d'Ernest Gagnon, d'Henri Tremblay, de Math Tremblay, d'Henri Savard et quelques autres.

En 1972, la revue Saguenayensia raconta une anecdote savoureuse au sujet de cette fanfare. L'histoire s'était passée lors de Noël 1879.

« À la messe du jour à la cathédrale, notre fanfare a fait des merveilles. À l'entrée de l'évêque on joua « La fille du régiment » avec un succès complet. Mais figurez-vous que les trois quarts de la paroisse ne s'attendaient pas que la fanfare dût jouer ce jour-là ; figurez-vous qu'un grand nombre ne savait pas que nous avions une fanfare et même ne connaissait pas cette sorte de musique. Si vous le pouvez, cherchez à vous faire une idée exacte de ce qui se passa lorsque le corps de musique lança avec vigueur ses premiers sons. On raconte bien des épisodes. Ainsi une bonne vieille pensa que la fin du monde arrivait : « Ils le disaient bien, s'écria-t-elle, que la trompette sonnerait à la fin du monde ». Il faisait froid ces jours-ci et quand il fait froid à l'extérieur il fait très froid dans la cathédrale. Les instruments s'en ressentirent ; les pistons ne fonctionnaient plus du tout. Aussi on eut de la peine à les réchauffer à temps pour être prêt à jouer avant la messe. Ce fut encore pire à la fin de la messe ; il fallut se mettre trois ou quatre pour réchauffer le bombardon ; mais on acquit de l'expérience, en soufflant dans les instruments ils se réchauffaient rapidement. Après la communion on joua le God save the Queen pendant que le choeur de l'orgue chantait nous vous invoquons tous ; ce fut d'un grand effet ! (...) »

Alors que les routes étaient rares entre la région et Québec, la liaison se faisait surtout par le Saguenay. Lorsqu'un nouveau navire prenait le service, cela devenait un événement et, à lire les journaux d'époque, il s'agissait toujours du plus beau ou plus rapide bateau. Le *28 novembre 1895*, ce fut au tour du Carolina d'être chaleureusement accueilli par la presse. Dans le Progrès du Saguenay, ce vapeur était décrit comme suit : « Ce splendide bateau était tout pimpant en toilette neuve et semble défier tous ses confrères. On lui a fait subir des réparations très considérables, entre autres la pose d'un arbre de couche neuf qui a été fabriqué dans les provinces maritimes. Nos lecteurs savent que le Carolina est le bateau le plus rapide qui circule sur le fleuve. (...) »

En 1902, un printemps précoce libéra le Saguenay de ses glaces dès le mois d'avril. Le 15 avril, la rivière était totalement libérée et le Carolina fut le premier à reprendre la navigation dès le 16 avril. Son service se poursuivit sans problème jusqu'au 20 août 1903, alors que le bateau alla s'échouer sur une pointe de rocher appelé Passe-Pierre.

« Le choc a été terrible, raconta le journal le jour même. (L'accident avait eu lieu vers une heure de la nuit). La lumière électrique s'est brisée et l'obscurité ajoutait encore à l'horreur de la situation. Une affreuse panique se produisit parmi les trois cents passagers que portait le Carolina. Des scènes terribles de désespoir eurent lieu mais peu à peu, voyant que le vapeur ne sombrait pas, les passagers se calmèrent. Aux premières lueurs du jour tous se rassurèrent en constatant que le steamer était à la côte. Les naufragés furent recueillis quelques heures plus tard par le Thor. (...) On rapporte que la coque du Carolina est défoncée. Les pertes se chiffrent à soixante-trois mille dollars. »

Né à Gand, en Belgique, le *29 novembre 1874*, le père Marie-Benoît, trappiste à Mistassini, publia plusieurs volumes sous le pseudonyme de Benoît Desforêts.

Son père, Jules Van Biervliet, professeur de droit à l'Université de Louvain, était Flamand. Sa mère, Amélie Champy, était Wallone. Le milieu familial de Louis Biervliet sembla propice aux vocations religieuses. Une de ses soeurs devint religieuse à Chinon, en France. Son frère Albert, Rédemptoriste, représenta son ordre à Rome. Son deuxième frère fut ambassadeur de Belgique au Guatémala.

Poussé par le goût de l'aventure, Louis Van Biervliet vint au Canada au début du siècle. Ordonné prêtre le 2 juin 1917, il vivait à la Trappe d'Oka depuis 1905 et arriva à Mistassini le 17 mai 1918. Il y demeura jusqu'à sa mort, à l'âge de 88 ans.

Il n'aimait pas les travaux manuels, raconte-t-on à son sujet, « même si on l'a vu souvent, pour se rendre utile, s'adonner à des tâches obscures comme arracher des clous, plier des mouchoirs ».

Dynamiteur de métier, c'est comme professeur et auteur qu'il se révéla le plus à l'aise. Il aimait composer des pièces de théâtre que jouaient les juvénistes. Il a publié plusieurs volumes dont « Poèmes de solitude », « Le p'tit gars du colon », « Un sillon dans la forêt », « Le mystère d'un cloître ».

---

30 novembre 1941   Route de la fourrure

S'il y eut la route de la soie vers l'Asie, la route du grain vers l'Ouest canadien, il y eut aussi la route de la fourrure vers le Saguenay.

Au « domaine du roi » la peau de castor servait de monnaie, d'autant plus que la France du XVIIe siècle, la Hollande et l'Angleterre avaient fait du chapeau de castor la coiffure de prédilection.

La route de la fourrure passait par Tadoussac, la rivière Saguenay, Chicoutimi, le lac Kénogami, Kenogamachiche, la rivière des Aulnées et le lac Saint-Jean. En remontant le cours des quinze affluents de ce dernier, les trappeurs rayonnaient dans toutes les directions jusqu'à la Baie d'Hudson.

Relatant cette page d'histoire, La Patrie du *30 novembre 1941* soulignait l'importance du castor dès le début de la colonisation. La chasse durait tout l'hiver et, le printemps venu, les chasseurs descendaient de tous les coins du domaine pour se rencontrer au célèbre Côteau du portage. Chargeant les canots jusqu'au bord, ils se mettaient en route sur le Saguenay. Des flotilles d'un millier de minuscules unités se faufilaient dans le fjord en direction de Tadoussac et l'on vit parfois jusqu'à trois mille Indiens se réunir à cet endroit, pour offrir des peaux de toutes sortes aux Européens.

Les peaux de castor étaient la principale monnaie d'échange des Indiens qui troquaient le fruit de leurs chasses contre des fusils et de la poudre.

(Photo: Le Quotidien)

Le pont de Ste-Anne, aujourd'hui utilisé uniquement par les piétons.

Pont de Sainte-Anne

La construction du pont reliant Chicoutimi à la paroisse Sainte-Anne fut terminée le *1er décembre 1933*. Jusqu'alors, il n'y avait que deux moyens pour traverser le Saguenay : un traversier et une route de glace. En 1892, la population ne parlait plus que de construire un pont, entre rive nord et rive sud, unissant Saint-Nazaire, Saint-Ambroise, Bégin, Sainte-Anne, Saint-Honoré et Saint-Fulgence à Chicoutimi.

Le contrat de construction avait été accordé le 31 décembre 1931 à la Compagnie A. Janin. Le 8 novembre 1932, les travaux débutaient et la première voiture franchissait le pont le 4 décembre 1933.

D'une longueur totale de deux mille neuf cent cinquante-cinq pieds, le pont avait une travée tournante de trois cent soixante-quinze pieds reposant sur un pilier de quatre cent trente pieds de long et pesant un million six cent mille livres. Pour la construction du pilier central, on utilisa quatorze mille huit cents tonnes de béton.

« Le vieux pont », comme on l'appelle aujourd'hui, a été remplacé en 1970 par le pont Dubuc.

En 1981, divers travaux ont été effectués pour préparer le vieux pont à sa nouvelle vocation, soit d'être à l'usage exclusif des piétons et cyclistes.

Paul Couture

La dépouille de Paul Couture fut inhumée dans le cimetière paroissial de Laterrière, le *2 décembre 1913*. Il était revenu mourir dans son pays d'adoption, après l'exil qui avait suivi sa brève carrière politique.

Originaire de Québec, Paul Couture s'était établi à Laterrière, en 1879, où il avait épousé Philomène Boulanger. Le fermier qu'il était fonda, avec son frère Octave, une fabrique-école où ils formèrent plusieurs bons fromagers pour la région. Il était considéré comme le père de l'industrie laitière.

En 1884, la Société de l'industrie laitière de la province de Québec lui décerna un certificat, attestant de l'excellente qualité du beurre qu'il produisait. Il avait, à cette époque, un troupeau de trois cents vaches. Sa fabrique-école produisait quatre cent quatre-vingt-dix-neuf mille deux cent soixante-dix-neuf livres de lait et vingt-deux mille trois cent trente-neuf livres de beurre par an.

Impressionnés par le succès de son entreprise, ses concitoyens décidèrent d'en faire leur député. Élu à la Chambre des Communes le

22 février 1887, Paul Couture ne resta que le temps d'un mandat. Comme député, il s'était fait des ennemis féroces. Il vendit tout ce qu'il possédait à Laterrière et s'exila à Montréal, puis aux États-Unis. Il ne revint au Saguenay qu'à la fin de sa vie et mourut, à Bagotville, le 30 novembre 1913.

---

3 décembre 1946   **Une ligue de décence**

Pour défendre la moralité, pourquoi pas une ligue de décence ? La question ne se pose plus, Chicoutimi a déjà posé les jalons d'une telle ligue le *3 décembre 1946*.

Toutes les associations de Chicoutimi avaient tenu une assemblée très importante à l'hôtel de ville, sous la présidence du chanoine Tremblay. Ce dernier en profita pour rappeler la lettre des évêques sur la moralité et sur le devoir des pères de famille et de toutes les organisations qui consistait à lutter contre le flot de l'immoralité.

Le chanoine Tremblay expliqua à l'assemblée ce qui se faisait ailleurs en ce sens. Après quoi, considérant qu'il avait devant lui une assemblée représentative, il s'interrogea sur l'opportunité de mettre sur pied, à Chicoutimi, un organisme qui collaborerait avec l'Action catholique officielle dans cette lutte contre l'immoralité. Cet organisme aurait à prévoir les diverses mesures nécessaires pour mener à bonne fin ce combat pour la vertu.

L'assemblée adopta la proposition de former une ligue de décence et décida qu'elle devait être confiée aux présidents de chaque société.

La première activité de cette ligue fut une campagne antialcoolique qui remporta d'énormes succès.

---

4 décembre 1954   **Couvre-feu**

Le Soleil du *4 décembre 1954* décrivait l'arrestation et la comparution de cinq adolescents de quinze à seize ans arrêtés à Jonquière pour avoir contrevenu au règlement de la Ville, article 148. Leur délit : avoir joué dans la rue.

Conduits au poste de police, les cinq adolescents furent libérés sur parole jusqu'au lendemain matin. À neuf heures, ils durent se présenter devant le juge de la Cour municipale pour répondre à l'accusation d'avoir été trouvés à jouer au ballon dans la rue.

« L'enquête révéla que deux d'entre eux n'avaient pas seize ans, fréquentaient les théâtres et la plupart des salles de quilles au lieu de faire leurs devoirs et d'étudier leurs leçons. Après avoir servi une sévère leçon à ces jeunes et tiré une leçon de cette affaire, Son Honneur le juge suspendit les causes pour trois mois, invitant tous les jeunes à donner le bon exemple et d'entraîner les autres à ne pas jouer dans les rues. Il les invita à ne plus comparaître devant lui pour une même offense car il serait forcé à les condamner à l'amende et les frais comme il est prévu dans l'article 148 des règlements de cette ville. »

Voici un extrait de ce fameux règlement : « Le couvre-feu est par la présente établi dans les limites de la ville de Jonquière. Tous les soirs à neuf heures p.m. (heure solaire) entre le 1er mai et le 1er novembre et à huit heures p.m. entre le 1er novembre et le 1er mai, aucun enfant âgé pour jusqu'à quatorze ans inclusivement ne devra pas être trouvé dans une rue publique à moins d'exercices légitimes ou d'être accompagné par une personne raisonnable. Afin d'avertir les enfants qu'ils doivent entrer à la maison, le département de la police de Jonquière fera entendre à l'heure prévue le son de la sirène ».

---

5 décembre 1946   **La tuberculose**

La campagne du timbre de Noël est une tradition qui remonte à l'époque de la lutte contre la tuberculose ou peste blanche. Cette souscription populaire, toujours d'actualité, mobilisa dès le début toutes les personnes qui voyaient en cette maladie un ennemi à abattre. Le lancement de la campagne du timbre de Noël du *5 décembre 1946* consista en un appel éloquent pour inciter la population à collaborer généreusement. Qualifiant cette lutte d'épique, de combat à mort, les journaux firent part des pertes nombreuses causées par cette maladie.

« Elle ne lâche pas cette impitoyable faucheuse. Quand on songe que dans une seule année, en 1945, en notre seule province, elle nous a ravi deux mille cinq cent cinquante-sept vies sur un total de cinq mille cinq cent quarante-six pour tout le pays. Cela signifie la moitié du capital humain que perd le Canada chaque année de ce seul fait ; capital humain constitué surtout de beaux adolescents de quinze à trente ans... Quand on sait, en plus, que notre région est l'une des premières sur la liste noire de la province c'est à faire réfléchir sérieusement. »

« Situation pitoyable à laquelle il faut trouver une solution. Et la campagne du timbre de Noël est déterminante par les fonds amassés pour favoriser le développement de moyens susceptibles d'enrayer cette maladie. »

Les sommes amassées étaient envoyées au fond commun de la lutte contre la tuberculose. Elles étaient redistribuées sous forme de lait pour les enfants sous-alimentés, c'est-à-dire ceux dont le poids était inférieur à la moyenne. À Chicoutimi seulement, pour la dernière année scolaire précédant la campagne, l'équivalent de mille deux cent dollars en lait et de cent vingt-cinq dollars en huile de foie de morue avait été distribué.

---

6 décembre 1942   **Prince à la pêche**

Parmi les visiteurs dont la région se montrait fière, si l'on en croit les journaux d'époque, il en fut un qui, en 1860, n'hésita pas à taquiner impunément le saumon de la rivière Sainte-Marguerite. À l'époque, pas de ZEC, ni de permis, comme le relate un extrait de l'Action catholique du *6 décembre 1942*.

« La colonie de la rivière Sainte-Marguerite fut la seule du Saguenay qui eut l'honneur d'être visitée par le prince de Galles en 1860. Elle le doit au saumon de la rivière et à l'invitation de M. Price. »

« La tradition raconte que les gens de la colonie accompagnaient le prince par une procession de canots pendant tout son tour de pêche. Elle raconte également qu'au départ et à l'arrivée de ce tour de pêche, un jeune Gauthier transporta le visiteur sur ses épaules, de la terre ferme au canot et du canot à la terre ferme. La force et l'aisance déployées dans ce geste provoquèrent les vives félicitations de l'hôte royal. »

« Il y a encore aujourd'hui un rapide de la rivière que l'on appelle le rapide du prince. Ce fut l'endroit où celui-ci prit son premier saumon. Le prince prit un repas chez un colon, Louis Gravel ; il fut enchanté de la politesse simple et distinguée de ses hôtes. »

Depuis cette visite, bien des amateurs de pêche se sont laissés séduire par le saumon de cette rivière et bien des poètes se sont réjoui les yeux des beautés de ce cours d'eau tumultueux, entourés de montagnes qui enchantent le parcours de la route qui mène vers Tadoussac.

---

7 décembre 1876   **La picote**

« La picote est ici », tel était l'avis qu'il fallait obligatoirement afficher sur la façade de sa maison lorsque cette maladie sévissait dans une famille. Un règlement municipal du village de Chicoutimi, en date du *7 décembre 1876*, prescrivait des mesures sévères pour éviter l'épidémie.

Parmi les règlements, outre l'affiche et la défense de laisser entrer toute personne non autorisée par le maire, l'article numéro 2 ordonnait de tuer tous les chiens et chats de la maison aussitôt que la picote, ou toute autre maladie contagieuse ou pestilentielle, était déclarée dans cette maison.

Tout propriétaire ou occupant était tenu de creuser une fosse de quatre pieds de profondeur sur trois pieds carrés pour recevoir toutes les déjections des personnes atteintes. Cette fosse devait être à une distance d'au moins vingt pieds de tout cours d'eau ou puits.

Rideaux, linges tendus, tapis, meubles non indispensables devaient être enlevés. Quant au cercueil d'une victime de la picote, il devait être enduit d'une forte couche de « coltare » à l'intérieur et à l'extérieur et fermé par un couvercle cloué solidement, enduit de résine ou autre gomme fondue.

Le mort devait être enterré dans un délai de vingt-quatre heures et l'avis donné d'avance pour éviter toute rencontre. Une personne devait précéder le cercueil pour avertir tout passant éventuel. L'enterrement devait être fait de préférence la nuit.

La maison devait être ensuite nettoyée par le soufre, le feu et la résine.

---

8 décembre 1960   **Guy Lavoie**

« Aidons-nous en aidant un fils méritant de notre région à donner sa pleine valeur. »

Cette phrase, inscrite sur le programme du concert donné par le ténor Guy Lavoie, était une demande de contribution afin de permettre au jeune chanteur d'amasser des fonds nécessaires pour poursuivre ses études. Le *8 décembre 1960*, un public empressé était aux portes de l'Auditorium Beauchamps, de l'Hôtel-Dieu Saint-Vallier, à Chicoutimi, pour assister à son concert-bénéfice.

Né à la Baie des Ha! Ha!, Guy Lavoie fit ses études au collège des Franciscaines, à Trois-Rivières. Il étudia le chant avec Jacqueline Lindsay, des Éboulements, et Albert Cornellier, de Montréal.

En 1954, Guy Lavoie gagna le concours Rotary à Québec. Boursier du gouvernement provincial, il quitta le Canada pour l'Europe, où une seconde bourse du Conseil des arts lui permit de prolonger son séjour jusqu'en 1960.

À Rome, il étudia avec le professeur Rachelle Mori, que lui avait recommandée Richard Verreault, et fut le tout premier élève de Maria Caniglia.

Guy Lavoie, revenu au pays, tenta de trouver les sommes nécessaires pour retourner en Italie. Il travailla à la radio, à la télévision, donna des concerts, trouva même des commanditaires, lors de son passage à Chicoutimi, grâce à Jean-Hugues et Arthur Tremblay, distributeurs pour une brasserie.

Plaie du cultivateur

« Le luxe est la grande plaie du cultivateur » dénonçait avec virulence le journal « L'Action sociale » du *9 décembre 1909*. Il accusait le crédit d'être la source d'un mal qui touchait les Canadiens français et les poussait à s'exiler aux États-Unis pour pouvoir payer les usuriers.

« Le luxe est aujourd'hui la grande plaie qui ronge nos classes agricoles. Luxe dans les toilettes ; à l'heure qu'il est on ne distingue plus la fille du cultivateur de celle du professionnel. À peine a-t-elle douze ans qu'on lui flanque sur la tête, à crédit, un chapeau de cinq dollars. Dans la famille on ne s'habille plus avec de la bonne flanelle du pays, c'est trop rude. Non, on préfère acheter, à crédit, force verges d'indiennes ou de coton. Il faut aussi le set de salon, voire même l'harmonium. (...) Le tout jeune garçon, il lui faut son buggy à lui... un cheval pour le traîner ; on achète à crédit, une bête de deux cent cinquante dollars, on la mène à l'écurie, on la soigne bien, il faut qu'elle soit propre pour faire jacasser ce cher petit. »

Décrivant les conséquences du crédit, l'éditorialiste ajouta : « Quand les marchands réclameront leur argent, ils iront chez l'usurier qui ne prêtera que sur hypothèque. Et pour racheter la propriété, le cultivateur se résignera au voyage aux États où jeunes garçons et filles se laisseront tenter par les airs de liberté et refuseront de revenir. Le père finira même par accepter que le enfants de douze ans aillent travailler dans les manufactures. Vous le verrez demander à son curé du Canada un extrait de baptême, lui recommandant bien de forcer un peu pour qu'il ait l'âge requis ».

Arguments frappants

Pour mettre la population en garde contre les dangers de l'alcool, les éditorialistes d'autrefois noircirent des pages et des pages, n'hésitant pas à relater tous les faits prouvant la nocivité de cette drogue. Le *10 décembre 1890*, un individu fut incarcéré pour avoir attaqué une autre personne à Hébertville. Cet incident fut un bon prétexte pour dénoncer une fois de plus les effets funestes de l'alcool.

« Lundi matin à neuf heures et demi, M. Michel Rigaldi, âgé d'une cinquantaine d'années, partait pour prendre les chars du Lac-Saint-Jean pour Québec où il était appelé pour ses affaires. Élie Dufourd, charretier, menait M. Rigaldi à Chambord où il devait se rendre pour le départ des chars, mardi matin. Dufourd prit de la boisson sur la route et un charretier qui l'a rencontré à six milles en bas d'Hébertville rapporte qu'il était passablement chaud lorsqu'il l'a vu. On dit que Dufourd a demandé à plusieurs reprises à M. Rigaldi de descendre de voiture et de marcher en arrière de la carriole pour moins fatiguer son cheval. On suppose que Rigaldi a refusé de se rendre aux demandes injustes de Dufourd et a mécontenté ce dernier qui s'irrite sans raison lorsqu'il est sous l'influence de la boisson. »

Dufourd usa donc d'arguments frappants envers Rigaldi. Il l'assomma si bien que le passager mit plus de trois quarts d'heure à retrouver ses esprits. Le charretier fut arrêté, accusé et incarcéré à Chicoutimi pour y attendre son procès. « Il attribue d'abord le malheur qu'il a eu à ce qu'il n'a pas entendu la messe avant de partir lundi, jour de l'Immaculée Conception. Il dit que le Bon Dieu l'avait abandonné. Sans cela j'aurais fait comme de coutume, dit-il. Il prétend n'avoir pris qu'un verre de boisson dans la voiture. Il dit que Rigaldi voulait maltraiter sa jument. »

---

11 décembre 1855   # Un pont à Rivière-du-Moulin

À la séance du conseil du *11 décembre 1855*, D.-E. Price adressa une requête afin que soit construit un pont sur la rivière du Moulin. Acceptée immédiatement, John Guay fit de cette demande une proposition qu'appuya Pierre Gauthier.

Le 8 avril 1856, le Conseil autorisa le notaire Ovide Bossé à passer un marché avec Narcisse Auctet pour la construction du pont selon le plan de J.-A. Tremblay. Son plan avait été accepté par le Département des terres de la Couronne selon les conditions fixées entre le Conseil et Narcisse Auctet.

Dans le contrat, daté du 30 avril 1856, on retrouve quelques détails relatifs au devis. La revue Saguenayensia en citait des extraits dans un numéro de septembre 1962 : « Le pont devra être érigé sur la rivière du Moulin vis-à-vis la boutique de forgeron de M. Price et pour déboucher du côté sud-est de la rivière, à l'ouest de la maison occupée par Damase Gilbert ».

« Le pont aura trois cent trente-huit pieds de long et sera sur des quais et cages de vingt-neuf pieds de hauteur. Toute espèce de bois, excepté le peuplier, pourra être employé pour les dits quais et cages depuis leurs bases jusqu'à une hauteur suffisante pour être au-dessus de la plus haute marée. Les plateaux pour les garde-corps et les lisses devront être d'épinette rouge et de la grosseur de sept pouces carrés. Le contrat stipule qu'en cas d'erreur ou d'omission l'entrepreneur devra reprendre le travail à ses frais. »

Ce pont servit jusqu'en 1906 puis fut remplacé par un pont de métal.

---

12 décembre 1960   # Requins dans le Saguenay

L'eau noire et profonde de la rivière Saguenay est habitée par une faune marine qui n'est pas sans émouvoir les gens. Les truites et les crevettes voisinent avec les requins, occasionnellement du moins.

En effet, la capture de trois requins dans les eaux de la rivière, face au village de Sainte-Rose-du-Nord, il y a à peine quelques années, a suscité bien des commentaires et attiré mult visiteurs. Si le fait est rare, il n'est cependant pas unique, car l'on retrouve, dans la revue Naturaliste canadien du *12 décembre 1960*, l'évocation du tout premier requin trouvé dans le Saguenay, non loin de Saint-Fulgence.

Le fait s'était passé le samedi matin, 17 septembre 1955, alors que Georges Lapointe de Saint-Fulgence visitait sa «pêche». C'était la grande marée de la nouvelle lune. Il vit un énorme poisson captif dans le bassin qui faisait des efforts pour se libérer. Le pêcheur affirma que ce poisson mesurait bien dix pieds et six pouces. Il l'exposa quelque temps puis le vendit à un fermier, Léonce Villeneuve de Chicoutimi-Nord. Celui-ci coupa le poisson en cubes et le servit à ses cochons qui, dit-on, l'apprécièrent beaucoup. Le cultivateur avait noté que la chair de ce poisson était phosphorescente.

Quant aux trois requins capturés en 1979 dans les filets de M. Lavoie, pêcheur de Sainte-Rose-du-Nord, ils furent longtemps exposés au petit Musée de la nature du village, préservés de la gourmandise des cochons par Jean-Claude et Agnès Grenon.

---

13 décembre 1910   # Le chemin de fer

Au cours des années 1880, les moyens de transport étaient plutôt limités. Entre Chicoutimi et la Baie des Ha! Ha! on ne pouvait compter que sur les chevaux. La route était pitoyable et il ne fallait pas que les chargements soient importants.

Lorsqu'en 1895, il fut question de construire le moulin de pâtes et papiers à Chicoutimi, le maire J.-D. Guay convoqua une réunion spéciale. On y parla du moulin et du chemin de fer. En 1898, le Conseil passa un règlement qui accordait certains droits et privilèges à une compagnie qui voudrait faire la construction d'une voie ferrée vers La Baie, précisant déjà que les tarifs ne devraient pas être moins de cinq sous pour les courts voyages.

Le *13 décembre 1910*, le chemin de fer de la Baie des Ha! Ha! fut béni par Mgr Labrecque.

Une cérémonie souligna l'inauguration de cette voie tant attendue. Le départ était prévu à partir de la gare de Québec au Lac-Saint-Jean près d'Arvida et nommée Ha! Ha! Jonction ou encore gare Mathias. Le convoi arriva à Bagotville à la gare du Vieux dépôt où la foule attendait le train.

Discours, rites religieux se suivirent et le train reprit la route vers Chicoutimi où il arriva en fin d'après-midi. Ce chemin de fer allait devenir plus tard le chemin de fer Roberval-Saguenay.

14 décembre 1898	Un Rubens à Chicoutimi

Grand émoi à Chicoutimi le *14 décembre 1898*. La population vient d'apprendre la découverte d'une toile précieuse discrètement accrochée aux murs de la cathédrale de Chicoutimi.

La découverte avait été faite par un artiste-peintre allemand, engagé par Mgr Labrecque pour restaurer les tableaux décorant la cathédrale. Parmi les oeuvres, il y avait une peinture représentant saint Ambroise. Elle était au fond du choeur, au-dessus de l'autel. Cette toile était un cadeau que Mgr Racine avait reçu lors d'un voyage à Rome.

Le peintre allemand avait constaté que cette toile était, en fait, un authentique Rubens et que sa valeur monétaire dépassait les cinquante mille dollars.

La toile resta à la cathédrale, admirée par une population fière de cette acquisition. Lors de l'incendie de 1912, le tableau fut sérieusement menacé mais il put reprendre sa place dans la nouvelle cathédrale reconstruite sur les ruines de la première. Malheureusement, en janvier 1919, un nouvel incendie rasait complètement l'édifice et, avec lui, ses précieux tableaux.

15 décembre 1937	Timbre du centenaire

Pour célébrer le centenaire du Saguenay, un timbre spécial avait été émis et distribué, le *15 décembre 1937*, dans toutes les paroisses de la région. Le fait avait réjoui la population qui aimait à orner de façon particulière la correspondance de Noël et du Jour de l'An.

La description de ce timbre fut donnée dans le journal local avec beaucoup de précisions : « Le timbre est vert : une des couleurs caractéristiques du Saguenay. Il représente le colonisateur (bûcheron, défricheur, artisan). Debout sur le sol saguenéen où git un premier arbre abattu qui lui fait place, l'homme tient d'une main sa hache qui mord à la racine de la forêt, et de l'autre il montre à sa femme la tâche immense et l'avenir, qu'il mesure d'un regard calme ; la femme, un enfant près d'elle, debout dans la chaloupe qui les a amenés tous s'apprête à débarquer pour se mettre à l'oeuvre sans retard. La scène est auréolée par la croix, symbole de la foi, du sacrifice et de la victoire. Les dates 1838 et 1938 marquent les termes du siècle qui a vu l'oeuvre de la colonisation et du développement du Saguenay. Cette composition très simple et sans prétention artistique est pourtant très expressive ; elle rend parfaitement l'idée maîtresse du centenaire : la glorification de l'effort commun qui a réalisé, dans un siècle, la transformation du Saguenay sauvage en une région qui connaît tous les progrès de la civilisation ».

Sept heures du soir. C'est déjà la nuit en ce *16 décembre 1903*. Narcisse Grenon et Camille Fournier décident de traverser le Saguenay, entre Sainte-Anne et Chicoutimi. Épiphane Gagnon, opérateur du traversier, tente de le dissuader, jugeant trop téméraire de s'engager sur une glace peu sûre, formée la veille, et sur laquelle il n'y a encore aucun chemin de tracé.

Chargés de lourds paquets, tenant un fanal à la main, les deux hommes avancent vers le large. Quatre arpents plus loin, la glace cède. Fournier tombe dans un trou étroit. Grenon est prisonnier d'une mare glacée au bord de laquelle il s'accroche tout en criant au secours.

Sans hésiter, Épiphane Gagnon et deux de ses compagnons se précipitent sur les glaces. Il n'y a plus ni lumière, ni cris mais ils réussissent à atteindre les deux malheureux. Ils aident Fournier à sortir du trou puis vont vers Grenon dont seules la tête et les mains demeurent hors de l'eau. Pour le rejoindre, Épiphane Gagnon se glisse à plat ventre et réussit à saisir sa main.

Heureux d'être sauvés, les deux téméraires jurent de ne plus jamais s'aventurer sur la rivière sans s'assurer de la solidité de la glace.

Quant à Épiphane Gagnon, il fut décoré par l'Association humanitaire royale canadienne pour son courage.

Le maire Liguori Harvey annonça, le *17 décembre 1924*, que le lieutenant-gouverneur en conseil avait octroyé les lettres patentes, demandées par les citoyens de Saint-Joseph d'Alma.

La nouvelle ville comptait alors quatre mille personnes, plus quelques centaines d'ouvriers travaillant à la construction des usines Price Brothers, à Riverbend. En ce temps-là, Saint-Joseph d'Alma recevait son service d'eau d'Hébertville, eau qui était parfois rare. Peu de rues, pas de trottoirs, un service d'électricité rudimentaire, pas de couvent, pas de collège, pas d'hôtel de ville.

Aujourd'hui, Alma est une ville prospère, animée, qui joue un rôle économique important dans la région. Ville de commerce et d'industrie, Alma a été déclarée la Ville de l'hospitalité le 13 décembre 1976.

Milieu de vie dynamique, Alma a été le théâtre d'idées nouvelles. Pensons à la Caisse d'entraide économique ou encore à cette expérience pilote visant à humaniser les soins aux malades. Expérience faite avec la collaboration des Centres de services sociaux, visant à appliquer la méthode Balint, sorte de dynamique de groupe.

Le *18 décembre 1968*, l'Assemblée nationale du Québec créait l'Université du Québec. Dès le mois de mars 1969, l'Université du Québec à Chicoutimi recevait ses lettres patentes et commençait à donner l'enseignement en septembre. Le regroupement d'établissements d'enseignement universitaire, à l'oeuvre dans la région depuis plusieurs années, ont favorisé cette implantation rapide : l'École de commerce, l'École de génie, le Centre de formation de maîtres et le Grand Séminaire de Chicoutimi.

Depuis 1959, le Groupe Saint-Thomas faisait des études sur les besoins régionaux. En 1962, il présentait un mémoire à la Commission royale d'enquête sur l'éducation, la Commission Parent, lui adressant des recommandations précises dont la reconnaissance immédiate du campus universitaire que le groupe proposait. Le Groupe Saint-Thomas se disait disposé à donner gratuitement trois cents acres de terrain pouvant être aménagés en prévision d'une université.

Le Groupe Saint-Thomas avait acheté deux fermes du rang Saint-Thomas à Chicoutimi ; le marché avait été conclu le 18 décembre 1959, dix ans avant l'établissement de l'UQAC.

Dans la revue « Protée », Jean-Guy Genest signalait que la fondation de l'UQAC « ne fut pas une création de toutes pièces mais une évolution, un couronnement, une consécration des institutions établies au cours des deux dernières décennies ».

La région du Saguenay–Lac-Saint-Jean fut la première, au Québec, à recevoir une reconnaissance tangible de la France sous la forme de la présence d'un Consul honoraire. Arrivé au pays en 1952, Antoine Cano s'installa dans la région le *19 décembre 1952*. Et le 20 décembre 1967, il était nommé Consul honoraire de France au Québec.

À ce titre, Antoine Cano avait pour fonction de représenter la France dans tous les secteurs de la région Saguenay–Lac-Saint-Jean. Son travail en était un de chancellerie : la colonie française régionale comptait alors environ deux cents ressortissants. C'était l'époque de la coopération entre le Québec et la France et les nouveaux arrivés devaient pouvoir trouver protection et aide auprès de leur représentant.

Les échanges culturels avec la France s'accentuèrent considérablement. Un service audio-visuel fut créé, assurant la diffusion de longs et courts métrages dans les institutions enseignantes qui désiraient profiter de cette nouvelle source d'information culturelle.

Au nom de la France, le Consul honoraire accorda son appui au Camp musical du Lac-Saint-Jean. Il collabora au financement en organisant, chaque année, une réception-bénéfice après le premier concert de la saison.

Il veilla également à assurer un lien très vivant entre la presse régionale et la France, jusqu'à son départ de la région en 1982.

---

20 décembre 1904   # Contre une bibliothèque

Bien que Mgr Labrecque ait tenté de mettre la population en garde contre les idées malsaines émises par certains citoyens, l'assemblée du conseil municipal du *20 décembre 1904* ne fut pas banale. En effet, une personne osa se lever pour réclamer l'établissement d'une bibliothèque civique.

Quelques jours plus tôt, le Conseil avait voté pour qu'une somme de quatre cents dollars soit utilisée afin de mettre de l'avant le projet de bibliothèque proposé par l'abbé Lapointe, procureur du Séminaire et chapelain des Artisans canadiens-français.

Le citoyen avait tenté de faire comprendre à l'assemblée que la Ville se devait de demeurer propriétaire de cette bibliothèque et de permettre à tout le monde l'accès aux volumes qu'elle contiendrait. Il suggéra que soit formé un comité de censure composé de trois membres ; l'un choisi par la Ville, l'autre par un juge de la Cour supérieure et le troisième par les autorités religieuses.

Plusieurs personnes firent remarquer que les bibliothèques publiques représentaient un danger pour la population. Il n'était pas question d'encourager une proposition qui envisageait un comité de censure comptant deux laïques pour un seul religieux. La requête du citoyen fut donc rejetée et remplacée par la proposition de la création d'une bibliothèque paroissiale sous le patronnage épiscopal.

La presse locale invita tous les citoyens bien pensants à combattre tout projet d'une bibliothèque civique qui, dit-elle : « ne doit pas voir le jour dans une ville si essentiellement catholique comme Chicoutimi ».

---

21 décembre 1912   # Organisme ouvrier

Les premiers essais d'organisation ouvrière à Chicoutimi remontent à 1903. Mgr Eugène Lapointe, professeur au Séminaire de Chicoutimi à cette époque, avait eu l'idée de regrouper les ouvriers dans une association basée sur les principes catholiques et dont le but serait de maintenir la paix et l'entente entre les travailleurs et leurs employeurs.

Les quatre premières années d'implantation de la Fédération ouvrière de Chicoutimi furent assez difficiles. Il fallut attendre le 22 décembre 1912 pour que soit tenue la première assemblée des membres inscrits. Ils étaient une cinquantaine et le conseil avait déjà obtenu pour eux certains avantages économiques en élaborant une convention avec les boulangers, les bouchers et autres fournisseurs.

Des succursales de la fédération s'implantèrent dans les diverses villes industrielles entre 1912 et 1914 : Jonquière, Kénogami, Val-Jalbert. Cependant, à Jonquière et à Kénogami, il y avait déjà d'autres unions, formées depuis plusieurs années et liées au Congrès des métiers et du travail du Canada.

Le 10 mars 1912, Mgr Labrecque publia une lettre pour promouvoir l'association catholique et, le *21 décembre 1912*, Mgr Lapointe obtenait de la législature du Québec, une loi constituant la Fédération mutuelle du nord en corporation.

---

22 décembre 1800 ## Chasseurs et cultivateurs

Considérés comme les meilleurs chasseurs de la compagnie du Nord-ouest, Pascal Lagrange, Charles Chamberlain et Dugal avaient choisi l'Anse-du-bonhomme-Pelletier pour territoire de chasse. Excepté au temps des Fêtes et à la période des foins, les trois hommes passaient la plupart de leur temps dans leur cabane confortable qu'ils ne quittaient que pour revenir au poste de traite sur les ordres de McLaren.

Dans son journal du *22 décembre 1800*, McLaren nota que Pascal Lagrange et Dugal étaient revenus de l'Anse-à-Pelletier avec soixante et une pièces de belles pelleteries. Les chasseurs avaient parfois la chance de capturer de saumons dans leurs filets tendus à l'embouchure de la rivière Pelletier ou de tuer quelques loups-marins. Ils y auraient même capturé un marsouin égaré.

Le poste de traite était à Chicoutimi depuis 1676. La plus grande partie des fourrures provenaient des « gens de terre » comme les appelait McLaren, ce que confirma l'abbé Lorenzo Angers dans son livre « Chicoutimi, poste de traite, 1676-1836 ». Ces gens de terre étaient des chasseurs traquant le gibier au sud du grand lac Mistassini ou aux sources de l'Ashouapmouchouan. La majorité des pelleteries arrivaient à Chicoutimi, en mai ou début juin, après la fonte des glaces sur les lacs.

Les Indiens apportaient également des fourrures ainsi que certains employés des postes de traite. Peu nombreuses, ces peaux étaient cependant de grande qualité, composées surtout de peaux de martres et de loups-cerviers.

23 décembre 1982 — Fondation de l'UQAC

En quête d'un recteur régionaliste, la communauté universitaire de Chicoutimi avait dressé une liste des successeurs potentiels de Gérard Arguin qui avait quitté son poste, à l'Université du Québec à Chicoutimi.

« Ce que nous voulons, de souligner un porte-parole de cette campagne de recherche, dans le Quotidien du *23 décembre 1982*, c'est un recteur qui soit reconnu comme régionaliste, au courant des difficultés et des possibilités inhérentes à la région, pas quelqu'un qui arrive complètement de l'extérieur ».

Alphonse Riverin, docteur en sciences économiques fut choisi et il revint à Chicoutimi, sa ville natale, après trente ans d'absence. Favorable à la décentralisation, le nouveau recteur s'est aussi beaucoup préoccupé de la petite et moyenne entreprise.

Peu après son arrivée, la Fondation de l'UQAC traçait un bilan des dix dernières années au cours desquelles pas moins d'un million de dollars avaient été, grâce à elle, consacrés à la recherche, en plus de financer partiellement l'implantation des ressources minérales, l'un des champs d'excellence de l'Université.

La Fondation, présidée par M. Paul-Gaston Tremblay, avait également démontré son importance, lors de la menace d'éviction hors des locaux de l'ancien orphelinat. La Fondation avait recueilli deux millions de dollars, en dons et prêts sans intérêt, afin d'acheter le bâtiment, maintenant désigné sous le nom de Pavillon Sagamie.

La Fondation a aussi favorisé la formation de l'Institut scientifique régional.

24 décembre 1894 — Émilie Tremblay au Yukon

Une douzaine de mineurs du Yukon eurent droit à un festin inusité le *24 décembre 1894*. Ils bénéficièrent des talents culinaires de la seule femme blanche à avoir franchi le Chilcoot Pass et à vivre près du ruisseau aurifère.

Au menu : rôti de caribou, lapins et petits pains.

Née à Saint-Joseph d'Alma, Émilie Fortin-Tremblay a quitté les bords du lac Saint-Jean à six mois. Son père, un colon pauvre comme tant d'autres, s'était installé à Chicoutimi parce que son épouse devait y enseigner. Deux ans plus tard, la famille partit pour Québec aboutissant à New-York pour les 15 ans d'Émilie. Là, elle rencontra Pierre-Volasque Tremblay, natif de la paroisse Sainte-Anne à Chicoutimi, surnommé Jack, qui était allé au Yukon dans l'espoir d'y faire fortune.

Émilie et Jack se marièrent à Chicoutimi le 11 décembre 1893 et, malgré les objections des parents et amis, partirent vers le Yukon le 5 mars 1894. Émilie marcha, rama, coucha à la belle étoile, parfois sous la pluie, sans rien y voir d'exceptionnel. Ils arrivèrent au campement des chercheurs d'or le 16 juin 1894.

Aucune femme blanche n'avait encore été si loin, affronter les hivers au cours desquels la température pouvait descentre jusqu'à 70 degrés sous zéro. Dans le récit du père M. Bobillier, publié en 1948 sous le titre de « Une pionnière du Yukon », l'auteur raconte comment Émilie sut s'occuper de tout : baptisant les enfants, lavant les morts, donnant son lit improvisé durant les nuit pluvieuses à des hommes malades, aidant les mourant, les femmes en peine, les mineurs en détresse.

---

25 décembre 1720   # Messe de minuit

Après vingt ans de silence, la petite chapelle de Chicoutimi allait revivre la messe de minuit. Pour y parvenir, le père Laure, successeur du défunt père de Crespieul, avait dû s'atteler à une tâche difficile. Lors de son arrivée, il avait constaté que les Indiens et les Blancs présents s'étaient quelque peu éloignés des enseignements du petit catéchisme. Pour pouvoir les convaincre de se regrouper autour de leur pasteur, le père Laure dut tout d'abord apprendre le Montagnais.

Lui qui venait de se voir confier la tâche d'évangéliser « ce pays semé de montagnes, de rochers, de lacs, de rivières, d'ivrognes et de jongleurs » fut tenté de faire appel au père de Crespieul par la prière pour avoir le courage de remettre en état les lieux et les âmes.

« Mais, confia-t-il dans ses mémoires, les saints veulent qu'on se donne la peine qu'ils se sont donnée eux-mêmes pour se mettre en état de glorifier Dieu ».

À défaut d'un saint il accepta l'aide de Marie Ouitchiouanish pour apprendre la langue montagnaise. Dès qu'il eut compris le premier mot, elle ne lui parla plus du tout en français. Méthode efficace puisque, cinq mois plus tard, le père Laure envisageait de prêcher à Noël dans sa nouvelle langue, et ce, sans utiliser de texte.

Cette messe de Noël était impatiemment attendue. Les Indiens se préparaient au baptême et, du fond des bois, les chasseurs observaient les lunes, comptaient les jours afin de ne pas manquer ce rendez-vous pieux à Chicoutimi le *25 décembre 1720.*

---

26 décembre 1896   **Journaux interdits**

« Si cette feuille continue à se donner mission de répandre parmi les fidèles de ce diocèse l'esprit d'insubordination qui a si justement mérité à l'Électeur sa condamnation, veuillez prévenir vos fidèles que la même condamnation l'atteindra sans autre avertissement de la part de l'Ordinaire ». Cet extrait d'une circulaire en provenance de l'Évêché de Chicoutimi, publiée dans l'édition du Progrès du Saguenay du *26 décembre 1896,* mettait la population en garde contre le contenu d'un journal régional le Protecteur du Saguenay. Quant à l'Électeur, journal auquel il était comparé, il avait été interdit aux catholiques par l'Archidiocèse de Québec.

La circulaire de Mgr Labrecque fut communiquée aux fidèles par le Grand Vicaire Velley dénonçant l'insubordination de ce journal régional. À la sortie de la messe, les abonnés de l'Électeur refusèrent leur journal et bon nombre hésitèrent à prendre le Protecteur du Saguenay menacé à son tour d'interdit.

Parmi les idées défendues par le Protecteur du Saguenay il y avait la reconnaissance du droit d'agression et de révolte à main armée des sujets contre le pouvoir légitimement constitué mais qu'ils jugent tyranique dans son exercice.

Le Protecteur contestait en plus l'autorité ecclésiastique et son droit de déterminer la nature, le mode et la suffisance de l'enseignement religieux qui devait être donné aux enfants catholiques. Il niait également aux religieux le droit d'interdire aux enfants catholiques les écoles mixtes, athées ou protestantes si le pouvoir civil concédait trente minutes d'enseignement religieux en dehors des classes.

---

27 décembre 1894   **Douceur pour les vaches**

« Parler toujours avec douceur et offrir de bons petits plats font grand plaisir. C'est la recette magique pour qu'une vache laitière s'attache à sa maîtresse et soit généreuse ». Ce conseil était destiné aux ménagères afin de les inciter à bien traiter les vaches. Il est extrait du Progrès du Saguenay du *27 décembre 1894.*

« Toutes personnes qui ont de l'expérience dans le traitement des vaches laitières sont unanimes à déclarer que jamais une vache, malgré les meilleurs soins possibles, ne donnera un bon rendement si elle n'est pas traitée avec habileté. Il n'y a aucun doute qu'une personne manquant de soins et d'expérience peut faire perdre à une vache la moitié de son rendement. Celui qui trait une vache doit être bienveillant, inspirer de la confiance au lieu de la crainte, ne jamais oublier que les trayons de la vache sont des organes très délicats qui doivent être manipulés avec soins. La pression doit être exercée dans la bonne direction, c'est-à-dire de haut en bas. La trop grande précipitation ou même la nonchalance peuvent avoir un mauvais résultat ».

« (...) La vache doit éprouver un contentement et non des craintes. Les bonnes ménagères parlent toujours avec douceur à leurs vaches et leur apportent souvent des petits plats qui leur font grand plaisir et les attachent à leur maîtresse ».

---

28 décembre 1946   **Explosion**

Le matin du *28 décembre 1946*, un réservoir d'une capacité d'un million de gallons d'huile explosa entre Bagotville et Port-Alfred. Les cinq à six cent mille gallons d'huile qu'il contenait se répandirent le long de la voie ferrée qui descend jusqu'à la Rivière-à-Mars.

L'huile s'étendit sur une surface de plusieurs milliers de pieds et se solidifia en une croûte allant jusqu'à trois pieds d'épaisseur. Il ne resta rien du réservoir.

Toute circulation fut interrompue sur la voie ferrée. Un wagon du chemin de fer Roberval-Saguenay qui se trouvait sur la voie, non loin de l'explosion, fut projeté sur le côté ; un homme qui passait dans les parages fut entièrement couvert d'huile.

On crut que le froid avait pu obstruer une conduite et faire céder les parois du réservoir par suite d'une accumulation de gaz.

La congélation rapide de l'huile épargna les dangers d'incendie. Quant à la récupération faite par la Compagnie d'Aluminium, elle consista à transporter la croûte d'huile congelée jusqu'aux digues de terre près du réservoir. Chauffée et liquéfiée, l'huile fut ensuite transportée à Arvida dans des wagons citernes.

---

29 décembre 1920   **Les Ursulines en deuil**

Le 31 janvier 1921, dans les paroisses de Roberval, Hébertville, Saint-

Prime, Saint-Félicien, Saint-Jérôme, Saint-Gédéon, Saint-Coeur-de-Marie et Péribonka, une messe fut dite pour la même personne : mère Saint-Raphaël. Cette idée d'Armande Tessier avait été adoptée par les anciennes élèves de mère Saint-Raphaël qui avaient trouvé là le moyen de rendre hommage à leur professeure défunte. Fondatrice et première supérieure des Ursulines de Roberval, mère Saint-Raphaël était morte le *29 décembre 1920*.

Les archives du monastère de Roberval révélèrent le chagrin causé par ce décès : « Le bon Dieu qui, pour couronner les vertus de notre bien-aimée mère devait broyer nos coeurs, eut pitié de nous... pour adoucir le coup inévitable. Il choisit un jour et une heure qui nous permirent de nous réunir toutes autour de son lit d'agonie. Et nous avons pu nous édifier de sa pieuse mort comme nous nous étions édifiées de sa sainte vie ».

Les funérailles eurent lieu le lundi, 3 janvier 1921, à la chapelle intérieure du monastère. Le service fut chanté par Mgr Labrecque, assisté des abbés J.-E. Lizotte, Luc Morin, Maurice Constantin et Léon Maurice.

La cérémonie se déroula aux sons de l'orgue qui joua la marche funèbre de Chopin. Toute la presse de la province, des journaux et revues de l'étranger parlèrent du deuil qui frappait la communauté des Ursulines.

---

30 décembre 1945   ## Lucien Ruelland

Le *30 décembre 1945*, le ténor Lucien Ruelland s'embarquait pour l'Europe. Boursier du gouvernement québécois, il allait rencontrer le grand maître Paul Razavet, ancien ténor du Théâtre royal de la Monnaie et vice-président de l'union professionnelle du chant français.

L'élève sut mériter l'admiration de ses maîtres. Razavet avait confié à Raoul Husson que Lucien Ruelland menait son travail avec intelligence, sans rien laisser au hasard et sans se décourager par les insuccès momentanés. Raoul Husson, docteur ès sciences de l'Université de Paris, ancien élève de l'École normale supérieure et lauréat de l'Institut, chargé de cours de phonétique à l'amphithéâtre de physiologie de la Sorbonne, ne ménagea pas non plus ses hommages dans une lettre adressée à Razavet : « J'ai conscience de ne pas vous avoir assez chaleureusement félicité pour le beau, très beau résultat auquel vous êtes parvenu avec votre élève canadien. Et je veux vous remercier à nouveau de me l'avoir fait entendre. Ce jeune homme est incontestablement un fort ténor, type de voix assez rare... Il est incontestable que ce jeune homme chante maintenant sans sa vraie voix, celle que lui a donnée la nature ».

Il faut dire que Ruelland était au départ reconnu comme baryton. C'est Razavet qui, l'ayant écouté, s'était exclamé : « C'est curieux, j'entends une voix de ténor ».

En France, Ruelland chanta dans « La Damnation de Faust », créa deux opéras : « Altanima » et « La Vannina ». Il connu également un grand succès lors de la présentation de l'opéra « Faust » par un groupe de chanteurs canadiens à Cherbourg en 1949.

31 décembre 1851	**Jonquière**

L'abbé Augustin Beaudry et Alexis Tremblay « Picote » qui avait présidé de la Société des Vingt figurent parmi les organisateurs qui ont créé la Société des défricheurs de la Rivière-au-Sable.

La nouvelle Société obtint les terres au prix d'un chelin l'acre à condition de les payer et de les occuper avant le 31 décembre 1851.

Le territoire, arpenté par François Têtu, fut érigé en canton par une proclamation datée du 20 mai 1850 et reçut le nom de Jonquière en l'honneur du marquis de la Jonquière, ancien gouverneur de la Nouvelle-France.

La Société des défricheurs émit deux cents actions de dix louis et dix chelins chacune, payable en trois termes à l'achat d'un lot de terre situé dans la plaine traversée par la Rivière-au-Sable. Une action donnait droit à un lot, payable en argent ou en travail. Un membre ne pouvait détenir plus de trois actions.

Après cinq années et six mois la Société devait être dissoute et les actifs répartis proportionnellement au nombre d'actions détenues.

Marguerite Belley, accompagnée de ses fils Tom et Léandre, fut la première personne à construire sa cabane et à défricher le sol. Lévis Bergeron, Octave Gaudreault, Thomas Tremblay et Mars Gaudreault suivirent peu après, malgré la distance, les difficultés de communication et l'insuffisance de réserves financières.

La fanfare du Séminaire en 1879.

Bibliographie

Volumes :

Les chroniques du Québec d'Arthur Villeneuve, Canada, 115 p.

ANGERS, Lorenzo, *Chicoutimi poste de traite* (1676-1856). Éd. Léméac, Ottawa, 1971, 123 p.

ASSELIN, Pierre-Paul, o.m.i., *Le Cégep de Jonquière et ses racines*, Éd. J.C.L. enr., Saint-Nazaire, 1980, 311 p.

BOIVIN, A. et BOURGEOIS, J.-M., *Le Saguenay–Lac-Saint-Jean célèbre Louis Hémon*, Éd. du Royaume, Chicoutimi, 1980, 53 p.

Comité de l'histoire, Commission du Centenaire, *Histoire de Saint-Félicien (1865-1965)*, Saint-Félicien, 1965, 296 p.

DESBIENS, Raymond, *Victor Delamarre, « superman » de Québec*, Éd. Alain Stanki, 1973, Montréal, 107 p.

DÉSILETS, Alphonse, *Histoire de Mère Saint-Raphaël*, édité par l'auteur, Québec, 1932, 163 p.

Évêché de Chicoutimi, *Évocations et témoignages*, Évêché de Chicoutimi, Chicoutimi, 1978, 480 p.

GAGNON-ARGUIN, L. *La dévotion à Saint-Antoine*, mai 1978, Chicoutimi, 181 p.

HÉBERT, Léo-Paul, *Le Troisième registre de Tadoussac*, Les P.U. du Québec, Montréal, 1976, 342 p.

LAPOINTE, A., PRÉVOST, P., SIMARD, J.-P., *Économie régionale du Saguenay–Lac-Saint-Jean*, Éd. Gaétan Morin, Chicoutimi, 1981, 272 p.

LAPOINTE, R., *Rodolphe Pagé, pionnier de l'aviation au Québec*, Éd. du Centre Éducatif et Culturel inc., Ottawa, 1972, 181 p.

McLAREN, Neil, *Journal de Chicoutimi, poste de traite (1800-1802)*, (traduit par Angers Lorenzo), Chicoutimi, 256 p.

TREMBLAY, J.-C., *Les noces d'argent épiscopales de S.G. Monseigneur M.-T. Labrecque*, Syndicat des imprimeurs du Saguenay, Chicoutimi, 1917, 259 p.

TREMBLAY, Victor, *Histoire du Saguenay depuis les origines jusqu'à 1870*, Éd. de la Librairie régionale, Chicoutimi, 1968, 465 p.

VIEN, Rossel, *Histoire de Roberval, coeur du Lac Saint-Jean*, Éd. du Centenaire, 9 mai 1955, Montréal, 361 p.

Revues :

ANGERS, Lorenzo, *Varia Saguenayensia*, Chicoutimi, Coll : Huard, octobre 1934.

GENEST, Jean-Guy, « Les pionniers de l'enseignement universitaire au Saguenay » dans *Protée*, Chicoutimi, vol. : VI, N° 1, printemps 1978, 130 p.

Petit Séminaire de Chicoutimi, *L'Alma Mater*, Chicoutimi, série 1, vol. 1, N° 1, au vol. XI, Nos 9 et 10, 30 octobre 1916 à mai-juin 1927.

Petit Séminaire de Chicoutimi, *L'Alma Mater*, Chicoutimi, série 11, vol. 1, N° 1, au vol. VII, N° 10, du 30 octobre 1935 à mai-juin 1943.

Petit Séminaire de Chicoutimi, **L'Alma Mater**, Chicoutimi, série 111, vol. 1, N° 1, au vol. II, N° 9, octobre 1943 à juin 1945.

Petit Séminaire de Chicoutimi, **L'Oiseau-Mouche**, Chicoutimi, vol. 1, N° 1, au vol. X, N° 21, 1 janvier 1893 au 27 décembre 1902.

Société Historique du Saguenay, **Saguenayensia**, Imprimerie du Progrès du Saguenay, Chicoutimi, vol. 1, N° 1, de janvier 1959 à vol. 23, N° 2, avril-juin 1981.

Documents :

Nombre de fonds des Archives nationales du Québec, Centre régional du Saguenay–Lac-Saint-Jean.

Divers documents de la Société historique du Saguenay, incluant les journaux régionaux.

NOTES

NOTES

NOTES

NOTES

NOTES

NOTES

Achevé d'imprimer
sur les presses

LES ÉDITIONS  POLYFORME
du lac-st-jean ltée   québec inc.

Alma (Qué.)